Paris – ~~A~~
9 heu

Jésus

Scheduled : dep. 12:10 PM
arr. 3:20 PM

actual dep. 13.10 PM
13.30

4:34 PM??

Atlanta – Hbg Flight 980
dep 5:35 PM

JACQUES DUQUESNE

Jacqu

Jésus

Éditions J'ai lu

CHAPITRE PREMIER

L'enfant et les docteurs

L'un des docteurs, parfois, se détache du petit groupe, retire d'une étagère un rouleau des Ecritures, en cite un verset pour illustrer ses affirmations, le repose avec respect, écarte un mendiant qui passait là, revient vers les gamins pour leur redire la grandeur du Dieu d'Israël – l'Unique, l'Incomparable – et leur commenter un détail de la Loi que l'Eternel donna à Moïse.

Un autre prend le relais. Ces adolescents sont peut-être fatigués, leur attention se relâche : une bonne pédagogie exige un peu de détente. Il va donc leur citer un passage de la *Haggada*, commentaire biblique souvent empreint de poésie et d'humour. Celui-ci par exemple :

Question : pourquoi Dieu a-t-Il choisi la côte d'Adam pour créer Eve, la première des femmes ? Réponse : « Je ne choisirai pas la tête d'Adam, s'était dit Dieu, afin qu'elle n'élève pas trop fièrement sa propre tête ; ni l'œil, afin qu'elle ne soit pas trop curieuse, ni l'oreille, pour qu'elle n'aille pas écouter aux portes, ni la bouche, pour qu'elle ne soit pas trop bavarde, ni la main, pour qu'elle ne se livre pas à la prodigalité, ni le pied, pour qu'elle ne sorte pas continuellement de chez elle : je vais la tirer d'une partie du corps qui reste cachée, afin de la rendre modeste. » Mais un autre docteur répond, citant un autre texte de la *Haggada* : « Dieu a fait don de plus d'intelligence à la femme qu'à l'homme. »

Les gamins rient de cette controverse. Ils ont tous

treize ans, ou les auront bientôt. Et justement, dans ce Temple, *le* Temple, l'unique Temple qui est le cœur du monde, ils ont l'âge de passer du parvis des femmes à celui des hommes, plus proche de l'autel où l'on sacrifie moutons et colombes, plus proche du Saint des Saints. Ils devront aussi, de retour dans leur village, revêtir le châle de prière, le *tallith*, pour entrer à la synagogue ; ils pourront prononcer les bénédictions et promener les rouleaux de la Loi pour les offrir à l'adoration des fidèles. Ils comptent, ils compteront, parmi les grands. Ils sont, ils seront, religieusement majeurs. Et s'ils restent là, dans la synagogue du Temple, à écouter les docteurs de la Loi, c'est pour compléter leur éducation religieuse alors qu'ils atteignent leur majorité, démontrer aussi sa valeur en répondant à leurs questions [1].

C'est le temps de la Pâque, *Pessah*, qui commémore la fin de l'esclavage des juifs en Egypte, l'une des trois fêtes de pèlerinage qui amènent les foules à Jérusalem. Les docteurs de la Loi, des bénévoles qui exercent à l'extérieur des professions jugées honorables (menuisiers, charpentiers, orfèvres par exemple, tandis que les tisserands et les tanneurs sont soupçonnés d'immoralité) se relaient dans le Temple pour répondre aux pèlerins et accueillir les enfants en période d'initiation. Ils ne savent plus où donner de la tête. Pas question ces jours-là de discuter jusqu'à extinction de voix de l'interprétation des Ecritures comme ils aiment tant le faire pour approfondir la recherche religieuse et multiplier les prescriptions qui garantiront leurs compatriotes contre l'impureté et le péché. Les visiteurs les accaparent.

Ils sont des dizaines de milliers, ces pèlerins, à avoir envahi Jérusalem, qui compte, en temps habituel, quelque vingt mille habitants (vingt-cinq mille selon les estimations les plus larges). Ils encombrent les ruelles et les rues de la « ville haute », où se trouve le Temple. Ils couchent hors les murs, là où ils le peuvent, groupés le plus souvent par villages ou par parentèles, sous la tente, à la dure. Ils prient, ils écoutent les rabbins leur expliquer que l'Homme est l'être de la Pâque, du passage, le lien entre le Créateur et le créé, ils chantent des psaumes : « O ma joie, quand on m'a dit : allons à la maison de Yahvé ! Nous y sommes, nos pas ont fait halte dans tes portes, Jérusalem[2]. »

Il n'est ni difficile ni inconvenant d'imaginer parmi eux l'enfant nommé Jésus, venu de Nazareth avec Joseph et Marie. Ceux-ci descendaient (au sens géographique) ou montaient (au sens religieux) à Jérusalem chaque année, selon l'évangéliste Luc. Un signe évident de piété : le pèlerinage annuel au Temple était obligatoire, mais seulement pour les hommes, et le voyage – cent vingt kilomètres environ –, fatigant, périlleux parfois, n'avait rien de commun avec les pèlerinages touristiques comme en connaît la fin du XXe siècle.

La Galilée – un rectangle d'environ quarante kilomètres sur quatre-vingts – était pourtant un pays riant : « Féconde partout et plantureuse, écrira, enthousiaste, l'historien juif Flavius Josèphe, couverte de toutes sortes d'arbres, elle invite à la culture même les moins laborieux ; aussi est-elle tout entière exploitée ; nul champ n'y est en friche. Villes et bourgs sont nombreux, car la nourriture abonde en ce pays[3]. » Les fleurs aussi : l'anémone rouge règne sur les prairies, coquelicots et reines-marguerites enchantent les collines. Las ! Pour relier les nombreuses villes dont parle Josèphe, on n'a le choix, le plus souvent, qu'entre de mauvais chemins. En partie parce que l'occupant romain, cet infatigable traceur de routes, ne se montre guère de ce côté. A quoi bon ? Le pays est le domaine réservé d'Hérode Antipas, qui ne veut que du bien aux Césars et à leurs sous-fifres. D'ailleurs leur présence militaire est très limitée dans toute la Palestine (trois mille hommes à Césarée, sur la côte, et une cohorte de six cents hommes, d'ordinaire, à Jérusalem).

La Judée, au sud, c'est une autre affaire. A mesure que l'on approche de Jérusalem, les routes s'améliorent quelque peu. Mais les habitants n'ont que mépris pour les Galiléens (on dit « sot comme un Galiléen »), leur accent de paysans rustauds et leur prononciation maladroite. Ils envient aussi leur richesse supposée :

« Pour faire fortune, va au nord ; pour être savant, viens au sud », dit-on à Jérusalem. Il faut, en outre, pour parvenir à la capitale, traverser une terre aride, rocailleuse, tourmentée, creusée de grottes qui servent de repaires aux voleurs de grand chemin, avant de l'apercevoir, dressée sur ses monts et enfermée dans ses murailles. La Ville, l'unique Ville, Jérusalem !

« Si jamais je t'oublie, ô Jérusalem, que ma droite se paralyse, que ma langue s'attache à mon palais », chante le psalmiste[4]. On peut imaginer l'émotion de l'enfant lorsque, pour la première fois, il a vu surgir, telle une île, sur la campagne nue, la Ville. Elle a perdu quelques administrations emmenées par les Romains à Césarée. Mais peu importe aux pèlerins, qui pourtant exècrent les occupants, comme tous les juifs : pour eux, pour tous les juifs, Jérusalem est le cœur religieux du monde. Puisque là fut bâti le Temple. Et puisque dans le Temple se trouve le Saint des Saints, le lieu vide où le seul Dieu est mystérieusement présent et absent à la fois, où seul le grand prêtre peut pénétrer, une fois l'an, le jour du *Kippour*, du Grand Pardon, après avoir fait retraite et jeûne, s'être purifié de toutes les manières, pour prononcer avec crainte et tremblement le nom de Yahvé et implorer de Lui le pardon, justement, de toutes les iniquités, offenses et transgressions dont s'est rendu coupable le peuple qu'Il s'est choisi.

Il sait tout cela, l'enfant. Des parents pieux comme Joseph et Marie lui ont aussi expliqué comment tous les prêtres et le peuple, à l'instant même où le grand prêtre pénètre dans le Saint des Saints, s'agenouillent et se prosternent en priant que soit loué à jamais le Seigneur. Ils lui ont dit que le Temple, dont, arrivant du nord, il apercevait à gauche les hautes colonnades, en partie cachées par la tour Antonia où veillent les Romains – maudits soient-ils ! –, n'est rien, absolument rien, si beau, si grand soit-il, en regard de l'autre Temple, celui d'en haut, celui des cieux. Et tandis qu'ils dressaient la tente, une simple toile, avec le groupe de Nazareth, tandis que leurs voisins préparaient le repas, il regardait encore et encore la Ville, il écoutait la rumeur qui montait de cette foule, les cris lointains des bêtes emmenées en vue des sacrifices, bientôt relayés, dans la nuit, par les appels réglementaires des soldats romains de garde à la tour Antonia et aux remparts.

Ces afflux de pèlerins, venus de toute la Palestine mais aussi de tous les bords de la Méditerranée, où sont dispersés les juifs, mêlés de touristes grecs, syriens, égyptiens, qu'attire une aussi spectaculaire manifestation de piété, de commerçants aussi, pressés de vendre bibelots ou tissus, provoquent toujours chez les Romains une peur proche de la panique. Détestés, considérés comme « impurs » par une population qui a de la pureté un souci obsessionnel, ils craignent l'émeute, l'explosion – fréquente dans les campagnes ces années-là –, renforcent donc l'habituelle garnison par des troupes venues de Césarée et imposent aux pèlerins des itinéraires qui leur permettent de les surveiller mieux.

L'enfant et sa parentèle ont été ainsi contraints, semble-t-il, de traverser la vallée de Josaphat, le mont des Oliviers, où se regroupent déjà les premiers éventaires des changeurs – car on ne peut entrer au Temple avec des pièces romaines, on ne peut payer l'impôt du Temple, exigé chaque année de tous les israélites, qu'en utilisant la monnaie du Temple – et les marchands d'animaux pour les sacrifices : pigeons et colombes pour les plus modestes, bœufs pour les plus riches, moutons pour la plupart.

On peut imaginer l'enfant dans cette cohue, la poussière, les bruits de basse-cour et d'étable, les odeurs de bouse, de bêtes et d'épices, les fumées de viandes grillées, la rumeur et le piétinement de la foule, les incantations des plus pieux. Voici, d'abord à la porte de la ville, des gardiens, des douaniers d'un type très original qui ont pour fonction de séparer le pur de l'impur. Car c'est écrit sur le rouleau du Temple : « La ville que je sanctifie de la résidence de mon nom et qui contient mon sanctuaire sera sainte et pure de toute impureté qui la rendrait impure ; tout ce qui s'y trouvera devra être pur et tout ce qui y sera apporté devra être pur. » Ce qui signifie en pratique que fruits et légumes, laitages, céréales et bois doivent être purifiés par une taxe. En revanche, l'entrée des peaux, cuirs et toisons venus d'ailleurs est simplement prohibée ; à plus forte raison s'ils viennent de Samarie ou des cités païennes avec lesquelles, pourtant, se développe le commerce. Une prohibition qui comble d'aise les tanneurs installés dans la partie basse de Jérusalem et les console sans doute d'être rangés parmi les métiers vils.

Et puis, cette curieuse douane franchie, voici les premiers cordons de soldats romains. Leurs casques et leurs cottes de mailles flamboient au soleil. Epée nue sur le flanc et bâton à la main, ils filtrent cette longue procession, sans cacher leur mépris pour ces juifs qui, écrira bien plus tard leur grand auteur Tacite rapportant une opinion très répandue à Rome, sont une « race abominable ». Ils viennent d'un peu partout, ces légionnaires recrutés dans les territoires où l'empire a étendu la main, ils sont blonds, noirs, bistres, ils échangent en un sabir où se mêlent latin, grec, araméen, langues et patois divers, des plaisanteries sur cette foule poussiéreuse vêtue de bleu, de blanc et de gris, qui se presse vers le Temple en faisant mine de ne pas les voir.

Le Temple ! A cette époque, c'est encore un chantier. Et depuis des années : une trentaine environ quand l'enfant va y rencontrer les docteurs de la Loi[5]. Hérode l'a voulu immense et superbe pour célébrer sa propre magnificence et tenter de se concilier les juifs, qui le considéraient comme un collaborateur de l'occupant et un renégat : non content de servir d'agent recruteur dans tout l'Orient pour les armées romaines, n'avait-il pas érigé à Césarée, entre autres, un grand temple de marbre blanc dédié à César et à Rome ?

Or, après la destruction du Temple de Salomon, après leur retour de déportation, les juifs en avaient certes construit un autre, mais plutôt pauvret, modeste, à la mesure de leurs moyens de vaincus. Hérode savait que, pour son peuple, le Temple était à la fois le lieu de l'absence de Dieu – car on ne peut L'enfermer, Le contenir dans une construction de pierre – et de sa présence, l'éclatante manifestation de sa Royauté. Un texte écrit par des rabbins l'expliquait : « Seigneur du monde, les rois des nations possèdent des palais où l'on trouve une table, des chandeliers et autres signes de royauté, de sorte qu'ils puissent être reconnus comme tels. Et Toi, notre Roi, libérateur et sauveur, Tu n'aurais pas de signe de royauté, afin que tous les habitants de la terre puissent reconnaître que Tu es le Roi ? »

Il fallait donc édifier un palais qui fût digne de l'Eternel... et d'Hérode.

Les prêtres, qui eussent dû bondir de joie et fondre d'émotion à l'annonce de ce projet, se méfiaient : cet Hérode était trop imprégné de la pensée grecque, il suivait les modes grecques, se parait comme les Athéniens de riches tuniques de soie et de bijoux, s'était fait construire dans les déserts une petite douzaine de palais de style corinthien : si on le laissait faire, il leur construirait un temple grec, païen pour tout dire.

La nation juive avait reçu en dépôt un message sacré, ce petit peuple avait, seul dans le monde connu, conclu alliance avec le Dieu unique. Il lui fallait donc lutter pied à pied pour rester lui-même, garder intact le legs divin reçu d'Abraham, de Moïse, d'Isaac et de Jacob, rester imperméable aux influences de l'extérieur. Or, malheur, fatalité, il n'était pas installé dans une enclave inaccessible mais sur un bout de terrain où rêvaient de passer tous les conquérants, Perses, Chaldéens, Grecs aussi. Ceux-ci comptaient parmi les plus dangereux peut-être parce que leur civilisation, si brillante, avait réussi à séduire les Romains eux-mêmes, parce que leur langue était devenue – plus que le latin – la langue internationale, parce que l'on admirait leurs philosophes, que l'on copiait leurs architectes, que l'on célébrait comme eux le culte du corps et que l'on finissait par adorer leurs dieux faits de main d'homme.

Trois siècles plus tôt, Alexandre le Grand avait conquis la Palestine. Les juifs les plus riches s'étaient assez vite mis à l'heure grecque. Le grand prêtre lui-même, la plus haute autorité religieuse d'Israël, s'était abaissé, un peu plus tard, jusqu'à écourter les prières du soir pour permettre aux officiants d'assister aux compétitions sportives calquées sur celles d'Olympie.

Il importait donc de réagir. Et quand Hérode entreprit de construire le Temple, la tension était à l'extrême : plus Israël reculait devant l'extérieur, plus se multipliaient les tentations de s'y fondre, plus son peuple s'arc-boutait dans la défense de sa foi, de sa Loi et de ses règles. Entre les prêtres et le roi commencèrent d'interminables palabres. Mais Hérode était habile, disposait de bons architectes, puisait volontiers dans les caisses de l'Etat : ils finirent par s'entendre. Le Temple, grec d'allure avec ses somptueuses colonnes corinthiennes, respectait toutes les exigences de la Loi.

Au sommet du mont Moriah, là même où David avait jeté le plan du premier Temple, les architectes d'Hérode établirent un immense terre-plein[6] entouré de murs de pierres blanches de douze mètres de côté. Dix mille hommes selon les uns, dix-huit mille à en croire d'autres, se mirent au travail. Parmi eux, mille prêtres pauvres qui avaient reçu une formation de maçon pour bâtir le Saint des Saints, dont aucun profane ne pouvait approcher, même pendant sa construction. Ces travailleurs innombrables, ce chantier digne de Pharaon étaient une aubaine pour la petite ville, une source de richesse pour ses commerçants. Mais cet entassement de prolétaires qui parfois s'agitaient inquiétait les prêtres, le roi et les Romains.

En ces années-là, la paix et la sérénité ne régnèrent jamais vraiment à Jérusalem, où tant de certitudes, de croyances et d'intérêts se heurtaient. Ainsi, toujours soucieux de plaire à l'occupant, Hérode s'était-il mis en tête de faire sculpter l'aigle de Rome au-dessus du portail du Temple. Un blasphème ! A la veille de sa mort, des juifs avaient fait abattre ce fronton. Il gardait assez de lucidité et de force pour faire brûler vifs tous les responsables, et mettre à mort quelques notables. Mais l'aigle ne fut pas replacé à l'entrée du Temple.

Les Romains, à cette époque, n'en demandaient pas tant et prenaient garde à éviter toute offense au judaïsme, punissant même de mort, parfois, ceux de leurs légionnaires qui, trop ivres ou trop bêtes, s'en rendaient coupables. Plus tard, Pilate, un dur et un provocateur, se montrerait moins prudent, et Caligula, un fou, exigerait même l'érection de sa statue au beau milieu du Temple, mais c'est une autre histoire.

L'année où l'enfant est arrivé pour rencontrer les docteurs, les travaux, pourtant rondement menés, ne sont pas encore terminés : ils ne le seront qu'en 64. Le Temple a quand même fière allure. Ses constructeurs, formés semble-t-il à l'école d'architecture d'Alexandrie, ont utilisé les techniques grecques pour édifier un cube (de proportions semblables à celles que prendrait, des siècles plus tard, la Kaaba de La Mecque) où alternaient les pierres blanches – si blanches, dit un texte, que « cette superbe masse paraissait de loin aux étrangers qui ne l'avaient point encore vue être une montagne couverte de neige » – et les lames d'or, si épaisses que « dès que le jour commençait à paraître on n'en était pas moins ébloui qu'on l'aurait été par des rayons d'or du soleil ». Et autour de ce cube, d'immenses cours, les parvis, séparés par de puissantes colonnades dans le plus pur style corinthien.

Suivons l'enfant dans sa découverte du Temple, l'un des plus fastueux et imposants monuments du monde alors connu, qui doit laisser pantois d'admiration et de respect un petit Nazaréen. Il passe d'abord par le parvis des Gentils, des païens, des non-juifs, une gigantesque esplanade où se mêle tout ce que la ville compte de pèlerins, de touristes venus de l'empire et de l'Orient, d'aveugles, d'estropiés considérés comme impurs, qui n'ont donc pas le droit d'aller plus loin et qui mendient, de trafiquants également. Une cohue colorée et bruyante autour des changeurs, mieux installés là, avec leurs petites tables en forme de pupitre, qu'au mont des Oliviers, autour également des étals où des prêtres (vingt mille environ sont au service du Temple) vendent encens et huiles pour les offrandes saintes, des « sceaux » aussi que le pèlerin, s'il ne l'a pas encore fait, pourra échanger contre une colombe, un mouton, voire un taureau s'il est fortuné ou souhaite beaucoup offrir et demander à l'Eternel. Ces sceaux n'ont pas de prix, tout ce monde marchande en criant, les prêtres poussent à la consommation, et les bêtes sont là, participant à cette mêlée, meuglant, bêlant, blatérant, roucoulant, caquetant et chantant.

Affaire faite, impôt payé aux prêtres pour le rachat de l'âme de chaque membre de la famille, les juifs pieux, châle de prière sur la tête, franchissent les colonnades et grimpent les marches de pierre, déjà patinées par des milliers et des milliers de sandales, qui les séparent du parvis des femmes. Marie y restera. L'enfant aussi, tant qu'il ne sera pas religieusement majeur. Joseph, lui, gagne, par la porte Nicanor où psalmodie un chœur de lévites, le parvis d'Israël, celui des fidèles masculins. Il emmène, peut-être, un agneau qu'il a échangé contre le sceau. Homme pieux comme tout l'indique, il souffre du péché qui l'a éloigné de Dieu. Il veut se réconcilier avec Yahvé. Approchant de l'autel du sacrifice, il étend la main sur la tête de l'animal qui va mourir : ainsi manifeste-t-il qu'il entend être identifié à lui, c'est sa propre mort qu'il mime, car le mal conduit à la mort et il ne mérite lui-même que la mort. Un prêtre, après le passage par les abattoirs sacrés, portera le sang du sacrifice jusqu'à l'autel, sur le parvis des prêtres, le plus proche du Saint des Saints, exposera le corps de l'agneau sur l'autel surélevé (plus de quatre mètres de hauteur), comme le signe que le pécheur – désormais pardonné – offre tout son être à Dieu. Et pour montrer que, réconcilié avec Dieu, on veut l'être aussi avec les hommes, le juif pieux invitera ses proches, ses compagnons, à manger avec lui les restes de viande.

On ne vient pas de Nazareth à Jérusalem, on n'affronte pas toutes les fatigues et tous les périls d'une telle route pour s'en retourner aussitôt. D'ailleurs – autre aubaine pour le commerce local, presque toujours tenu par des prêtres ou contrôlé par eux –, tout juif pieux doit dépenser dans la ville, dont l'économie est donc à support presque exclusivement religieux, un dixième de son revenu. Joseph et Marie, dévotions et achats terminés, ont sans doute regagné leur tente, hors les murs. L'enfant a peut-être fréquenté, dès le premier jour, l'une des salles d'étude qui flanquent la synagogue et où enseignent, ergotent, pontifient les docteurs de la Loi. Il s'y est plu, est revenu le lendemain avec ses parents, et quand, « les jours ayant été accomplis », comme l'écrit l'évangéliste Luc, Joseph, Marie et leurs compagnons nazaréens ont repris le chemin de leur bourgade d'origine, il y est resté.

Qu'ils ne s'en soient pas aperçus d'abord n'est guère surprenant. La cohue de l'arrivée n'a d'égale que celle du départ. On démonte les tentes, on entasse les ustensiles qui ont servi aux repas avec les bibelots, les souvenirs et les vêtements achetés à Jérusalem. Les ânes braient. Et les gamins s'en vont devant, aussi impatients de repartir qu'ils l'étaient d'arriver. Jésus doit être avec eux, pas de problème. C'est un garçon sérieux, que personne n'imaginerait fugueur. Et si l'on ne l'aperçoit pas aux haltes que cette caravane de Galiléens s'autorise pour reprendre des forces, c'est qu'il est avec ses oncles, ses cousins ou ses voisins. Malheureusement, le soir, quand vient l'heure de monter la tente, de faire étape pour la nuit, il faut bien se rendre à l'évidence : il n'est pas là. Personne ne l'a vu ; il s'est peut-être attardé : ces routes de Judée sont bordées de trous et de grottes dans lesquelles il s'est peut-être aventuré – ce n'est pas son genre de s'écarter ainsi, mais allez savoir ; d'ailleurs, il manifeste depuis l'enfance autant d'indépendance d'esprit[7] que de sagesse ; il est possible enfin qu'il ait fait une mauvaise rencontre.

Marie et Joseph, alors, agissent comme le feraient en de telles circonstances tous les parents inquiets : ils rebroussent chemin. Ce qui les mènera jusqu'à Jérusalem. Où ils le retrouveront seulement après trois jours, dit Luc. Ce qui est possible dans une telle cohue. Mais le chiffre trois, très utilisé dans la suite de l'Evangile comme on le sait, est peut-être un simple symbole comme les évangélistes – et les hommes de leur temps – les aiment, nous le verrons.

Peu importe. L'important, c'est la scène qui suit. L'enfant est assis au milieu des docteurs, qu'il écoute et interroge, et qui l'interrogent à leur tour. Ils doivent être, une fois de plus, occupés à commenter un extrait de la *Tora*, la Loi. Ils ont été frappés par ses questions, se sont signalé les uns aux autres ce gamin qui se distingue du groupe, qui paraît si éveillé, si averti et si informé. Bref, un surdoué. Chez qui se manifeste aussi une grande foi. Beaucoup s'étonnent, d'autres s'émerveillent ou s'attendrissent, y compris ceux qui passent par là pour demander à un docteur s'il est bien vrai qu'on n'a pas le droit de manger un œuf pondu le jour du sabbat[8], y compris les mendiants ou les fidèles qui voulaient régler un cas de conscience. A coup sûr, celui-là fera un *rabbi*. Il mérite en tout cas, s'il n'y a pas encore été admis, d'entrer désormais dans le parvis des hommes.

Les parents, eux, quand ils pénètrent dans la salle, ne s'émerveillent ni ne s'attendrissent. Que l'enfant ait pour l'étude des dispositions, qu'il brille par l'intelligence, qu'il soit animé d'une profonde foi, ils sont bien placés pour le savoir. Ce qui l'emporte chez eux, que l'inquiétude taraudait, c'est la satisfaction et quelque irritation. Comme toujours dans ce cas, quand des parents affolés retrouvent un enfant perdu et qui semble les avoir totalement oubliés, c'est la mère qui parle d'abord. Sans doute par calcul, pour éviter que le père n'aille trop loin dans les reproches : avec les hommes, on ne sait jamais. Sans doute aussi parce qu'elle était toute transie de peur et qu'elle tressaille, déjà, mais secrètement, du bonheur des retrouvailles.

« Mon enfant, pourquoi nous as-tu fait cela[9] ? » Et fuse la réponse : « Pourquoi me cherchiez-vous ? Ne savez-vous pas qu'il me faut être chez mon Père ? » Une réponse qu'ils ne comprirent pas, assure l'évangéliste. Ce qui paraît étrange si l'on songe aux annonces que leur avait faites l'ange avant la naissance de Jésus : ils devaient être préparés à des attitudes, des gestes, des propos hors du commun... Reste que, ayant dit, l'enfant les suivit sans plus attendre.

Faisons halte un instant. Cet épisode de la vie de Jésus a été contesté par nombre de spécialistes : à leurs yeux, il s'agit d'un texte rapporté tardivement à l'Evangile de Luc, ce dont témoignerait son style d'un grec très pur. Rien, pourtant, ne permet de mettre en doute sa vraisemblance : il était normal que des parents pieux comme Joseph et Marie aillent pour la Pâque à Jérusalem et y emmènent l'enfant – du moins à l'approche de ses treize ans. Et qu'il fût alors, comme on dit, « avancé pour son âge », ce qui se passa ensuite permet de le supposer.

Si j'ai choisi de commencer ce livre par ce récit-là, c'est qu'il me paraît chargé de sens. Pas seulement celui qu'on lui donne d'ordinaire. J'ai entendu des dizaines de sermons, d'homélies si l'on préfère, qui suivaient la lecture de ce passage de l'Evangile de Luc : les prédicateurs insistaient sur la conscience qu'avait déjà Jésus de son destin et de sa mission, sur l'obligation où il se trouvait dès lors de se montrer rude (« en apparence », disaient-ils) avec ceux qui lui étaient le plus proches, sur le sacrifice que ceux-ci déjà acceptaient, et ainsi de suite. Toutes choses que l'on peut en effet déduire de ce texte. Mais je n'ai entendu aucun prédicateur (si certains l'ont fait, je n'en ai pas été témoin) s'étonner de l'attitude des docteurs de la Loi : voilà des personnages qui passent ces jours-là le plus clair de leur temps dans le Temple, y retrouvent le matin à la première heure un gamin qui s'y trouvait encore le soir à la dernière, alors que les parvis se vident, que les prêtres de garde pour la nuit s'affairent à allumer dans leurs postes les lampes à huile ou les torches... et ces docteurs de la Loi ne semblent pas s'être interrogés un instant sur le lieu où dormait l'enfant, s'être inquiétés de ce que pouvaient bien penser ses parents, s'il en avait, et il en avait certainement puisqu'il ne mendiait pas comme tant d'autres qu'il fallait chasser comme des mouches importunes, et puisqu'il était si informé des choses de la Loi, si pieux aussi. A moins qu'il n'ait accompagné un *rabbi* depuis la Galilée – car l'accent de cet enfant ne trompait guère, c'était un Galiléen – et alors ce *rabbi* devait le chercher partout s'il avait le moindre sens de ses responsabilités.

Mais non. Ces savants docteurs avaient entre les mains un surdoué d'une rare piété, ils étaient fascinés, ravis, émerveillés, et ne cherchaient pas plus loin. Peu leur importait, semble-t-il à lire l'Evangile de Luc, qui ne fait aucune allusion à cet aspect des choses, l'inquiétude des parents. Et, j'y insiste à nouveau, cela n'a pas frappé non plus la plupart de nos prédicateurs, de nos commentateurs anciens et modernes, du moins ceux que j'ai lus ou entendus, des hommes de grande qualité pourtant, comme l'étaient à coup sûr ces bénévoles qui passaient des heures dans le Temple à répondre aux fidèles et à parfaire l'éducation religieuse des adolescents.

J'ai parfois le sentiment – et voilà où je voulais en venir – que Jésus est toujours quelque peu (n'exagérons pas : quelque peu seulement) entre les mains des docteurs de la Loi et que ceux-ci, passionnés par lui et pour lui, se soucient trop peu des Marie et des Joseph que nous sommes. Je vais essayer de m'expliquer, afin de préciser le projet de ce livre.

Il n'est plus grand monde aujourd'hui, du moins parmi les historiens sérieux, pour nier l'existence d'un personnage nommé Jésus, ou plutôt *Ieschoua* (traduit en grec par *Iezous*, devenu en français « Jésus »), dans lequel ses disciples virent le Messie (en grec *Kristos*, d'où « Christ ») et qui apparut comme le fondateur d'une religion nouvelle. Que l'on croie ou non qu'il était Dieu Lui-même, on est obligé d'admettre que ce personnage a joué un rôle décisif dans l'histoire de l'humanité. Les propos qu'on lui prête résonnent encore – en dépit même des déformations, atténuations, édulcorations que leur ont fait subir parfois ses disciples, ses serviteurs ou ceux qu'elles gênaient – comme des paroles de feu et d'amour absolu. Pour toutes ces raisons, bien des gens voudraient en savoir plus sur lui, les conditions dans lesquelles il a vécu, ses actions et ses paroles, et le crédit que l'on peut apporter aux textes qui racontent sa vie, les Evangiles.

Ces textes ont été contestés, épluchés, passés au crible du soupçon, plus, sans aucun doute, que tout autre manuscrit de la même époque. Les rares allusions à l'existence de Jésus contenues dans d'autres textes, d'origine non chrétienne ceux-là, ont été scrutées à la loupe. D'éminents spécialistes, exégètes, historiens, archéologues, linguistes, poursuivent d'intensives et harassantes recherches pour tenter de préciser le plus infime détail, d'évaluer au plus juste l'authenticité de ce que, depuis des siècles, l'on a rapporté à son sujet. Et ils progressent.

On en sait donc chaque année un peu plus sur le personnage nommé Jésus. On sait chaque année un peu mieux ce qu'il fut et ce qu'il fit vraiment, et aussi ce qu'il ne fut pas et ce qu'il ne fit pas.

Mais les résultats des recherches de ces exégètes, historiens, archéologues, linguistes, lorsqu'ils sont publiés, le sont souvent dans des textes confidentiels ou dans un langage peu accessible au grand public. Ils sont parfois utilisés par des farfelus ou des poètes qui bâtissent, sur la vie de Jésus, des hypothèses romanesques. Ils sont parfois livrés en partie par des auteurs beaucoup plus sérieux qui effectuent leur propre tri parmi les hypothèses et les découvertes des historiens, reprenant celle-ci, repoussant celle-là, mais sans expliquer les raisons de leurs choix. Ces travaux servent aussi, à l'occasion, d'arguments à des auteurs qui expliquent que les Evangiles n'étaient que mythologie, des historiens qui rabotent avec ardeur tout ce qui, dans ces textes, exprime une transcendance, un signe du surnaturel. Or, s'il convient de distinguer entre les récits d'origine et ce que la tradition et les pieuses intentions y ajoutèrent, un peu comme des spécialistes dépouillent les tableaux de maîtres de la crasse qu'y ont déposée les siècles, il faut éviter, comme eux, de le faire avec des produits trop agressifs qui attaqueraient le tableau lui-même, qui n'en laisseraient pas subsister l'essentiel.

Ainsi les résultats des recherches des spécialistes restent encore trop souvent l'affaire des docteurs de la Loi, hommes très respectables comme je ne cesse de le répéter, mais qui n'osent pas trop les confesser. Certains craignent – ou les autorités dont ils dépendent craignent – de scandaliser les « faibles », comme le disent parfois ces autorités, en révélant par exemple que la jolie histoire des Rois mages n'a sans doute guère de réalité historique – au sens où la naissance de Louis XIV et celle de George Washington sont des réalités historiques – mais peut se prévaloir d'une réalité symbolique, comme un conte ou une parabole qui illustre et révèle une vérité profonde. Autrement dit : ça ne s'est pas passé comme le dit le texte mais celui-ci mérite pourtant une extrême attention car il signifie quelque chose de très important.

Tous les gens de bonne foi, me semble-t-il, pourraient comprendre qu'on leur tienne un tel langage. Mais, de crainte d'inquiéter les « faibles » – une raison très respectable certes –, on continue très souvent à faire comme si tous les textes évangéliques énonçaient de A jusqu'à Z des vérités historiques. Ce qui ne trompe pas grand monde : les perspicaces devinent bien qu'à côté de vérités indiscutables ou probables, ces récits font état de faits discutables ou improbables, et le paroissien le plus confiant voit bien que, selon Marc, Jésus n'est allé qu'une seule fois à Jérusalem alors que, selon Jean, il s'y est rendu plusieurs fois, que le même Jean ne raconte pas le recrutement des apôtres de la même manière que les trois autres évangélistes, que Matthieu voit parfois double puisqu'il aperçoit « deux aveugles » ou « deux possédés » là où Marc se contente d'un seul, et ainsi de suite.

Il serait possible d'aborder de front toutes ces questions, ce qui montrerait que les convergences entre les Evangiles l'emportent largement sur les désaccords. On pourrait aussi arguer que l'Eglise des premiers siècles, en laissant subsister ces contradictions dans des textes qu'elle déclarait authentiques, a prouvé au contraire son honnêteté, sa volonté d'exposer toutes les pièces du dossier Jésus. Mais on préfère, le plus souvent, faire comme si... Comme si les hommes d'aujourd'hui n'avaient pas soif, aussi, de précisions historiques.

Le projet de ce livre est donc simple. Tenter de dire ce que fut la vie de Jésus de la manière la plus complète, la plus claire, la plus respectueuse et la plus... vivante possible, en tenant compte des derniers résultats des travaux des spécialistes en tout genre, ou de leurs dernières hypothèses. Des notes, renvoyées en fin de volume, préciseront les sources des indications données, les compléteront, les analyseront et donneront des indications bibliographiques aux lecteurs qui souhaiteraient pousser plus loin la recherche. Enfin, un appendice tentera de résumer ce que l'on sait aujourd'hui des sources disponibles, des conditions de rédaction des Evangiles.

L'ordre chronologique impose de commencer maintenant par les textes qui soulèvent le plus grand nombre de questions : ce qu'on appelle d'ordinaire les Evangiles de l'enfance, qui concernent surtout la naissance, et dont les récits suscitent, au regard de l'histoire, bien des réserves.

CHAPITRE II

Naissance

Les circonstances exactes de la naissance de Jésus demeurent mystérieuses et discutées.

Ce n'est guère surprenant. Ce petit Galiléen ne comptait pas parmi les princes dont la venue au monde est saluée à sons de trompe et de corne. Qui, parmi ses contemporains, pouvait imaginer que ses propos et ses actes bouleverseraient le monde ? Teilhard de Chardin le remarque à propos des origines de la vie elle-même : « Lorsque, en tous domaines, une chose vraiment neuve commence à poindre autour de nous, nous ne la distinguons pas, pour la bonne raison qu'il nous faudrait voir dans l'avenir son épanouissement pour la remarquer à ses débuts. Et quand, cette même chose ayant grandi, nous nous retournons pour en retrouver le germe et les primes ébauches, ce sont ces premiers stades qui se cachent, détruits ou oubliés [1]. »

Il est difficile à un tout jeune enfant d'imaginer en observant une graine quel fruit elle va produire, si difficile qu'il ne la voit même pas ; et quand la beauté et la saveur de ce fruit l'émerveillent, il est trop tard pour en retrouver l'origine.

Les circonstances de la naissance de Jésus, qui fut ensuite le sujet d'innombrables tableaux et récits, qui est aussi à l'origine de la fête la plus célébrée dans le monde, ne passionnaient guère les gens de son temps. Pas même ses premiers disciples, qui ne s'intéressaient qu'à son message et, ensuite, à sa résurrection. L'apôtre Paul, dont le témoignage est le plus ancien, c'est-à-dire le plus proche de la crucifixion, de l'époque des faits, l'écrivait aux chrétiens habitant à Corinthe : « Je vous ai transmis en premier lieu ce que j'avais moi-même reçu, à savoir que le Christ est mort pour nos péchés, selon les Ecritures, qu'il a été mis au tombeau, qu'il est ressuscité le troisième jour selon les Ecritures, qu'il est apparu à Céphas puis aux Douze. Enfin il est apparu à plus de cinq cents frères[2]... » Et l'énumération des témoins se poursuit. Mais on ne trouve dans les lettres signées par Paul aucune allusion aux circonstances de la naissance ou à l'enfance. Pas plus que dans les Evangiles de Marc, le plus ancien des quatre selon toute probabilité, ou de Jean. Bien pis : les deux Evangiles qui en parlent, ceux de Luc et de Matthieu, se contredisent sur plus d'un point.

Il est impossible pour autant de les négliger ou de les oublier comme le font tant d'auteurs qui, peut-être soucieux d'éviter les difficultés, s'intéressent uniquement à la « vie publique de Jésus », comme on dit, celle qui commence avec son baptême par Jean le Baptiseur. Ils ont tort. Car ces récits de la naissance en disent beaucoup sur l'époque où il vécut, la manière dont le voyaient ceux qui le suivirent et ce qu'ils souhaitaient que l'on retînt de son personnage.

Reprenons donc ces récits, sans craindre de souligner les questions qu'ils posent et d'analyser les réponses qui leur furent données.

Une première difficulté doit d'abord être résolue : celle de la date de la naissance.

Quelques historiens ont voulu l'établir par un compte à rebours. Ils ont dû rapidement y renoncer. En effet, Luc indique que « Jésus, en commençant (son ministère), avait environ trente ans[3] » mais, selon Jean, les juifs – plus précisément les habitants de la Judée – s'étonnent peu de temps après : « Tu n'as pas cinquante ans et tu as vu Abraham[4] ! » On ne parle pas ainsi à un homme proche de la trentaine... En outre, Irénée, un Père de l'Eglise, évêque de Lyon au IIe siècle (et sur le rôle duquel nous reviendrons dans l'appendice consacré aux Evangiles), affirme, en se fondant sur le témoignage des disciples de Jean, que Jésus, à sa mort, avait près de cinquante ans [5]. De quoi décourager la recherche...

Elle n'est guère plus facile si l'on se fonde sur les indications données par Luc et Matthieu :

• Matthieu : Jésus est né avant la mort d'Hérode le Grand (le bâtisseur du Temple).

• Luc : Jésus est bien né avant la mort d'Hérode mais à l'époque d'un recensement ordonné par César Auguste dans « tout le monde habité ». C'était le « premier recensement » et Quirinius était alors « gouverneur de Syrie ».

Le problème : Hérode est mort en l'an – 4 de notre ère, et Quirinius n'est arrivé en Syrie qu'en l'an 6 de notre ère, donc dix ans plus tard.

Pour résoudre cette contradiction, les spécialistes se sont cassé la tête et ont imaginé mille solutions. Certains ont suggéré que Luc s'était trompé et avait confondu Quirinius avec un autre Romain, un légat impérial de Syrie nommé Saturninus qui, selon Tertullien, aurait organisé un recensement en l'an – 6. Mais cela n'est nullement avéré, d'autant que Tertullien, premier écrivain chrétien de langue latine, a vécu deux siècles après ces événements. Le recensement de Quirinius, d'ailleurs, est bien établi, et l'on voit mal, étant donné les difficultés d'organisation, comment deux opérations aussi complexes auraient pu être menées successivement. Enfin, on se demande pourquoi, dans ce cas, Luc parlerait du « premier recensement ». Réponse de quelques auteurs : c'est une erreur de traduction, l'adjectif grec *prôté* (« premier ») peut être interprété grammaticalement comme un adverbe ; dès lors, le recensement signalé par Luc ne serait pas le « premier », mais se serait situé « au début » du gouvernement de Quirinius et d'autres auraient pu intervenir plus tôt. Mais le tour de passe-passe qui transforme un adjectif en adverbe n'est pas admis par tous, loin de là.

Bref, comme le conclut l'un des meilleurs spécialistes actuels, Charles Perrot, professeur à l'Institut catholique de Paris, « le problème reste ouvert [6] ». La plupart des exégètes inclinent cependant à penser que Jésus est né avant la mort d'Hérode – point sur lequel Matthieu et Luc s'accordent. Plus précisément, si l'on ose dire, Jésus serait né entre l'an – 6 et l'an – 3. Le moine Denys le Petit, qui vivait à Rome au VIe siècle, s'est trompé lorsqu'il a fixé cette naissance à l'an 752 du calendrier romain, devenu dès lors l'an 1 du nôtre [7].

Préciser le jour est évidemment plus difficile encore, voire impossible. Les Evangiles ne donnent aucune indication utile sauf celle-ci : Jésus n'est pas né en décembre ; même en Palestine, il fait trop froid à ce moment pour que des bergers passent la nuit dans la nature avec leur troupeau.

Les premiers responsables de l'Eglise chrétienne pensaient que la religion nouvelle serait mieux acceptée si elle ne rompait pas trop avec les usages et les rites anciens. Or, les Romains célébraient le 25 décembre la fête du soleil et les chrétiens d'alors assimilaient volontiers Jésus au soleil – saint Augustin l'appellera plus tard « l'astre d'en haut », expression biblique –, ce qui finit par entraîner le choix de cette date. Et puisque tout ici est affaire de symboles, on notera que Jean le Baptiseur est fêté au solstice de juin, à partir duquel le soleil, dans l'hémisphère Nord, commence à descendre, tandis que Noël est fixé au moment où il commence à remonter : ainsi, l'éclat de la lumière diffusée par le précurseur Jean Baptiste s'atténue jusqu'au jour où apparaît, glorieuse, celle de Jésus ; celle-ci prend le relais de celle-là et la dépasse.

Luc et Matthieu n'étaient pas allés aussi loin. Ce qui importait aux yeux des auteurs de ces Evangiles, en fournissant ces précisions de dates dans lesquelles ils ont fini par s'empêtrer [8], c'était de montrer qu'ils parlaient d'un Dieu participant à l'histoire des hommes. Ce que le concile Vatican II traduirait, quelque vingt siècles plus tard, par cette formule : « Et le Verbe s'est fait chair et il est entré dans l'histoire. »

Voici comment, selon les récits de Luc et de Matthieu.

Le premier rôle est d'abord tenu par un ange : Gabriel. *Gabriel* signifie « Dieu est fort ». Et « ange » : « messager » (l'hébreu *malak*, « messager », se traduit *angelos* en grec, d'où le latin a tiré *angelus* et le français « ange »). Ces purs esprits n'ont que cette mission : faire part aux hommes des désirs et des volontés de Dieu. « Ils sont anges seulement lorsqu'ils annoncent quelque chose », disait le pape saint Grégoire.

Les juifs avaient une si haute idée de Dieu qu'ils ne pouvaient L'imaginer apparaissant à tout bout de champ pour communiquer. D'où l'utilisation d'intermédiaires. Sauf pendant « la vie publique » de Jésus jusqu'à l'agonie : les anges ont alors disparu. Si l'on peut dire, il fait le travail lui-même.

Les anges, si souriants la plupart du temps sur les portails des cathédrales et les images pieuses, commencent toujours par inspirer une peur panique à leurs interlocuteurs. C'est classique dans la Bible. Gabriel ne fait pas exception quand il fait sa première annonce : il révèle au vieux prêtre Zacharie la naissance d'un fils, Jean, qui « ne boira ni vin ni boisson forte » mais ramènera « de nombreux fils d'Israël au Seigneur leur Dieu ». La crainte, dit l'Evangile, « fond » sur le vieil homme. L'ange commence donc par rassurer Zacharie : « N'aie pas peur. » Mais – c'est également classique – la personne qui reçoit le message refuse d'abord d'y croire. « Je suis un vieillard », explique Zacharie. Puis, avec des précautions de galant homme : « Et ma femme est avancée dans ses jours. »

Marie, de même, quand elle voit pénétrer Gabriel dans sa demeure, est « fort troublée ». Il doit reprendre son refrain : « N'aie pas peur. » Ensuite, quand il lui annonce qu'elle enfantera un garçon, le « fils du Très-Haut », elle se montre incrédule, comme Zacharie. On le serait à moins. « Comment cela se fera-t-il, puisque je ne connais pas d'homme ? » Il lui explique – « l'Esprit Saint viendra sur toi » – puis lui donne une preuve : sa parente, Elisabeth, que l'on croyait stérile et qui n'est plus toute jeune, a conçu un fils. Elle est même enceinte de six mois déjà, « car rien n'est impossible à Dieu ». Après quoi, notons-le, Marie se précipite chez Elisabeth, « en hâte », dit Luc, qui ne précise pas si c'est pour la féliciter, venir en aide à cette femme âgée que la grossesse doit fatiguer, ou vérifier que toute cette histoire n'est pas un rêve.

Les spécialistes actuels, eux, ont une autre thèse. Au moment où furent élaborés ces récits, des problèmes (sur lesquels nous reviendrons) subsistaient entre des disciples de Jean le Baptiseur, le premier apparu en public, et Jésus ; il importait de marquer dans les Evangiles la prééminence de Jésus en soulignant que Jean, alors qu'il était encore dans le ventre de sa mère, avait déjà salué Jésus avec joie : « L'enfant a tressailli d'allégresse en mon sein », dit Elisabeth à Marie après les salutations d'usage.

Revenons aux messages portés par Gabriel [9]. Toutes les annonces, dans l'Ancien et le Nouveau Testament, sont ainsi faites ; elles se terminent par la preuve que la prédiction est exacte (la grossesse d'Elisabeth pour Marie ; et pour Zacharie, une punition [10] : « Tu seras réduit au silence et ne pouvant plus parler jusqu'au jour où ces choses arriveront puisque tu n'as pas cru en mes paroles »). Dernier acte de l'annonce : la récitation de psaumes. Pas pour Zacharie, bien sûr, pauvre homme soudain devenu muet, mais pour Marie. Elle reprend presque mot pour mot dans le *Magnificat* la prière d'Anne, qui, des siècles auparavant, était stérile comme Elisabeth – pour les femmes de la Bible, devenir mère était une véritable obsession – et qui, après avoir beaucoup prié, eut enfin un fils, le prophète Samuel. Notons que, si Marie reprend cette prière, l'auteur de l'Evangile lui en fait durcir les termes. « Il brise l'arc des forts et ceux qui faiblissent deviennent vigoureux [11] » est remplacé dans la bouche de Marie par : « Il a jeté les puissants à bas de leur trône et il a élevé les humbles [12]. » Elle ajoute en outre une phrase de son cru : « Et les riches, il les renvoya les mains vides [13]. » Ce qui en dit long sur le caractère que Luc prête à Marie et ne correspond guère à l'image douceâtre si souvent répandue.

Si les annonces par l'ange Gabriel des naissances successives de Jean-Baptiste et de Jésus sont ainsi calquées sur les autres récits d'annonces de la Bible, cela signifie qu'elles font partie d'un genre littéraire en cinq temps : apparition, peur, prédiction, preuve, récitation de psaumes ou de prières. Tout comme le théâtre classique observait la règle des trois unités : le lieu, le temps, l'action. Autrement dit, il ne s'agit pas ici vraiment d'histoire, mais de littérature. Il ne s'agit pas de dire ce qui s'est passé mais de donner le sens de l'événement.

D'une autre manière, selon Matthieu, « l'ange du Seigneur » (c'est-à-dire Dieu dans le langage de la Bible) apparaît « en songe » à Joseph, fiancé à Marie, pour l'informer de la situation, alors qu'elle est déjà enceinte, qu'il le sait et qu'il projette de la « répudier secrètement ».

Le songe est un moyen de communication volontiers utilisé dans la Bible. Un autre Joseph en sut quelque chose : le fils de Jacob, celui qui fut vendu par ses frères avant de devenir Premier ministre de Pharaon ; il est d'abord favorisé de rêves qui lui annoncent un brillant avenir puis se met à interpréter les songes des officiers égyptiens et de Pharaon lui-même – ce qui facilitera beaucoup son avancement.

Gabriel et « l'ange du Seigneur » ont une unique tâche : témoigner aux yeux des lecteurs que Jésus est envoyé de Dieu, chargé de mission par Lui.

Joseph, dès lors, n'hésite pas. Il prend Marie chez lui sans craindre le scandale.

C'est pourtant un notable dans son village. Pour les juifs, tout travail manuel est sacré. Les plus grands *rabbi*, les plus grands docteurs de la Loi, n'ont jamais dédaigné de mettre la main à la pâte ; ils ont été bûcherons, cordonniers, boulangers... « L'artisan à son ouvrage n'a pas besoin de se lever devant le plus grand docteur », disaient les rabbins. Et les charpentiers jouissaient d'une particulière considération. Certains prétendent même que le terme « charpentier » pouvait désigner à l'époque, aussi bien dans les langues locales qu'en grec, un petit entrepreneur du bâtiment. De toute manière, un homme comme Joseph ne se contente pas d'assembler tenons et mortaises : les outils dont il dispose – marteaux, ciseaux, gouges, scies – lui permettent de fabriquer bien des objets. Un siècle plus tard, un Grec chrétien, philosophe qui tint école à Rome avant d'être martyrisé, Justin, assurera que Jésus a fait dans l'atelier de Joseph des charrues et des jougs. On en parlait encore en Palestine à son époque, paraît-il. Peu importe. L'intéressant, c'est ce qu'ajoute ce Justin : Jésus, dit-il, se servait des charrues et des jougs « pour enseigner les symboles de la justice et de la vie active [14] ». Retenons le mot « justice ». Le charpentier est l'homme que son métier contraint à suivre les règles, à établir d'exactes mesures. Si bien qu'il intervient dans les affaires de justice. Ce n'est pas en passant, comme ça, que Matthieu qualifie Joseph d'« homme juste ». Le *Talmud*, le commentaire de la Loi, raconte que dans les procès on demande parfois, lors d'un débat délicat : « N'y aurait-il pas parmi vous un charpentier, fils de charpentier, pour répondre à cette question ? »

Voilà donc Joseph. Un notable consulté et respecté qui apprend soudain que sa fiancée est enceinte, et qui a les meilleures raisons de savoir que ce n'est pas de lui. « Fiancée » est pourtant peu dire : elle est déjà presque son épouse. Le mariage, alors, se pratique en deux temps : l'engagement réciproque d'abord, une sorte de contrat qui fixe, entre autres, les arrangements financiers, puis l'entrée de la jeune fille dans la maison de son époux, dans la chambre nuptiale. Entre les deux, un délai variable. Mais la fiancée est déjà considérée comme mariée, si elle avait une aventure avec un autre homme, elle commettrait un véritable adultère et risquerait la peine de mort. Marie était donc bien courageuse de chanter le *Magnificat* quand Gabriel lui annonça le projet de Dieu sur elle. Et elle dut prier le ciel d'envoyer dare-dare un ange chez Joseph pour l'informer, ce qui, comme on le sait, fut fait. Il était temps car le charpentier avait déjà décidé de rompre les fiançailles, de répudier la jeune femme secrètement pour lui éviter la peine de mort.

Averti, il prend l'autre parti : il la fait entrer chez lui pour parfaire le mariage, mais, dit Matthieu, « il ne la connut pas jusqu'au jour où elle enfanta un fils », il n'eut pas de rapports sexuels avec elle. Aux yeux de tous, ils étaient pourtant mari et femme.

Elle l'a échappé belle. Ce qui n'empêchera pas que des ragots courent sur son compte : pas immédiatement, semble-t-il, mais quand Jésus, mort et ressuscité, sera devenu un personnage connu, et dérangeant.

Il faut les évoquer ici, ces ragots, si déplaisants soient-ils, car ils contribuent peut-être à expliquer pourquoi les Evangiles signés Matthieu et Luc multiplient les précisions sur la naissance de Jésus. Selon ces rumeurs répandues dans certains milieux de Jérusalem pour discréditer les premières communautés chrétiennes, Marie aurait été en réalité la maîtresse d'un légionnaire romain nommé Panthera, et son fils, bâtard, serait donc né d'un père païen, ce qui lui aurait évidemment interdit d'être le Messie attendu [15]. Les textes juifs qui évoquent ces ragots sont tardifs, mais ceux-ci semblent avoir été répandus dès le Ier siècle.

Il importait d'autant plus aux yeux de Matthieu et de Luc de démentir, en donnant à Jésus une autre ascendance, que le peuple juif, les pharisiens surtout, rêvaient alors, sans toujours y croire vraiment, à la venue d'un « fils de David » : celui-ci devait les délivrer des Romains, de la dynastie d'Hérode, tout comme le roi David avait vaincu les philistins, puis conquis Jérusalem pour en faire sa capitale, conclu alliance avec Dieu et construit le premier Temple.

Matthieu et Luc se sont donc mis au travail pour établir que Jésus était « fils de David ». Ils ont dressé, le premier une liste de trois fois quatorze noms commençant par Abraham pour finir par Jésus, le second une liste de soixante-dix-sept noms commençant par Adam. Ces deux listes se contredisent, elles ne peuvent en aucun cas être considérées comme probantes pour l'historien, mais fourmillent de symboles. Ainsi Luc place-t-il un certain Jésus à la quarante-neuvième place de sa liste qui en comprend soixante-dix-sept. Pourquoi ? Parce que sept est un chiffre sacré entre tous, celui des jours de la Création. Et que sept fois sept font quarante-neuf. Et si l'autre Jésus, le vrai, celui qui compte, apparaît à la soixante-dix-septième place, ce n'est évidemment pas un hasard. De même, Matthieu souligne (en jouant un peu avec les chiffres) qu'il y eut, « d'Abraham à David, quatorze générations ; de David à la déportation de Babylone, quatorze générations ; de la déportation de Babylone au Christ, quatorze générations [16] ». Quatorze, encore un multiple de sept. Mais aussi le demi-cycle lunaire, la lune étant alors le symbole d'Israël, toujours renaissante. Les trois cycles de quatorze générations correspondent, en outre, aux trois périodes de l'histoire d'Israël : les patriarches, la période royale, le temps qui suit l'Exil.

Toute l'Antiquité, en quête de lois qui expliqueraient le monde et son histoire, aimait ainsi faire parler les chiffres et les symboles. Mais l'historien n'y retrouve pas son compte. Car la lignée de David, à ce qu'on sait, s'est quelque peu perdue dans la nuit des temps depuis Zorobabel, un de ses descendants. Et puis, à s'en tenir à cette généalogie, c'est Joseph qui appartiendrait à cette lignée. C'est par Joseph que Jésus descendrait de ce grand roi d'Israël. Ce qui ne correspond guère aux annonces des anges.

Les deux évangélistes ont bien vu le problème, mais sans le résoudre. Jésus, dit Luc, était « à ce qu'on croyait, fils de Joseph [17] », tandis que Matthieu, après avoir répété sans cesse le verbe « engendrer » (X engendra Y), arrive ainsi au terme de son arbre généalogique : « Jacob engendra Joseph, l'époux de Marie, de laquelle naquit Jésus, que l'on appelle Christ [18]. » Joseph est donc réduit au rôle de père adoptif, légal, « putatif », comme le disait un joli chant de Noël aujourd'hui oublié. Et Jésus n'est pas du sang de David.

Les spécialistes avancent une autre interprétation de la généalogie établie par Matthieu : alors qu'elle nomme à chaque ligne le père qui « engendra », voilà qu'elle ne précise même pas celui de Jésus, qui importe le plus. Pourquoi ? Réponse : le texte de Matthieu est d'origine juive, destiné à des juifs. Or, chez les juifs, le nom de Dieu ne peut jamais être prononcé. Ce silence sur l'identité du dernier père de la liste serait donc tout à fait éloquent ou révélateur.

Seulement voilà : il existe un contradicteur. Et pas n'importe lequel : l'apôtre Paul, dont les textes, rappelons-le une fois pour toutes, sont les plus anciens, c'est-à-dire les plus proches, dans le temps, de la vie de Jésus. Il écrit, lui, que Jésus est « issu de la lignée de David selon la chair, établi Fils de Dieu avec puissance selon l'Esprit de sainteté, par sa résurrection des morts[19] ». Si Jésus est issu de la lignée de David « selon la chair » (un terme qui ne représente pas seulement le corps mais la personne tout entière), ce ne peut être que par Joseph. Nous voici donc aux prises avec l'un des problèmes les plus controversés, celui de la « conception virginale » annoncée par Gabriel et « l'ange du Seigneur ».

Paul, d'ailleurs, ne semble jamais avoir entendu parler d'une naissance miraculeuse de Jésus. Il écrit aux Galates, ces descendants de tribus gauloises qui avaient émigré vers la région appelée Cappadoce (dans l'actuelle Turquie), que « Dieu envoya son Fils, né d'une femme[20] ». Il dit bien : « femme », *gunê* en grec, et non « jeune fille » ou « vierge », *parthenos*. Or, pour Paul, la virginité n'est pas une question secondaire. Bien au contraire. Il est permis de penser que s'il avait eu connaissance de la conception virginale de Jésus, ce défenseur de la virginité en eût tiré argument et l'eût célébrée très haut.

Il n'était pas le seul, apparemment, à l'ignorer. En dehors de quelques phrases dans les Evangiles signés Matthieu et Luc, il n'est fait nulle part mention claire de la conception virginale de Jésus dans les textes du Nouveau Testament, y compris dans les Actes des apôtres, qui racontent les prédications et les tribulations de ceux-ci après sa mort et sa résurrection. Elle semble avoir été ignorée des premiers chrétiens ou, en tout cas, ne pas leur avoir posé problème. Ils étaient tout à fait disposés, Paul le premier, à croire que Jésus était à la fois humain et divin, sans péché, mais ne s'inquiétaient guère des conditions de sa naissance. D'ailleurs, Matthieu et Luc, qui font mention de celles-ci comme de faits établis, n'en tirent pas argument par la suite. Jésus lui-même n'en parle jamais. Et l'on comprend difficilement l'épisode de Jésus au Temple (raconté dans le premier chapitre de ce livre) si Marie et Joseph avaient eu connaissance auparavant du caractère plus qu'extraordinaire, plus que miraculeux, divin, de cette naissance. Ils sont très inquiets, on l'a vu, angoissés, et, le retrouvant, ils s'étonnent ; à quoi il répond : « Ne saviez-vous pas que je dois être dans la maison de mon Père ? » Et Luc ajoute : « Mais eux ne comprirent pas la parole qu'il venait de leur dire[21]. » Quand deux anges viennent vous annoncer que l'enfant à naître n'est autre que le Fils de Dieu, on ne devrait plus, ensuite, s'étonner de rien.

Les deux évangélistes auraient-ils, comme on l'a parfois suggéré, été inspirés par d'antiques récits de dieux qui avaient des rapports sexuels avec des jeunes femmes de race humaine ? On a ressorti des tas d'histoires. Ainsi, la Chine antique aurait connu un certain Pei Han, un être surnaturel – d'apparence humaine pourtant –, qui aurait donné à l'épouse du roi un objet lumineux en lui annonçant qu'elle aurait un fils[22]. Mais rien ne dit que cette épouse aurait été vierge. Et la Chine est bien lointaine. Plus proche, Persée, le héros grec qui devait couper la tête de Méduse, cette Gorgone dont le regard tuait, était né de la vierge Danaé, fécondée par Zeus en personne venu à elle sous la forme d'une pluie d'or. Mais le climat très sobre des récits évangéliques n'a rien à voir avec celui, plutôt licencieux, de la mythologie grecque.

D'autres ont voulu voir dans l'affirmation de la conception virginale de Jésus une influence essénienne. Les esséniens, que nous retrouverons plus loin, des gens pieux et très ascétiques que les manuscrits de la mer Morte, découverts en 1947, ont rendus célèbres, tenaient la virginité en haute estime. Or, dans l'un de ces manuscrits, le « Testament de Joseph » (pas l'époux de Marie, mais l'un des douze fils de Jacob), l'on trouve cette phrase : « Et je vis que de Juda était née une vierge, portant une robe de lin, et d'elle surgit un agneau sans tache[23]. » Mais les esséniens ne formaient qu'une petite minorité dans un monde juif qui, saint Paul et quelques autres mis à part, ne tenait pas la virginité en très haute estime et n'admettait pas, ne pouvait admettre, tel était son sens de la transcendance de Dieu, que l'Eternel, l'Infini, se commette avec une mortelle. Les rabbins recommandaient de se marier le plus tôt possible – « celui qui, à vingt ans, n'est pas marié sera toute sa vie en proie au péché » – et demandaient à l'homme d'« honorer sa femme plus que soi-même »[24].

Le rabbin Tryphon, dialoguant au IIᵉ siècle avec saint Justin, philosophe qui devait finir à Rome en martyr, l'apostrophait avec violence : « Vous devriez rougir de raconter les mêmes choses qu'eux (les Grecs). Il vaudrait mieux dire que ce Jésus fut un homme parmi les hommes... N'allez pas parler de prodiges si vous ne voulez pas qu'on vous accuse d'être aussi fous que les Grecs[25]. »

S'agissait-il d'un sentiment partagé ? L'Evangile attribué à Matthieu a été écrit, indiquent les spécialistes, de façon à convaincre les juifs que les actes et les propos de Jésus accomplissaient certaines promesses de Dieu dans l'Ancien Testament, qu'il était donc le Messie attendu par eux. Et c'est ce qu'il fait cette fois : « Tout cela pour que s'accomplisse ce que le Seigneur avait dit par le prophète : "Voici que la Vierge concevra et enfantera un fils auquel on donnera le nom d'Emmanuel"[26]. »

Il faut d'abord noter que ce texte apparaît comme une incise, une parenthèse, dans le récit du songe de Joseph, presque comme s'il avait été rajouté après coup. En outre, le prophète auquel il se réfère est Isaïe. Mais le texte d'Isaïe était en hébreu et parlait de la mère d'Emmanuel comme d'une « jeune femme ». C'est la traduction grecque établie dans la Septante (traduction de l'Ancien Testament réalisée entre 250 et 130 avant J.-C. à l'usage des juifs dispersés dans le monde grec et incapables de comprendre leur langue d'origine), c'est cette traduction, donc, qui en fait, improprement, une « vierge ».

On pourrait rétorquer à Matthieu que, selon le proverbe, « qui veut trop prouver ne prouve rien ». D'autant que l'Evangile signé Jean fait dire à l'apôtre Philippe, sans émettre aucune réserve : « Celui de qui il est écrit dans la Loi de Moïse et dans les prophètes, nous l'avons trouvé : c'est Jésus, le fils de Joseph de Nazareth[27]. » Charles-Harold Dodd, l'un des meilleurs spécialistes récents de l'interprétation des Evangiles, souligne que ces paroles, « le fils de Joseph », « apparaissent dans ce qui constitue une solennelle reconnaissance du Christ par Philippe, l'un des premiers disciples : on voit mal qu'elles aient été placées là si elles avaient été tenues pour totalement erronées. L'intention est manifestement d'identifier Jésus comme le fils de Joseph (...) puis de le désigner comme le Messie dont ont parlé Moïse et les prophètes, comme le Fils de Dieu, le roi d'Israël[28] ». Autrement dit, selon Jean commenté par C.-H. Dodd, rien ne s'oppose à ce que le Fils de Dieu soit *aussi* celui de Joseph, la croyance en la conception virginale n'est pas essentielle à la foi chrétienne.

Demeure quand même une difficulté : pourquoi les textes de Matthieu et de Luc l'affirment-ils alors que leurs auteurs savaient qu'ils auraient du mal à le faire admettre, que pour leurs lecteurs juifs le caractère exceptionnel de cette naissance était inacceptable ? Des propagandistes zélés, soucieux de convaincre, se garderaient bien d'aller ainsi à contre-courant. Il faut donc conclure que les auteurs de ces Evangiles n'ont pas *voulu* tricher avec la vérité. Ce qui ne signifie pas que ce soit *la* vérité. Les historiens ne peuvent les suivre sur ce terrain. Ils ne peuvent, en fait, rien conclure. Mais les croyants qui le souhaitent peuvent penser, comme Gabriel, que « rien n'est impossible à Dieu ».

Ils peuvent aussi estimer que l'affirmation de la conception virginale est un « théologoumène ». Voilà un mot savant que j'ai hésité à utiliser mais qui nous servira à plusieurs reprises. Expliquons-le une fois pour toutes : un théologoumène est une sorte d'image destinée à faire comprendre une affirmation de foi. Autrement dit, nous ne sommes plus ici du côté de l'histoire mais de celui du symbole qui veut exprimer une vérité profonde. Exemple de théologoumène : l'adoration de Jésus par les Mages (que nous allons évoquer dans les pages suivantes et sur laquelle les historiens ont de très bonnes raisons de se montrer sceptiques) ; elle montre que, par Jésus, Dieu s'est révélé non seulement aux juifs, mais aux païens, au monde entier, ce qui est évidemment capital. Si l'on considère la conception virginale comme un théologoumène, son sens n'est pas moins important : il montre que Jésus doit son apparition, comme Adam, le premier homme, à l'intervention directe de Dieu, qu'il est le don de Dieu et ouvre une nouvelle ère dans l'histoire de l'humanité[29].

CHAPITRE III

Les témoins de Noël

Le recensement dont parle Luc (et dont l'existence à l'époque d'Hérode est très contestée – voir ci-dessus p. 24) avait tout pour déplaire aux juifs. D'abord qu'il fût ordonné par les Romains, lesquels devaient nourrir quelques-unes de ces arrière-pensées malsaines qui formaient leur pain quotidien : instituer par exemple un nouvel impôt. Car ils ne comptaient pas leurs sujets pour le plaisir. Des Anciens rapportaient en outre que, selon une vieille superstition, tout recensement des juifs portait malheur sauf si Yahvé Lui-même en prenait l'initiative : ainsi quand David, le fameux roi David, avait contraint Jacob, chef de son armée, à dénombrer toutes les tribus d'Israël, le Seigneur, irrité de ce « péché », les avait punis en déchaînant une terrifiante peste qui tua soixante-dix mille hommes[1].

L'édit de César Auguste ordonnant le recensement ne concernait pas, il est vrai, les seuls juifs, ce qui arrêterait peut-être la colère de Yahvé. Et puis les Romains, pour mieux faire passer la pilule et tenter d'amadouer ces rétifs, avaient admis que chacun aille se faire compter au lieu d'origine de sa famille – ce qui correspondait (semble-t-il, mais la question est discutée) aux usages du pays.

A s'en tenir au récit de Luc, on peut imaginer la mauvaise humeur de Joseph. Comme si la grossesse de Marie, toute jeune encore, qui faisait jaser les commères de Nazareth, ne lui créait pas assez de soucis ! Et voilà qu'il fallait l'emmener par de méchants chemins à quatre journées de caravane, en comptant très juste, jusqu'à Bethléem, d'où était issue la famille de David, la sienne à ce qu'on disait. Sans compter qu'il fallait abandonner le travail, fermer l'atelier, renoncer à quelques recettes. Tout cela à la veille d'une naissance très proche ! Si « l'ange du Seigneur » entendu en songe par le charpentier avait dit vrai – et il n'avait aucune raison d'en douter –, cet événement exceptionnel s'annonçait dans les pires conditions.

Les voilà donc partis. Ils ne sont pas seuls. La plupart des Nazaréens se font recenser sur place, mais ce peuple qui en a déjà tant subi a été brassé en tous sens. Et des Judéens se sont installés en Galilée. Une sorte de caravane s'est donc formée en direction du sud, car il est plus prudent de voyager en groupe. Les ânes braient, les clochettes des chameaux tintent. Les hommes s'en vont devant, les femmes et les gosses traînent un peu plus loin. Ils chantent parfois des bénédictions. Ils font étape, le soir, dans des caravansérails bondés d'humains et d'animaux : les femmes courent au puits pour remplir les outres et préparent la nourriture ; les hommes s'occupent des bêtes, s'empressent de faire passer à l'abreuvoir les ânes avant les chameaux qui vous le videraient en deux ou trois gorgées pour faire leurs provisions de route. Les gosses font comme tous les gosses du monde : ils courent entre les pattes des grands, jouent et crient.

Et Marie ? Épuisée, à coup sûr, même si un âne l'a portée. L'enfant, dans son ventre, ne cesse de gigoter. Dérangé, peut-être, par le voyage. A moins qu'il ne se prépare à sortir. Pourvu que ce ne soit pas avant... Avant quoi ? Bethléem ? Le retour à Nazareth ? Et comment savoir quand il s'agit du premier, quand on est presque une gamine encore, sans expérience ? Bien sûr, il y a toujours dans les parages une matrone pour donner avis et conseils, mais aussi une autre pour dire le contraire.

Bethléem enfin. Une toute petite bourgade blanche juchée sur le flanc d'une colline. Sans doute entourée de champs de blé puisque *Bethléem* signifie « la Maison du pain » mais aussi de vergers puisqu'elle était surnommée *Ephrata*, « Riche en fruits ». Et dont le caravansérail déborde parce qu'ils doivent être nombreux, ceux qui prétendent descendre de David. Les gens du lieu ne sont pas très accueillants : cette histoire de recensement ne leur plaît pas plus qu'aux autres juifs, et voilà qu'elle attire chez eux non seulement les bureaucrates romains chargés des inscriptions, mais aussi cette foule poussiéreuse d'hommes et de femmes débarqués des quatre coins du pays et qui se mêlent aux clients habituels, les nomades venus troquer tissus et fromages contre graines et fruits.

Joseph et Marie trouvent enfin place dans une étable[2]. Il est temps. Elle le sait, elle le sent, le moment est venu.

« Elle enfanta son fils premier-né, dit Luc, l'enveloppa dans des langes et le coucha dans une crèche. »

On ne saurait être plus sobre pour décrire un tel événement. Aucune volonté de merveilleux ici, plutôt un sentiment de solitude. La Bible, en d'autres occasions, décrit minutieusement le processus qui suit la naissance : la coupure du cordon ombilical, le sel dont on enduit le ventre de l'enfant avant qu'il soit baigné et enfin langé, emmailloté de bandages pour l'empêcher de remuer bras et jambes, ce qui, pensait-on, le rendrait plus fort (et cela durait six mois ! six mois durant lesquels, quand même, on enlevait les langes chaque jour pour laver le nourrisson, enduire son corps d'huile d'olive et le poudrer d'une résine odorante, la myrrhe). L'Evangile n'entre pas dans ces détails. L'enfant est né, voilà l'essentiel.

Les premiers témoins de ce considérable événement seront des gens de peu, des moins que rien, des bergers. Car les bergers passent pour malhonnêtes et voleurs. On dit même à cette époque qu'« on ne retire pas d'une citerne (d'un puits) les *goïm* (les païens) et les bergers qui y tombent[3] ». Dès la naissance de Jésus, donc, ses premiers compagnons ne sont pas des plus recommandables. Et ils n'arrivent pas jusqu'à lui par hasard : ils ont été sélectionnés, un ange est allé les chercher. Il n'a pas de nom, cet ange-là, mais ses interlocuteurs ont peur, comme toujours. Il les rassure, comme toujours aussi, et leur annonce la naissance d'un Sauveur. Suivent, selon le processus classique, la preuve – « Vous le reconnaîtrez à ce signe : c'est un nouveau-né enveloppé de langes qui gît dans une mangeoire » – et enfin la prière (mais c'est une cohorte d'anges, « une troupe nombreuse de l'armée céleste », qui la chante).

Nous retrouvons donc, très exactement, dans l'annonce faite aux bergers, le genre littéraire des annonciations décrit au chapitre précédent. A une différence près : ces braves gens ne manifestent à aucun moment leur incrédulité (il est vrai que toute une chorale chantant à tue-tête et suspendue dans un ciel de feu d'artifice convaincrait les plus sceptiques) ; ils y vont, laissant leurs troupeaux (outre les voleurs, les fauves – ours, léopards, chacals – ne manquaient pas dans la région). Les pauvres savent prendre des risques. Ceux-là vont voir, comme ils le disent bizarrement à en croire l'Evangile, « cette chose arrivée que le Seigneur nous a fait connaître ». « Cette chose... » a été annoncée par une troupe céleste : toujours le même contraste entre magnificence, gloire et anonymat, modestie. L'auteur de ce récit ne laisse rien au hasard, il le compose parfaitement. Et le message qu'il entend faire passer est clair.

Huit jours plus tard, comme le veut la Loi, l'enfant est circoncis. Cet acte, pratiqué par de nombreux peuples à cette époque (mais en général au moment de la puberté), revêt chez les Hébreux une signification tout à fait particulière, celle de leur Alliance avec Dieu. Pratiqué avec un silex qui rappelle son origine au temps d'Abraham, il produit du sang qui est « le sang de l'Alliance » : n'importe quel bébé de huit jours devient dès lors un allié de Dieu, une notion capitale, essentielle à la compréhension du judaïsme et, à sa suite, du christianisme (qui remplacera la circoncision par le baptême).

Luc, qui évoque la circoncision, n'insiste pourtant guère. Après tout, l'Alliance qu'elle signifie est, dans ce cas, pense-t-il sans doute, celle de Dieu avec Lui-même. Ce qui n'est pas surprenant. Il est vrai qu'en étant soumis à ce rite, Jésus manifeste son appartenance au peuple juif, sa solidarité avec lui. Mais ce qui intéresse l'évangéliste est ailleurs. Il l'écrit : « Lorsque furent accomplis les huit jours pour sa circoncision, il fut appelé du nom de Jésus, nom indiqué par l'ange avant sa conception. »

C'est donc le nom qui importe. A cause des prescriptions de l'ange ? Sans aucun doute. D'autant que le nom présente chez les juifs du temps une extrême valeur : il exprime une vocation. Jésus lui-même, raconte l'Evangile de Marc, changera le nom de certains de ses apôtres : « Il institua donc les Douze et il donna à Simon le nom de Pierre, puis Jacques, le fils de Zébédée, et Jean, le frère de Jacques, auxquels il donna le nom de *Boanerges*, fils du tonnerre [4]. » Nommer quelqu'un, c'est lui indiquer un destin. Et, fait remarquable, c'est souvent le privilège de la femme, voire du groupe de matrones qui assistent à l'accouchement. Ainsi pour le grand-père de David : « Les voisines crièrent son nom, disant : "Un fils est né à Noémie", et elles l'appelèrent Obed, père de Jessé, père de David [5]. » Et quand Elisabeth accouche, alors que l'entourage veut appeler l'enfant du nom de son père, Zacharie, la mère proteste : « Non, il sera appelé Jean [6]. » Ce qui provoque une controverse. Du coup, on a recours au père qui, toujours muet, confirme en écrivant sur une tablette et – récompense divine, promesse tenue – retrouve aussitôt la parole.

A vrai dire, il n'est pas surprenant que Zacharie confirme puisque c'est à lui que Gabriel avait dit : « Tu l'appelleras Jean. » De même, « l'ange du Seigneur » qui va dialoguer avec Joseph dans ses rêves pour lui annoncer la naissance prochaine lui commande : « Tu l'appelleras du nom de Jésus. » Et Matthieu insiste : « Joseph l'appela du nom de Jésus. » Voilà le privilège maternel battu en brèche. De mauvais esprits seraient tentés de traduire qu'il s'agit d'une sorte de lot de consolation pour Joseph, à qui la volonté divine en fait voir de rudes. Mais une autre interprétation peut être donnée : si c'est le plus souvent la mère qui nomme, ce n'est pas toujours le cas : Abraham et Moïse choisissent les noms de leurs fils. Il s'agit sans doute de marquer que l'on a affaire à des personnages exceptionnels.

Exceptionnel, le nom de Jésus ne l'est pas. La Bible compte une quinzaine de Jésus, le premier d'entre eux, Josué, ayant été le successeur et le lieutenant de Moïse. L'historien juif du Ier siècle Flavius Josèphe cite une vingtaine de personnes portant ce nom. Autrement dit, l'enfant est désigné comme le Sauveur mais un sauveur qui a épousé la condition commune de son peuple. Il s'agit une fois de plus de faire comprendre qu'il est de nature humaine et divine à la fois.

D'ailleurs, quand les parents se rendent ensuite au Temple pour la purification de la Vierge puis la présentation du bébé, ils commencent par le poser dans les bras d'un pieux vieillard qui hante les lieux, Syméon. Ainsi ils le remettent d'un même mouvement à Dieu et aux hommes.

La purification est pour toute mère une obligation : pendant quarante jours après la naissance (quatre-vingts si elle a enfanté une fille : le monde ancien n'était décidément pas tendre envers le deuxième sexe), la jeune femme est considérée comme impure. Ce qui lui interdit, entre autres, de pénétrer dans le Temple. Pour se purifier, elle doit amener à l'entrée du Temple un agneau (mâle, bien sûr), qui sera entièrement brûlé sur l'autel (ce qui n'est pas le cas lors des pèlerinages habituels, on l'a vu), et une colombe ou une tourterelle dont la tête sera tranchée ; si vous êtes pauvre, l'agneau peut être remplacé par un oiseau. Le jeune couple tire profit de cette disposition. Bien que charpentier, Joseph n'était donc pas très à l'aise.

La plupart des commentateurs s'abstiennent, ici, de relever une contradiction : Marie, qu'ils présentent comme Vierge et mère du Fils de Dieu, avait-elle besoin d'être purifiée ? De quoi donc ? On ne trouve aucune réponse plausible (sauf, peut-être, la volonté de se soumettre à la loi commune).

L'auteur de l'Evangile signé Luc semble bien avoir vu, lui, qu'il y avait là un problème. Or, il parle de la purification, alors qu'il aurait pu, comme son collègue

Matthieu, passer cette affaire sous silence. C'est donc que, pour lui, cette histoire plutôt gênante a existé, qu'il s'est passé quelque chose, et qu'il se sent obligé d'en faire mention. Portons ce scrupule à son crédit ; il en a bien besoin puisqu'il est tellement soupçonné de prendre quelques libertés avec les faits.

Reste, pour lui, à résoudre cette contradiction. Il présente donc les choses de la même manière que pour la circoncision. Il écrit en effet : « Et lorsque furent accomplis les jours pour leur purification, selon la loi de Moïse, ils le portèrent à Jérusalem pour le présenter au Seigneur[7]. » Miracle de l'écriture, de la syntaxe qui distingue propositions principales et subordonnées, ce n'est plus le rite de la purification qui compte, il n'est qu'occasion ou prétexte, c'est la présentation au Seigneur. Autre miracle, ou plutôt joli tour de passe-passe : il écrit « leur purification », comme si Joseph devait être purifié lui aussi. Bien entendu, les traducteurs se sont escrimés sur ce pluriel insolite, quelques-uns, peu scrupuleux – il n'en manque guère, on en comptait même un bon nombre dans les abbayes jadis –, l'ont transformé en singulier. Mais c'est bien d'un pluriel qu'il s'agit, un pluriel qui gomme l'idée d'une impureté de Marie seule. Et aux dépens de Joseph. On peut conclure qu'il faut plaindre ce pauvre homme. On peut aussi penser, ce qui est plus sympathique, qu'aux yeux de l'auteur Marie et Joseph forment un vrai couple.

De toute manière, le rite de la purification, nous l'avons vu, intéresse peu notre évangéliste. Beaucoup moins que la présentation du bébé au Temple, « selon qu'il est écrit dans la Loi du Seigneur : Tout garçon premier-né sera offert en sacrifice au Seigneur[8] » et surtout ce qui accompagne ce rite : les prophéties du vieillard Syméon, celui-là même auquel ils ont confié l'enfant en arrivant dans le lieu sacré, et de la prophétesse Anne. Syméon, qui a d'ailleurs été averti directement par l'Esprit Saint (Gabriel et ses collègues sont remplacés, peut-être parce qu'il s'agit du Temple, par plus grand qu'eux), ne doute pas un instant de tenir entre ses bras chenus le Messie ; maintenant, dit-il en somme, je peux mourir. Car cet enfant est né « lumière pour éclairer les nations ». Un propos qui étonne, une fois encore, Marie et Joseph. Lesquels, on l'a déjà dit, ne devraient plus s'étonner de rien depuis que les anges leur ont rendu visite et à qui les bergers de la crèche ont sans doute parlé de la chorale céleste et des lumières d'aurore boréale aperçues dans le ciel. L'auteur de l'Evangile ne craint donc pas de se contredire ou à tout le moins d'apparaître illogique. Veut-il donc signifier que la vérité, tellement bouleversante au sens strict du terme, tellement incroyable, n'a atteint le couple, en dépit de toutes les annonces, que progressivement ? Suggère-t-il une sorte de pédagogie de Dieu à leur égard, une révélation progressive ? La suite peut le laisser supposer.

Syméon, en effet, ce chargé de mission par l'Esprit Saint, complète à sa manière l'annonce faite par Gabriel. L'enfant, dit-il à Marie (Joseph repasse au second plan), amènera « la chute et le relèvement d'un grand nombre en Israël », il sera « un signe en butte à la contradiction » et « toi-même, une épée te transpercera l'âme »[9]. Voilà Marie prévenue. Gabriel ne lui avait présenté que le côté lumineux de l'événement.

Mais on peut aussi penser que tout ce récit, depuis l'histoire du recensement, est un théologoumène, une sorte d'image destinée à faire comprendre que Jésus est né pauvre parmi les pauvres et n'a été reconnu, au Temple, que par des vieillards un peu marginaux, en tout cas sans autorité.

Il y a là aussi une très vieille dame, Anne. Luc précise tout son état civil, comme s'il l'avait accompagnée lorsqu'elle s'était fait recenser. C'est même le seul personnage de l'Evangile sur lequel sont apportées tant de précisions : elle est prophétesse de profession (ce n'est pas rare en Israël à l'époque), elle a quatre-vingt-quatre ans, a été mariée sept ans, son père s'appelait Phanuel (ce qui signifie « Face de Dieu »), il appartenait à la tribu d'Asher. Un luxe de détails qui surprend d'autant plus qu'Anne ne s'adresse, elle, ni à Marie ni à Joseph mais, les ayant croisés, « parlait de l'enfant à tous ceux qui attendaient la délivrance de Jérusalem ». Un point, c'est tout. Tant de précisions inhabituelles pour en arriver à cette simple phrase, qu'est-ce que cela signifie ? Les spécialistes répondent : regardez les chiffres, que Luc aime beaucoup. Le 7 y est : les années de mariage d'Anne. Quant aux années de solitude : 84 − 7 = 77. Autant d'années que de générations pendant lesquelles, toujours selon Luc, Israël, solitaire dans un monde païen, a attendu le Christ. On peut évidemment disserter sur tout ce que peuvent signifier ces rencontres de vieillards avec l'enfant : les chiffres fournissent davantage de clés. Une fois de plus, nous ne sommes pas dans le monde de l'histoire mais du symbole (ce qui ne signifie pas contre-vérité, ce qui peut signifier, notons-le une dernière fois, introduction à une vérité plus profonde).

Nous étions chez Luc. Passons à l'autre Evangile de l'enfance, celui de Matthieu. Pour lui aussi, Jésus est né à Bethléem et, comme Luc, il précise « de Judée ». La précision n'est pas fortuite, et elle n'était pas destinée aux érudits de ces temps-ci qui se demandent parfois si le Bethléem de la naissance n'est pas une autre localité portant le même nom et située, elle, à une dizaine de kilomètres de Nazareth, donc en Galilée. Ce qu'il s'agit de prouver, pour Luc et Matthieu (qui, puisqu'ils ont tenu à le préciser, connaissaient l'existence de l'autre Bethléem), c'est que la naissance de Jésus accomplissait les promesses faites par Dieu à Israël.

L'une par l'intermédiaire de Michée, un « petit » prophète qui ne vivait pas très loin de là à l'époque d'Isaïe et annonçait en général de mauvaises nouvelles. « Mais toi, Bethléem Ephrata, trop petite pour compter parmi les clans de Juda, de toi sortira pour moi celui qui doit gouverner Israël. » Mais le texte de Michée semble avoir été quelque peu déformé par Matthieu [10]. L'autre promesse de Dieu concernant Bethléem se trouve dans les Livres de Samuel, un texte biblique qui couvre une longue période de l'histoire d'Israël et où le Seigneur dit à Samuel : « Emplis ta corne d'huile et pars... Je t'envoie chez Jessé le Bethléhamite, car j'ai vu parmi ses fils le roi qu'il me faut [11]. » Cette deuxième prophétie n'est pas d'une éclatante clarté. Mais la première semblait assez connue des juifs. Un passage de l'Evangile de Jean, qui pourtant ne fait aucune mention de la naissance de Jésus à Bethléem, semble le confirmer.

La scène se passe dans les années trente du Ier siècle, à Jérusalem, lors de la fête juive des Tentes, qui rappelle l'errance des juifs dans le désert entre l'Egypte et la Terre promise (ils vivaient bien sûr dans des cabanes ou des tentes, aussi appelées tabernacles) et qui, célébrée en automne après les moissons, permettait d'en remercier Dieu. Cette fête rassemblait de nombreux juifs à Jérusalem, au Temple. Jésus, raconte l'Evangile de Jean, est « monté » à Jérusalem lui aussi. Et il prêche, il se dit l'envoyé de Dieu, il annonce son prochain départ, il crie : « Si quelqu'un a soif, qu'il vienne à moi et qu'il boive, celui qui croit en moi ! » Il revendique donc entièrement sa qualité, il s'identifie comme Sauveur. Ce qui suscite les remous qu'on imagine. Quelques-uns l'approuvent. « C'est le Christ ! » disent-ils. Il ne fait pourtant pas l'unanimité. Car d'autres disent : « Est-ce de la Galilée que le Christ doit venir ? L'Ecriture n'a-t-elle pas dit que c'est de la descendance de David et de Bethléem, le village où était David, que doit venir le Christ [12] ? » Un texte qui confirme donc que les juifs attendaient un sauveur venu de Bethléem. Mais, à l'inverse, Jean ne cite aucune riposte de Jésus ou de ses proches précisant que, justement, c'est à Bethléem qu'il est né. Et l'évangéliste lui-même ne paraît pas le savoir puisqu'il n'en fait aucune mention. Il constate simplement : « Une scission se produisit donc dans la foule à cause de lui. »

Pourtant, les bergers d'abord, la vieille prophétesse Anne ensuite, ont parlé, selon Luc, de la naissance de Jésus à tout le monde. Et personne ne semble en avoir conservé le moindre souvenir ! Il est vrai qu'on ne croit pas toujours les humbles, surtout quand ils annoncent l'incroyable. On a dû considérer ceux-là comme des dérangés. Quand même...

La naissance à Bethléem n'est donc pas reconnue comme fait historique par tous les spécialistes.

Revenons à Matthieu. La naissance à Bethléem fait d'autant moins de doute à ses yeux que Joseph et Marie y résidaient. (Ils y seront toujours, deux ans plus tard, lors de la venue des Mages, alors que, selon Luc, ils sont repartis en Galilée, quarante jours après la naissance...) Et, selon Matthieu, l'enfant est venu au monde non dans une étable, mais dans un « logis »[13]. C'est là qu'il va recevoir les étranges visiteurs arrivés d'Orient.

« De quels faits exacts s'est emparée l'ancienne tradition chrétienne qui a formé ce récit (de l'adoration des Mages) ? Nous ne le saurons jamais avec précision », avouent les commentateurs de *La Bible du peuple de Dieu*[14]. Elle est pourtant bien belle, cette histoire.

D'abord paraît une étoile. C'est un privilège des « grands » du monde antique : une étoile nouvelle salue leur naissance. Alexandre y eut droit, Auguste également, et aussi Abraham. La Chine a vu une étoile pour la naissance du Bouddha et la *Bhagavad-Gita* la mentionne pour celle de Krishna. Les gens qui les découvrent ont bien du mérite : comme le souligne Daniel-Rops, « il convient de ne pas oublier que, observant à l'œil nu ou avec des instruments rudimentaires, ils manquaient des bases que le moindre télescope donne à la connaissance moderne ». Bien des spécialistes, astronomes compris, se sont interrogés sur l'étoile des Mages, ont pensé par exemple à la très célèbre comète de Halley, laquelle fut aperçue à Jérusalem, en 1910, allant d'est en ouest, ce qui correspond à la trajectoire indiquée par Matthieu (mis à part ceci : la comète ne pouvait pas se dérouler pour indiquer un lieu précis comme le fit l'étoile qui amena les Mages jusqu'à Jésus). Reste que la comète de Halley passa dans le ciel de ces régions en l'an 12 avant J.-C., ce qui ne correspond guère à la date probable de sa naissance, mais... Reste aussi que Kepler, l'astronome allemand qui a vécu aux XVIᵉ et XVIIᵉ siècles et ignorait alors que les spécialistes modernes fixeraient la date de cette naissance aux environs de l'an – 6, a établi que cette année-là précisément s'était produite une conjonction des planètes Jupiter et Saturne dans le signe zodiacal des Poissons. C'est peut-être le souvenir de tels faits, transmis de bouche à oreille et de génération en génération dans un monde amoureux des merveilles, qui a inspiré l'évangéliste.

Donc, les Mages aperçoivent cette lumière. Ce ne sont pas des rois [15] mais des interprètes des songes et des événements extraordinaires, astronomes de surcroît – astrologues diront les mauvaises langues. Les juifs ont longtemps détesté les astrologues parce que Dieu et les prophètes leur en faisaient commandement [16]. Et puis, ceux-ci viennent toujours de cet Orient imprécis d'où les troupes chaldéennes, entre autres, se sont souvent abattues sur la Judée pour la piller, égorger ses fils et leurs compagnes. Mais les esprits ont un peu changé : l'astrologie a de telles séductions et la volonté de connaître l'avenir est si forte ! Les esséniens eux-mêmes, ces austères, si respectueux de la Loi, ont eu connaissance, s'ils ne l'ont pas établi eux-mêmes, d'un horoscope du Messie attendu : on l'a découvert dans les grottes de Qumrān. Au fil des années, surtout à l'époque où fut composé l'Evangile de Matthieu, les astrologues en tout genre se sont acquis une meilleure presse.

Ceux-là se sont donc mis en route : peut-être connaissaient-ils l'attente par Israël d'un messie. Ils venaient de loin puisque, suivant l'étoile, ils ont trouvé non un nouveau-né, mais un petit enfant – *paidion* dit le texte, en grec, de l'Evangile. Les crèches que l'on voit aujourd'hui dans les églises ou les foyers ont peu de rapport avec l'histoire : ces braves gens d'astrologues n'ont pas dû croiser les bergers.

Ils étaient trop braves peut-être, un peu innocents, ignorants en tout cas de ce qui se passait en Judée puisqu'ils ne se sont guère méfiés d'Hérode : traversant Jérusalem, ils sont allés poliment lui rendre visite et il les a fort aimablement reçus, ce qui prouve combien l'image de leur profession s'était améliorée.

Les raisons de se méfier d'Hérode étaient multiples. Répétons-le : il s'agit d'un imposteur, collaborateur de surcroît. Le général romain Pompée, qui avait d'abord conquis la Syrie, s'était emparé ensuite de Jérusalem en 63 avant J.-C., au prix de milliers de morts. Restait à dominer, à pacifier comme on dirait plus tard. Pas facile avec ces juifs toujours remuants. Les Romains utilisent leur procédé habituel : ils ne se chargent pas seuls du sale travail, ils cherchent des alliés sur place. C'est pourquoi le Sénat de Rome décide de proclamer Hérode « roi des juifs, ami et allié ». Pas de chance : en réalité Hérode n'est pas vraiment juif. Sa mère est arabe. D'ailleurs, aussitôt promu, il est allé au Capitole de Rome offrir à Jupiter un sacrifice de remerciement. Ce que l'on a su très vite dans le plus reculé des villages de la Judée. Il n'en a cure. Devenu roi, il fait même construire des temples païens à Césarée, la ville des Romains. Pour lui, tous les dieux se valent. L'important, c'est de plaire à l'occupant, qui lui permet en échange de mener dans son palais la vie qu'il aime.

Sexe, argent et sang : voilà, au dire de ses contemporains, ce qui l'attire. Il fait exterminer la famille de l'une de ses femmes, en commençant par sa belle-mère et en terminant par son épouse elle-même et deux des enfants qu'elle lui avait donnés. Il pénètre, de nuit, dans le tombeau de David à Jérusalem pour en enlever les trésors. Il confisque des terres, à son profit exclusif. Bref, dans le genre tyran ignoble, il est difficile de faire pis.

Mais c'est un fin politique, un rusé. Il réussit à peu près à pacifier le pays. Quand surviennent des catastrophes naturelles – famine, épidémie, tremblement de terre –, il diminue les impôts et vend quelques-uns de ses biens au profit des éprouvés (ses successeurs n'en feront pas autant). Il lance de grands programmes de construction, le plus important étant celui du Temple de Jérusalem (même si son palais était, selon certains, plus somptueux). Ce qui finit par lui donner des idées :

David avait préparé la construction du premier Temple, et Salomon l'avait réalisée ; tandis que, lui, Hérode, avait fait les deux, bien que les travaux ne fussent pas vraiment terminés ; donc il se jugeait plus grand que David et, après tout, il pouvait peut-être se présenter comme le Messie. Une prétention qui contribua à exaspérer l'attente du *vrai* Messie ; celle-ci était devenue plus vive à l'époque de Jésus.

Voilà donc le personnage auquel les Mages venus d'Orient seraient allés, selon Matthieu, rendre leurs devoirs. Et ces ingénus lui annoncent tout de go qu'ils ont appris la naissance du roi des juifs et le cherchent pour lui rendre hommage. On imagine la tête d'Hérode : le roi des juifs, mais c'est lui ! Et le souci qui l'accable aussitôt : un tyran avisé sait qu'il importe toujours de se tenir sur ses gardes.

Tout le monde en Judée, ou presque, a entendu dire que le Roi promis par des prophètes doit naître à Bethléem. Lui, dont la culture religieuse est mince, a besoin de rassembler le gratin du clergé de Jérusalem pour l'apprendre. Aussitôt informé, il rappelle les Mages : qu'ils aillent à Bethléem et, s'ils trouvent l'enfant, qu'ils veuillent bien l'en avertir : « afin que j'aille moi aussi lui rendre hommage ».

Il y a beaucoup de naïveté dans cette histoire. Car en bonne logique, un tyran de la trempe d'Hérode aurait dû dépêcher dare-dare à Bethléem un de ses agents pour vérifier l'événement et non s'en remettre à ces inconnus ingénus. Il est bien difficile de croire qu'il soit naïf à ce point. C'est donc l'évangéliste qui l'est, qui ne connaît rien des machinations et des procédés des gens de pouvoir.

Voilà donc les Mages repartis, qui retrouvent à la sortie de la ville leur bonne étoile, laquelle les guide jusqu'au logis de Joseph et de Marie. Ils voient l'enfant « avec sa mère » (aucune mention de Joseph) et lui offrent, selon Matthieu et les Evangiles apocryphes (dont le sérieux ne fut pas reconnu par l'Eglise, voir page 265), l'or, l'encens et la myrrhe. Des symboles bien connus : l'or pour le roi, l'encens pour Dieu, la myrrhe, qui servait à embaumer les cadavres, pour le mortel en attente de résurrection.

Etonnant contraste, voulu bien sûr, entre ces cadeaux et la pauvreté, l'humilité de celui qui les reçoit. Grande leçon aussi qui ne sera pas toujours écoutée par les chefs de son Eglise, parfois plus sensibles à de tels honneurs : car, les Mages partis, le voilà tout aussi démuni, et menacé.

Les Mages, en effet, ont été avertis « en songe » de se méfier d'Hérode. Il était bien temps. Joseph aussi, toujours là quand l'urgence et le danger l'exigent, apprend d'un ange anonyme qu'il faut fuir. « Lève-toi, prends avec toi l'enfant et sa mère, et fuis en Egypte ; et restes-y jusqu'à ce que je te le dise. Car Hérode va rechercher l'enfant pour le faire périr [17]. » Il n'est guère en effet d'autres possibilités de refuge que le Sud-Ouest, l'Egypte, s'il s'agit d'échapper à Hérode. On peut voir dans cet épisode un symbole qui lie trois grandes civilisations : celle de l'Orient d'où venaient les Mages, la juive et l'égyptienne. On peut y voir aussi un parallèle de l'histoire d'Israël, exilé dans ce pays, notamment de Moïse « retournant en Egypte », selon le livre de l'Exode, après la mort de Pharaon. Et surtout il s'agit pour Matthieu, toujours soucieux de convaincre les juifs que Jésus est bien le Messie attendu, que toutes les prophéties se réalisent. Il ne s'en cache pas : « Pour que s'accomplisse cet oracle prophétique du Seigneur : "d'Egypte j'ai appelé mon fils". [18] »

Hérode, bien entendu, est furieux d'avoir été joué par les Mages qui, devenus prudents, ne sont pas repassés par Jérusalem. Ici encore, surprise : comment un politique si avisé et dénué de tout scrupule s'est-il abstenu de faire suivre ces trois voyageurs venus de loin ? A en croire l'évangéliste, il décide donc de faire massacrer tous les enfants de Bethléem âgés de moins de deux ans (ce qui, soit dit au passage, confirme que la visite des Mages se situe bien après la naissance). Mais ce massacre des « innocents » n'est attesté en aucune manière. Flavius Josèphe, le grand historien juif qui a recensé avec un soin de greffier les faits et les méfaits d'Hérode, l'ignore totalement. Qu'un tel événement soit passé inaperçu de tous sauf de Matthieu permet de douter beaucoup de sa réalité historique. Heureusement. Car si l'arrivée de Jésus sur terre avait eu pour premier résultat un massacre de bébés...

Bien entendu, le choquant de cette histoire n'a pas échappé aux commentateurs. Certains ont gardé sur le sujet un silence prudent. D'autres ont souligné au contraire la méchanceté diabolique des ennemis de Jésus. Plusieurs ont noté que, bien plus tard, il avait annoncé que sa venue déchirerait, diviserait. Beaucoup ont cherché à s'en tirer par des échappatoires du genre : il ne faut pas juger cela avec nos mentalités modernes ; longtemps on n'a attaché qu'une valeur relative à la mort des tout-petits tant il en périssait de maladie dans les premiers mois. Ou encore : toute naissance est sanglante.

Mais imaginons la scène : les enfants arrachés à leurs mères, les poignards ou les glaives, les corps fracassés contre les murs et les poutres, les têtes écrasées... Quel commencement pour le Sauveur ! Par chance, il n'a très probablement aucune réalité, et il s'agit une fois encore d'un symbole, ou plutôt d'une référence historique. La mort des innocents de Bethléem inaugure la nouvelle Alliance entre Dieu et les hommes, comme celle des enfants égyptiens, justement, avait inauguré l'Alliance avec Moïse. Pharaon s'étant opposé au départ des Hébreux déportés sur ses terres, Dieu frappa le pays de neuf plaies : « Alors l'Eternel dit à Moïse : "Vers le milieu de la nuit, je passerai au travers du pays d'Egypte et tous les premiers-nés mourront dans le pays d'Egypte, depuis le premier-né de Pharaon assis sur son trône jusqu'au premier-né de la servante qui est derrière les meules et jusqu'aux premiers-nés des animaux [19]." » C'est alors que fut instituée la Pâque juive, située au premier mois de l'année : le quatorzième jour de ce mois, on immole un agneau entre quinze heures et le coucher du soleil ; on met de son sang sur les deux poteaux et le linteau de la porte avant de le manger : « C'est la

Pâque de l'Eternel (...). Cette nuit-là, je passerai dans le pays et je frapperai tous les premiers-nés du pays d'Egypte (...). Le sang vous servira de signe sur les maisons où vous serez : je verrai le sang et je passerai par-dessus vous et il n'y aura point de glaive qui vous détruise [20]. »

Nous sommes donc, toujours, dans un monde de symboles. Leurs auteurs entendaient, certes, répondre à des ragots qui circulèrent après la crucifixion sur les conditions de la naissance de Jésus. Et leurs récits ont très probablement pour origine quelques faits réels. Mais ces faits furent enjolivés, déformés par ceux qui les contaient et ceux qui les répétaient pour enseigner aux communautés chrétiennes qui était vraiment Jésus.

Ces chapitres des Evangiles de Matthieu et de Luc consacrés à la naissance sont considérés aujourd'hui par la plupart des spécialistes comme des préfaces poétiques. Et si l'on comprend bien Charles Perrot, professeur à l'Institut catholique de Paris dont les ouvrages n'ont guère suscité de froncements de sourcils des autorités religieuses, ces pages de Matthieu seraient un ajout tardif au texte original : il parle en effet à propos des circonstances de la naissance d'une « indication tardive du récit matthéen [21] ». Longtemps, dans bien des communautés chrétiennes des origines, les récits de la vie de Jésus semblent avoir commencé, comme dans les Evangiles de Marc et de Jean, avec le baptême de Jésus adulte par Jean-Baptiste.

A propos des Mages, notamment, Jean Martucci, professeur de théologie à Montréal, semble avoir résumé une opinion assez commune chez les spécialistes lorsqu'il déclarait dans une interview à Radio-Canada : « On a toutes les raisons de croire qu'il y a là le développement d'une visite dont on ne peut pas connaître l'historicité (...). D'ailleurs, vous savez, s'il fallait prendre ça au pied de la lettre, on serait étonné ensuite dans la vie de Jésus qu'on ne dise pas : "Ah, mais enfin, écoutez ! Jésus, c'est celui à propos de qui des mages se sont dérangés de l'autre bout du monde pour venir le visiter ! Jésus, c'est celui dont la naissance a mis sens dessus dessous le palais d'Hérode !" Non, on n'a rien dans ce genre-là. Alors, il faut être très prudent à propos de l'historicité[22]. » Et l'Anglais C.-H. Dodd, qui, il est vrai, fit parfois sursauter l'autorité : « Bien malin qui peut oser tracer la frontière exacte entre le fait et le symbole[23]. »

Ne faisons donc pas les malins. Attardons-nous plutôt sur les symboles. D'abord, les visiteurs. Les bergers pour commencer, des gens démunis, faibles et méprisés : dans tout l'Evangile, Jésus aura des compagnons de ce genre. Ensuite, les Mages, des personnages qui ne sont pas des rois, mais plutôt des astrologues, à propos desquels l'opinion du temps est divisée, parfois hostile, et surtout des étrangers : ils sont là afin de manifester que Jésus est venu pour tous les hommes. Il est arrivé la nuit, dans le monde de l'inquiétude, de l'obscurité, des ténèbres et du doute, dans une ville qui n'a gardé que les restes d'un passé glorieux ; les puissants étaient ailleurs, à Jérusalem ou à Césarée. Il est né pauvre et menacé. Aussitôt a jailli la lumière que seuls les pauvres et les étrangers, les exclus, ont vue. Et aussitôt les puissants, les notables, les installés ont pris peur, n'ont reculé devant aucun moyen, y compris le martyre, y compris le massacre des plus faibles, des plus innocents, pour le faire disparaître, pour étouffer cette voix avant qu'elle puisse parler, proférer son message. L'homme Jésus qui devait finir sur un gibet était né dans une mangeoire, un débarras ou un galetas. Pourtant, il réussit à se faire entendre et à bouleverser l'histoire du monde. Jamais, en apparence, révolution ne s'est accomplie avec aussi peu de moyens. Celle-ci, en réalité, disposait du plus grand des moyens, du plus puissant : la Parole.

Voilà ce que veulent dire les Evangiles de la naissance.

Après avoir signalé le retour à Nazareth, Luc écrit que « l'enfant grandissait, se fortifiait et se remplissait de sagesse ». Il reprend ainsi une formule biblique[24], mais veut signifier aussi que cette aventure, cette révolution, n'est pas terminée, qu'elle s'inscrit dans la durée et le temps, et doit être poursuivie.

CHAPITRE IV

Enfance

Nazareth est un trou. A tel point que l'Ancien Testament n'en a jamais fait mention, les écrits des rabbins de l'époque non plus. Et que certains se sont demandé si ce village, avant de devenir dans l'ère chrétienne lieu de pèlerinage et ville, avait existé ailleurs que dans l'imagination des évangélistes. Ce qui était pousser bien loin le soupçon.

Il y avait là, en effet, une source, attrait pour les caravanes venues des régions arides, qui prirent l'habitude d'y faire étape, et pour quelques sédentaires qui pouvaient ainsi abreuver leur bétail, irriguer leurs terres et vendre aux caravaniers bricoles artisanales et nourriture. Des grottes, creusées dans le flanc d'une colline, servaient de dépôts de vivres ou d'habitations. Des maisons s'y ajoutèrent bientôt. A la mode du pays, c'est-à-dire bâties de briques de boue, basses et sans confort, surmontées d'un toit en terrasse fait de branchages tressés, posés sur des chevrons et recouverts d'argile. On y accédait par une échelle ou un escalier extérieur pour dormir les nuits chaudes, prendre les repas, faire sécher le linge et les fruits. Elles étaient si fréquentées, ces terrasses, que le Deutéronome, un livre de la Bible où se mêlent le credo d'Israël et des conseils pratiques, prescrivait de les entourer d'un muret « afin de ne pas être responsable si quelqu'un se tue en tombant du toit [1] ».

L'intérieur de la maison est le royaume, l'étroit royaume, de la femme, de Marie. C'est là qu'elle tisse laine ou lin sur un métier rudimentaire : les hommes portent une tunique serrée à la taille par une ceinture de cuir ou de tissu et, par-dessus, une sorte de cape. C'est là qu'elle actionne le moulin à bras – deux meules de pierre dont le frottement écrase le grain – pour produire la farine qui deviendra le pain. Aliment de base, le pain sert aussi d'assiette pour consommer la viande.

On mange avec les doigts. Peu de viande en vérité, sauf dans les grandes occasions où l'on se régale du veau gras et de l'agneau du sacrifice. Le poisson est plus fréquent. Bien entendu, il n'est pas question de manger d'autre viande que kasher, c'est-à-dire pure. Cela, depuis que l'Eternel en a fait commandement au vieux Noé et à ses fils tout juste rescapés du déluge : « Mais la chair, tant que le sang lui donne vie, vous n'en mangerez pas. Et aussi votre sang, j'en demanderai compte à tout animal et à tout homme ; à chacun je demanderai compte de la vie de son frère [2]. »

Le sang, c'est la vie. Il est donc interdit de consommer le sang de l'animal mais aussi, on vient de le voir, de verser le sang de l'homme. Bien entendu, hélas, la première règle est mieux respectée que la seconde. Tout animal abattu, toute volaille égorgée doit être aussitôt vidé de son sang, lequel est recouvert aussitôt de sable ou de terre. Ce qui en subsiste dans le corps de la bête est ensuite évacué par immersion dans l'eau : une bassine est prévue à cet effet.

Le vin, qui accompagne tous les repas, que les Hébreux apprécient et célèbrent en termes lyriques, est également kasher, ce qui signifie que seules des mains juives ont participé à sa préparation.

Jésus ne remettra pas en cause ces usages. On trouve dans les Actes des apôtres le récit d'une curieuse vision de Pierre qui le confirme. Une grande nappe nouée aux quatre coins descend du ciel chargée de « tous les quadrupèdes et les reptiles », tandis qu'une voix commande à l'apôtre de manger. A quoi il répond, toujours en songe : « Oh non ! Seigneur, car je n'ai jamais rien mangé de souillé ni d'impur [3]. » Ce qui permet de penser que Jésus, dont il partagea bien des repas, suivait en général les mêmes règles.

Ce n'est pas surprenant. Il avait été entraîné à les observer. Sa famille était juive dans une région où la population se trouvait mêlée de nombreux païens : *Galilée* signifie « terre des Gentils », des non-juifs. Comme toutes celles de sa race et de sa religion, elle se raidissait donc dans le respect des rites et des coutumes pour marquer son identité, sa différence, avec le voisinage, sa fidélité à l'Eternel [4].

Des Phéniciens, des Syriens, des Arabes et des Grecs s'étaient en effet installés là – quelques-uns, semble-t-il, avaient été convertis et circoncis de force – pour cultiver la terre et surtout faire commerce. Les olives de la région étaient très prisées et leur huile exportée aux quatre coins de la Méditerranée à destination des juifs déjà dispersés, lesquels étaient assurés ainsi de la consommer pure, c'est-à-dire non souillée par des mains non juives. Le blé galiléen jouissait d'une égale réputation. Ce qui explique l'afflux d'immigrés mais aussi, nous le verrons, quelques tensions.

La fertilité du sol galiléen, surtout comparée à l'austérité de la Judée, allait inspirer au XIXe siècle à un homme comme Ernest Renan des propos idylliques. Il décrivit la Galilée, à la suite d'un voyage, comme « un pays très vert, très ombragé, très souriant, le vrai pays du Cantique des cantiques et des chansons du bien-aimé. Pendant les deux mois de mars et d'avril, la campagne est un tapis de fleurs, d'une franchise de couleurs incomparable ».

Les animaux eux-mêmes, « d'une douceur extrême », l'ont séduit : « Des tourterelles sveltes et vives, des merles bleus si légers qu'ils se posent sur une herbe sans la faire plier, des alouettes huppées qui viennent presque se mettre sous les pieds du voyageur, de petites tortues de ruisseau dont l'œil est vif et doux, des cigognes à l'air pudique et grave, dépouillant toute timidité, se laissent approcher de très près par l'homme et semblent l'appeler. » En outre, « en aucun pays au monde, les montagnes ne se déploient avec plus d'harmonie et n'inspirent de plus hautes pensées » [5]. Bref, une sorte de paradis.

La réalité sociale était moins brillante. Le même

Renan décrit d'ailleurs le dénuement de maisons éclairées par la porte, servant à la fois d'étable, de cuisine, de chambre à coucher, ayant pour ameublement « une natte, quelques coussins à terre, un ou deux vases d'argile et un coffret peint », il montre la pauvreté des villages, « mélange confus de cabanes, d'aires et de pressoirs taillés dans le roc, de puits, de tombeaux, de figuiers, d'oliviers »[6]. Et il ne sous-estime pas les tensions de l'époque de Jésus. Elles étaient multiples et vives.

La vie d'Hérode, qui régnait sur les quatre provinces de Palestine (Judée, Samarie, Galilée et Pérée, la moins connue, à l'est du Jourdain), s'était terminée dans le sang et la folie. Souffrant, dit-on, d'ulcères et de gangrène, il ne voyait plus autour de lui qu'ennemis à faire massacrer, dans sa propre famille pour commencer. Ce qui aurait attiré ce commentaire de l'empereur romain Auguste : « Mieux vaut être le porc d'Hérode que son fils. » Trois ans avant sa mort, en effet, Hérode avait fait étrangler deux de ses enfants. Il est vrai, mais ce n'est pas une excuse, qu'ils se disputaient déjà son héritage sans pudeur ni vergogne.

Ses obsèques permirent à ce qui restait de cette famille déchirée d'afficher splendeur et ambition. L'idée était d'égaler en faste les empereurs romains. La dépouille mortelle du tyran, coiffée d'un diadème, fut donc portée dans une bière d'or sertie de pierres précieuses, depuis son palais de Jéricho jusqu'à la luxueuse citadelle, l'Hérodion, qu'il s'était fait bâtir au sud de Jérusalem. Suivaient, en un immense cortège, une multitude de joueurs de flûte et de pleureuses, des parents, des mercenaires sur pied de guerre et enfin, raconte Flavius Josèphe, « cinq cents officiers, domestiques du défunt roi, portant des parfums ».

A trop grandes ambitions, fortes déceptions. Selon le testament d'Hérode, son fils Archélaos, celui justement qui avait organisé les funérailles, devait régner sur la plus grande partie du territoire. Mais les Romains se méfiaient : Auguste lui refusa le titre de roi. Ce qui était prudent : presque aussitôt, une révolte éclata contre Archélaos, s'étendit comme flamme de Jérusalem à Jéricho, où le palais royal (la résidence secondaire d'Hérode lorsqu'il voulait échapper à l'agitation frénétique de sa capitale) fut détruit. L'armée massacra trois mille personnes sans parvenir à limiter le mouvement. Il fallut que les Romains intervinssent : deux légions (douze mille hommes) et quatre régiments de cavalerie sous les ordres de Varus, gouverneur de Syrie. Finalement, en l'an 6, Auguste jugea plus avisé d'exiler Archélaos à l'autre bout de la Méditerranée, en Gaule, très précisément à Vienne.

La Judée, comme la Samarie, devint alors une province de troisième ordre de l'Empire romain, commandée par un officier supérieur de cavalerie appelé procurateur [7] et dépendant du gouvernement de Syrie. Le plus connu de ces procurateurs apparaîtra bientôt dans ce récit, il se nommait Ponce Pilate.

Les deux autres héritiers d'Hérode, Philippe et Hérode Antipas, obtinrent, le premier, le territoire de l'est du Jourdain où il ne se débrouilla pas trop mal, ne se fit guère remarquer en tout cas, le second, la Galilée, avec le titre de tétrarque, vice-roi si l'on préfère.

Ainsi la présence romaine, incarnée par des fonctionnaires de bas niveau et de médiocre compétence (l'empereur n'allait tout de même pas envoyer les meilleurs dans ces pays du bout du monde...), s'était-elle faite plus lourde. Et fut plus mal supportée.

Certains s'en accommodaient sans trop de peine : il se trouve toujours des gens pour accepter ce qui paraît inévitable, découvrir des vertus aux puissants et commercer avec eux. A l'inverse, quelques milliers d'hommes recrutés surtout parmi les docteurs de la Loi et les scribes, des petits notables pour la plupart, des artisans et des commerçants soucieux de réforme religieuse, que l'on appelait pharisiens (« séparés »), se persuadèrent qu'il fallait observer la Loi avec la plus grande rigueur, obéir aveuglément au moindre de ses commandements. C'était, à leurs yeux, une forme de résistance : il s'agissait de sauver l'âme d'Israël.

Cette résistance s'exacerba et prit parfois des formes surprenantes. Certains pharisiens allaient finir par dire qu'en dehors d'Israël tout sol était impur, que tout étranger, l'étant aussi, communiquait son impureté à tout ce qu'il touchait. Ils palabreraient des heures pour décider si l'on pouvait manger le pain cuit dans un four chauffé de bois coupé par des non-juifs, discuteraient passionnément de savoir si le tisserand avait le droit d'utiliser une navette taillée dans un bois venu d'ailleurs. Et comme les rouleaux des textes sacrés ne fournissent pas de réponses indiscutables à de telles questions, ils y chercheraient des indices, des allusions, des précédents qui puissent fournir la moindre indication sur les volontés de l'Eternel, à propos desquelles ils s'épuisaient en interminables chamailleries.

Bien entendu, un souci aussi obsessionnel de pureté, moins marqué il est vrai à l'époque de Jésus, les poussait à mépriser les Galiléens, peuple un peu métis, mêlé de païens.

Ces Galiléens, pourtant, ne se montraient pas tellement dociles aux Romains. Bien au contraire. Peu après l'an 6 et le fameux recensement de Quirinius, un certain Juda le Gaulonite, de la ville de Gamala, sur la rive occidentale du lac de Tibériade, décida que c'était assez de tracasseries et d'impôts et poussa ses compatriotes à la révolte. L'impôt est toujours trop lourd (il représentait de 20 à 25 % du rendement de la terre, sans compter les impôts religieux dus au Temple et à la caste des prêtres) mais c'était là son moindre défaut aux yeux de ce Juda et de son principal compagnon, un pharisien nommé Saddok ; il constituait pour eux une sorte de sacrilège. L'homme ne devant reconnaître qu'un seul maître, Dieu, payer l'impôt à un souverain profane, l'empereur romain, c'était en somme lui permettre de supplanter Dieu.

« De là, raconte Flavius Josèphe, qui n'aimait guère ce Juda et ses compagnons, naquirent des séditions et des assassinats politiques, tantôt de concitoyens (...), tantôt d'ennemis. » Il ajoute que la famine poussait « aux extrémités les plus éhontées », sans préciser si cette famine, dans une région plutôt fertile, était l'effet des destructions dues à ces conflits ou d'un désastre climatique. Et il s'étonne de l'« invincible amour de la liberté » manifesté par les fidèles de Juda le Gaulonite, très jeunes pour la plupart, qui seraient confondus plus tard avec les « zélotes » (zélés serviteurs de la Loi) ou « sicaires » (en raison du couteau qu'ils portaient à la ceinture) : « Les genres de mort les plus extraordinaires, les supplices de leurs parents et amis, les laissaient indifférents, écrit Josèphe, pourvu qu'ils n'aient à appeler aucun homme du nom de maître. Comme bien des gens ont été témoins de la fermeté inébranlable avec laquelle ils subissent tous ces maux, je n'en dis pas davantage, car je crains (...) que mes paroles ne donnent une idée trop faible du mépris avec lequel ils acceptent et supportent la douleur [8]. »

En fait, l'historien juif, qui détestait aussi les zélotes, glisse, dans ce texte, de la révolte de Juda le Gaulonite en l'an 6 à l'insurrection juive de 66. Or, les deux mouvements ne peuvent être confondus. A l'inverse des zélotes, les révoltés de l'an 6 ne manifestaient pas un respect excessif de la Loi religieuse et déduisaient surtout de leur foi une vive aspiration à la liberté politique.

La révolte, si l'on peut ainsi l'appeler car elle fut de médiocre importance, s'éteignit vite. Jésus avait alors dix ou douze ans et dut en garder quelque souvenir (on le verra par exemple recommander à ses disciples de ne pas se faire appeler « maîtres »), mais la paix ne revint pas tout à fait dans les esprits [9]. Quelques groupes protestataires prêchaient toujours pour la liberté politique et le tissu social, déchiré, se prêtait à leur action.

Ce n'est pas un effet du hasard, en effet, si les prophètes, depuis Amos (qui avait commencé comme bouvier vers 750 avant J.-C.), ont condamné sans se lasser l'accaparement des terres et des capitaux, la consommation exagérée des biens, l'injustice, la dureté du cœur des riches. Ce n'est pas par hasard non plus que Jésus, dans maintes paraboles, évoquera les grandes propriétés que leur maître, résidant en ville, fait gérer par un intendant. Ainsi l'auteur du livre de Job prête à celui-ci, avant qu'une terrifiante cascade de malheurs lui tombe sur la tête, un troupeau de sept mille moutons, deux cents chameaux, cinq cents paires de bœufs et cinq cents ânesses. Il est vrai que tous les sept ans, les dettes sont remises aux pauvres et le produit des terres laissé aux indigents, mais, comme la plupart des mesures qu'une bonne intention inspire, celle-ci a des effets pervers : quand approche l'année fatidique, le riche hésite à prêter au pauvre.

A Nazareth comme dans la plupart des villages, les paysans sont de petits propriétaires, mais ils travaillent en même temps comme salariés en compagnie d'esclaves, peu nombreux[10], souvent étrangers, quelquefois juifs, dans de grands domaines. Encore faut-il trouver de l'embauche. La célèbre parabole des ouvriers de la onzième heure[11] montre bien que ce n'était pas toujours le cas et qu'un certain chômage existait : le propriétaire qui cherchait des ouvriers pour sa vigne en trouve, « désœuvrés, sur la place », à la troisième, à la sixième et à la neuvième heure. A la onzième enfin, il demande à ceux qui attendent encore pourquoi ils restent ainsi tout le jour sans travailler, une question qui est le signe d'une belle inconscience des réalités sociales puisqu'ils lui répondent tout simplement : « Personne ne nous a embauchés. »

Au total, le paysan « moyen » de Nazareth peut à peine vivre quand il a payé l'impôt aux Romains, la dîme (le dixième des récoltes) aux prêtres, les « premiers fruits » de chaque récolte au Temple, le « premier-né » du troupeau pour les sacrifices et ainsi de suite.

Ces paysans, certains artisans aussi, étaient appelés *am-ha-arez* par les citadins, les docteurs de la Loi, les scribes et les prêtres qui tenaient le Temple. *Am-ha-arez* signifiait en principe « gens du pays » et, en vérité, « bouseux », « culs-terreux », « péquenots »... Ces pauvres gens étaient soupçonnés d'en prendre à leur aise avec les règles de la *Tora*. Le rabbin Hillel, qui fut président du Sanhédrin, sorte de Haute Cour de justice, un sage pourtant et dont l'autorité était grande au temps de Jésus, disait qu'« un *am-ha-arez* ne saurait être pieux ». Selon la tradition rabbinique, un *am-ha-arez* se souciait peu de l'éducation des enfants, négligeait les lois de pureté et d'impureté et pouvait être exclu de la vie éternelle [12]. Dans l'Evangile de Jean, alors que Jésus prêche dans le Temple pour la fête des Tentes, les pharisiens maudissent ses auditeurs, « cette populace qui ne connaît pas la Loi [13] ». Le rabbin Aqiba, qui avait d'abord été *am-ha-arez*, disait qu'il éprouvait alors à l'égard des docteurs de la Loi une telle rancune que, s'il en avait tenu un à sa merci, il l'eût mordu comme un âne, à lui broyer les os ! Certains rabbins en avaient autant à l'égard des *am-ha-arez* puisqu'ils conseillaient de les fendre en deux comme des poissons.

Bref, Daniel-Rops n'avait pas tort d'écrire qu'« il régnait un véritable état d'hostilité larvée entre les classes d'Israël [14] ». Mais Renan exagérait quelque peu en décrivant la Galilée comme « une vaste fournaise où s'agitaient en ébullition les éléments les plus divers [15] ».

C'est dans ce monde troublé que grandit Jésus. Il apprend le métier de son père, comme c'est la règle : « Aussi bien qu'on est obligé de nourrir son fils, disait le *Talmud*, on est obligé de lui enseigner une profession manuelle. » Et, plus fort encore : « Qui n'enseignera pas une profession manuelle à son fils est comme s'il en faisait un brigand. » Cela, quel que fût le rang social, y compris pour les prêtres du Temple. Car il était dit : « Plus grand est celui qui se rend utile par le travail que celui qui connaît Dieu. »

Jésus apprend aussi à lire – plus tard, à Nazareth justement, l'Evangile de Luc le décrira faisant à la synagogue la lecture d'un passage d'Isaïe [16] – et à écrire : quand, au Temple de Jérusalem, on lui amènera une femme « surprise en adultère » en lui demandant quel sort lui réserver, il commencera par écrire « avec son doigt sur le sol », et répétera ce geste mystérieux après avoir répondu [17].

Il apprend aussi la religion juive. Aux yeux des docteurs de la Loi, ses parents sont peut-être des *am-ha-arez*, mais, nous le savons, ils sont très pieux. Joseph emmène donc très vite Jésus à la synagogue.

C'est comme une joyeuse farandole. Elle porte le nom de *Simhat Tora*. Les gamins se rangent en file, chantent avec entrain et parcourent la synagogue en brandissant les rouleaux de la Loi.

Les enfants de Nazareth ne se font pas prier pour y participer quand le rabbin en prend l'initiative. Car, d'ordinaire, les matinées du sabbat, presque tout entières passées à la synagogue, leur paraissent bien longues. D'abord, ils ne comprennent presque rien à ce qui se dit là. On parle et on prie en hébreu, la langue du droit et surtout de la religion. Ils ne connaissent, eux, que le patois local ; puis, à mesure qu'ils prennent de l'âge, l'araméen, une sorte de langue internationale dans cette partie de l'Orient, dont le vocabulaire se prête peu à l'énoncé de concepts abstraits. Enfin, les plus nantis et les fils de commerçants entendent chez eux un peu de grec, le langage des affaires, des classes supérieures et des habitants des villes parfois. L'hébreu est donc réservé à la synagogue. A la longue, les enfants des familles pieuses finissent par s'y faire : ils se rendent en ce lieu trois fois par semaine.

On n'y célèbre point de culte : celui-ci est réservé au Temple, l'unique, celui de Jérusalem. La synagogue sert plutôt de salle polyvalente : pour l'école, les offices, les prières, la lecture de la *Tora* les lundis et jeudis. C'est un lieu étroit et plutôt austère, à peine décoré de palmes et d'étoiles de David. Au fond, l'arche où sont déposés les rouleaux des Ecritures. Au centre, une chaire de bois où s'installe le rabbin, qui n'est pas un prêtre professionnel mais un homme pieux formé à la connaissance de la Loi. Il fait alterner bénédictions, lectures et commentaires, auxquels il appelle à participer l'un ou l'autre des fidèles, des hommes (les femmes ne sont admises que dans une galerie surélevée), qui portent comme lui le *tallith*, le châle de prière, une bande de tissu rectangulaire auquel des franges, les *tsitsit*, confèrent un caractère sacré.

Ces *tsitsit*, Joseph en a sans doute expliqué le sens à Jésus : on fixe aux quatre coins du châle quatre fils blancs que seul un juif a tressés, on fait sept tours puis un double nœud, on tourne encore avant de nouer deux fois de plus ; on obtient en fin de compte trente-neuf trous et cinq doubles nœuds par *tsitsit*. Et l'on intègre à l'ensemble de ces fils blancs – le blanc étant considéré comme la synthèse de toutes les couleurs – un fil bleu, pur comme l'azur. Voyons les chiffres : on n'a pas fait sept tours de fil par hasard, et le total des fils (tournés et retournés) et des nœuds fait six cent treize, ce qui correspond aux commandements de la Loi : trois cent soixante-cinq interdictions, et deux cent quarante-huit recommandations. De même, l'homme, dit-on, a trois cent soixante-cinq tendons et deux cent quarante-huit organes. Il s'agit de respecter la parole de Dieu : « L'Eternel dit à Moïse : "Parle aux fils d'Israël, dis-leur de se faire une frange sur les bords de leurs vêtements (...) et de mettre un fil d'azur dans la frange qui borde le vêtement (...). En le voyant, vous vous souviendrez de tous les commandements du Seigneur, vous les accomplirez et vous ne vous laisse-rez pas entraîner par vos cœurs et vos yeux qui vous mèneraient à l'infidélité" [18]. »

Voilà qui donne une idée du ritualisme chargé de sens auquel se soumettent tous les juifs pieux. Et dans la synagogue, tous les textes sacrés sont écoutés debout, toutes les bénédictions sont chantées debout, la tête tournée vers Jérusalem. Elles sont d'une grande beauté, ces bénédictions qui commencent toutes par la même invocation – « Béni sois-Tu, Seigneur, Roi de l'univers » –, elles sont le lien sans cesse renouvelé qui allie l'homme à Dieu. C'est pourquoi il en existe une centaine que, du lever au coucher, chaque juif doit prononcer [19]. Mais, récitées à la suite, elles paraissent interminables à tous les gamins... et peut-être à beau-coup d'autres qui le montrent moins et n'ont pas comme eux la chance de pouvoir se détendre en dan-sant la farandole de *Simhat Tora*.

C'est à la synagogue que Jésus a appris à dire *amen* après chaque bénédiction, ce qui signifie « c'est vrai » ou « ainsi soit-il », et le *Talmud* (le commentaire de la Loi) explique que l'enfant acquiert une part du salut futur dès qu'il commence à dire *amen*. C'est là, au long d'une trentaine d'années, qu'il s'est préparé, dans l'intimité de Dieu et la chaleur de la communauté. C'est là aussi qu'il a fait la connaissance des pharisiens : dans la société juive de son temps, les sadducéens tiennent le Temple, les pharisiens les synagogues. Ils en furent les initiateurs et les animateurs, ils eurent ainsi le mérite de sauver le monothéisme, la foi en un Dieu unique, quand le peuple d'Israël était dispersé et persécuté, le Temple détruit.

Plus tard, Jésus critiquera sévèrement leur ritualisme. Il se heurtera aussi, durement, à l'institution économico-religieuse du Temple et à ses prêtres. Mais il n'attaquera jamais la synagogue.

Demeure, à propos de l'enfance de Jésus, une question : sa jeunesse, la vécut-il seul, fils unique, ou bien eut-il des frères et des sœurs ?

Cette question, posée par l'interprétation de plusieurs textes de l'Evangile, des Actes des apôtres et des Epîtres de Paul, a soulevé et soulève encore les plus vives polémiques.

Voyons d'abord les textes :

• Evangile de Marc : Jésus est de retour à Nazareth après avoir accompli plusieurs miracles, notamment ressuscité la fille de Jaïre, un rabbin, et il enseigne dans la synagogue de son village. Ses auditeurs s'étonnent des miracles et de sa sagesse. Un enfant du pays, pensez donc ! « Celui-là, disent-ils, n'est-il pas le charpentier, le fils de Marie, le frère de Jacques, de Joseph, de Jude et de Simon ? Et ses sœurs ne sont-elles pas ici chez nous[20] ? »

• Evangile de Matthieu : le texte est pratiquement semblable, les circonstances aussi. Jésus enseigne dans la synagogue de son village et les assistants s'interrogent : « Celui-là n'est-il pas le fils du charpen-

tier ? N'a-t-il pas pour mère la nommée Marie et pour
frères Jacques, Joseph, Simon et Jude ? Et ses sœurs
ne sont-elles pas toutes de chez nous[21] ? »

• Evangile de Marc encore : Jésus, ayant constitué
le groupe de ses disciples, prêche. On lui signale :
« Voilà que ta mère, et tes frères, et tes sœurs sont là,
dehors, qui te cherchent[22]. »

• Evangile de Jean : à l'approche de la fête des Tentes, ses « frères » disent à Jésus d'aller se montrer en
Judée. C'est une sorte de défi, de piège. « Puisque tu
fais ces œuvres, disent-ils, manifeste-toi au monde. »
Et Jean ajoute : « En effet, même ses frères ne
croyaient pas en lui »[23].

• Actes des apôtres : Luc raconte comment, après
la résurrection et le départ de Jésus, les apôtres rassemblés prient dans l'attente de l'Esprit Saint. Il
ajoute : « Tous d'un même cœur étaient assidus à la
prière avec quelques femmes, dont Marie mère de
Jésus, et avec ses frères[24]. »

• Lettre de saint Paul aux Galates. Après avoir
mené, dit-il, une « persécution effrénée » contre
l'Eglise de Dieu, et avoir été touché par la grâce sur
le chemin de Damas, Paul est allé en Arabie, puis à
Damas de nouveau. « Ensuite, poursuit-il, je montai à
Jérusalem rendre visite à Cephas (Pierre) et demeurai
auprès de lui quinze jours : je n'ai pas vu d'autre apôtre, mais seulement Jacques, le frère du Seigneur »[25].

Arrêtons là les citations. Il faut souligner que, mis
à part Matthieu et Marc, ces textes ne se réfèrent pas
aux mêmes circonstances, et la lettre de Paul est anté-
rieure aux Evangiles. Dans un autre texte[26], le même
Paul fait allusion à l'apostolat auquel se seraient livrés
les frères de Jésus, qui avaient commencé, on l'a vu,
par considérer celui-ci comme un illuminé, voire un
danger pour leur tranquillité.

D'autres sources enfin évoquent l'existence de cette
fratrie : selon Flavius Josèphe, Jacques, frère de Jésus,
fut condamné à mort par le grand prêtre en l'an 62[27] ;
Eusèbe de Césarée, un prélat grec, auteur d'une Histoire ecclésiastique, écrite il est vrai à la fin du IIIe siècle, donc bien après les faits, rapporte que les petits-

fils de Juda, frère de Jésus, auraient été considérés comme suspects par l'empereur romain Domitien qui voyait en eux des sortes de prétendants à la royauté sur les juifs et qui les fit relâcher après interrogatoire car ils n'étaient que de pauvres paysans – lesquels devinrent pourtant des chefs de communautés chrétiennes, probablement en Galilée.

L'Eglise catholique, on le sait, refuse d'admettre que Jésus ait eu des frères ou des sœurs. Elle tire argument, surtout, d'un passage de l'Evangile de Jean. Celui-ci fait mention d'une sœur de Marie, également prénommée Marie, qui l'a accompagnée le jour de la crucifixion : « Près de la croix de Jésus, se tenaient sa mère et la sœur de sa mère, Marie, femme de Clopas, et Marie de Magdala [28]. » Cette autre Marie, la femme de Clopas, serait la mère de Jacques et de José. Les Evangiles de Marc et de Matthieu évoquent d'ailleurs à quatre reprises une Marie comme étant la mère de ces deux-là ensemble, ou de l'un ou de l'autre séparément. Ceux que l'Evangile désigne comme des « frères » de Jésus seraient donc en réalité ses cousins.

L'objection mérite évidemment respect et attention. Mais l'on doit noter que dans l'épisode de la synagogue, conté par Marc et Matthieu, les quatre frères (et pas seulement Jacques et José, qui sont des prénoms très courants à l'époque), accompagnent Marie, la mère de Jésus (et non la femme de Clopas). La mention de ces frères et sœurs venant aussitôt après celle de Marie, mère de Jésus, laisse supposer à tout lecteur de bonne foi qu'il s'agit des enfants de celle-ci.

Les textes grecs des Evangiles, d'ailleurs, utilisent pour les désigner le mot *adelphoi*, qui signifie clairement frères et non pas cousins (qui se dit *anepsioi*). Jamais dans le Nouveau Testament le mot *adelphoi* n'est utilisé, en d'autres circonstances, pour « cousins ». Pourquoi le serait-il seulement pour la famille de Jésus ?

Les défenseurs de la tradition catholique font valoir un autre argument. En réalité, disent-ils, le terme grec trahit un peu l'hébreu. Il existe un mot hébreu, *ah*, qui signifie l'appartenance à une même parenté, par cousinage entre autres. Et c'est ce mot qui a été mal repris par le texte grec. On peut donc légitimement parler de « cousins »[29].

Cependant, quand Paul écrit aux Colossiens, une communauté chrétienne installée au nord-est d'Ephèse, dans l'actuelle Turquie, il emploie le mot grec exact *anepsios* et non *adelphos* pour parler de « Marc, le cousin de Barnabé », qui fut son compagnon d'apostolat ; il ne confond pas « frère » et « cousin »[30].

Il est remarquable, par ailleurs, que tous les commentaires catholiques autorisés admettent toutes les autres fratries de l'Evangile ; ils ne suggèrent jamais alors qu'il peut s'agir de cousins, ils acceptent sans sourciller qu'*adelphoi* soit traduit par « frères ». Seule l'existence de frères et sœurs de Jésus est mise en doute. Pour une raison grave : cette existence signifie évidemment que sa mère, vierge à sa naissance, ne le fut plus après.

Or, deux phrases des Evangiles de l'enfance posent question. L'une de Luc, qui dit de Marie : « Elle enfanta son fils premier-né[31] », ce qui peut laisser supposer qu'elle en eut d'autres ensuite bien que l'on ait trouvé en Egypte une stèle datant de cette époque où il est question d'une Arsinoé morte « dans les douleurs de l'enfantement de son premier-né ». L'autre phrase, de Matthieu, explique que, « après avoir été averti par l'ange de ce qui arrivait à Marie, Joseph la prit chez lui, et il ne la connut pas jusqu'au jour où elle enfanta un fils[32] ». Ce qui peut laisser supposer – « connaître » étant employé dans la Bible pour désigner un rapport sexuel – qu'il la connut ensuite.

France Quéré souligne d'ailleurs que « les juifs, dans l'Antiquité, croyaient que les rapports sexuels au cours de la grossesse réjouissaient le fœtus et le fortifiaient. Joseph déroge à cette recommandation sanitaire. C'est pourquoi Matthieu souligne sa retenue : l'enfant est de Dieu, il n'a pas besoin de fortifiants masculins[33] ».

Dans son livre publié dans une collection catholique (dont le préfacier, Joseph Doré, professeur à l'Institut catholique de Paris, a émis, il est vrai, des réserves en note [34]), France Quéré s'insurge : ce n'est pas parce que Marie était vierge à la naissance de Jésus qu'elle dut le demeurer toujours, « comme si en elle se confondaient virginité et féminité, virginité et maternité ! On ne sait par quel biais, mais cette insolite propriété, que de fois ensuite l'a-t-on retournée contre les femmes, pour leur faire remontrance d'être femmes naturellement, donc coupablement » ! Elle s'étonne de « l'étrange idéal de mariage, pris dans les griffes d'une virginité » qui est ainsi proposé, et souligne que « la tradition dogmatique d'Ephèse » (il s'agit du concile tenu à Ephèse en 431) voit en Marie la mère de Dieu et non tout d'abord la Vierge des vierges : « C'est cet honneur-là, être mère d'un Dieu, qui la fait bénir entre toutes les femmes et non pas d'être, sous le regard froncé de l'homme, Vierge au-dessus de toutes. »

A l'appui de la thèse suivant laquelle Jésus eut des frères et sœurs, il faut souligner que les juifs considéraient avec faveur l'activité sexuelle « normale et licite », comme l'écrit André Chouraqui. « La vie sexuelle, ajoute-t-il, n'est d'ailleurs pas dissociée de la vie amoureuse du couple et aucun mot n'existe en hébreu pour la désigner en tant que telle. Aussi, il n'y a nulle part de complexe concernant la vie du sexe » [35]. Les juifs adorent les grandes familles, les ribambelles de gamins. Le couple stérile n'est pas aimé de Dieu. La fécondité est toujours exaltée. Rachel dit à Jacob dans la Genèse : « Donne-moi des enfants sinon je suis morte [36]. » Plus chaleureux, les Psaumes : « Ta femme, une vigne luxuriante ; tes enfants, des plants d'olivier autour de la table. Voici comment est béni l'homme qui craint l'Eternel [37]. » Paul lui-même, apôtre de la virginité – il reconnaissait cependant que c'était un avis personnel, qu'il n'avait pas sur ce point d'« ordre du Seigneur [38] » –, disait aux couples : « Ne vous privez pas l'un de l'autre, sinon d'un commun accord, pour un temps, afin de vaquer à la prière, et de nouveau, soyez ensemble, afin que Satan ne vous tente pas à cause de votre incontinence [39]. »

L'exaltation par Paul de la virginité semble cependant indiquer que dans ce monde en mouvement, dans ce peuple d'Israël qui cherchait des voies nouvelles, cet idéal commençait à se répandre. Philon d'Alexandrie, philosophe juif de cette époque, évoque ainsi des femmes âgées qui avaient conservé leur virginité par amour de la sagesse. Les esséniens, secte sur laquelle nous reviendrons, exercent une certaine influence en ce sens, et les manuscrits de Qumrān montrent que certains juifs voulaient demeurer continents dans le mariage.

Il s'agissait pourtant d'une attitude très minoritaire. On peut discerner, à l'inverse, quelques raisons qui ont poussé la tradition catholique à considérer que Marie était toujours restée vierge, n'avait pas eu d'autres enfants.

Quelques-unes sont d'ordre pratique : il fallait sans doute éviter que la famille de Jésus, après sa mort, prétende diriger l'Eglise naissante, affiche en quelque sorte des prétentions dynastiques (certains passages des Actes des apôtres font soupçonner que cette tentation exista). Mais l'essentiel est ailleurs.

Bien des religions entendent faire échapper leurs fondateurs, ou leurs héroïnes, aux conditions communes de l'humanité. Le christianisme est, certes, à l'inverse de la plupart, une religion de l'Incarnation, il affirme avec force depuis l'origine que Jésus est « vrai Dieu et vrai homme », mais il s'est longtemps refusé à tirer toutes les conséquences de la seconde partie de cette proposition, comme si elle signifiait un abaissement.

Les gnostiques des IIe et IIIe siècles prétendaient avoir reçu une révélation personnelle selon laquelle un Dieu transcendant et bon s'opposait à un esprit mauvais qui avait créé le monde et la chair. Ils furent excommuniés comme hérétiques mais l'idée que la chair était mauvaise s'était insinuée dans les esprits et fit du chemin. Les ascètes, nombreux dans les mêmes siècles, ne professaient pas les mêmes thèses, mais l'abnégation, le renoncement qu'ils prêchaient les entraînaient dans de véritables matchs de mortification, les poussaient à mépriser le corps, considéré comme un frein à l'élévation de l'âme. Alors que le monde païen, tout autour des communautés chrétiennes des premiers siècles, proposait et pratiquait exactement le contraire, les grands docteurs de l'Eglise naissante se laissèrent, comme l'écrit France Quéré, « fasciner par la virginité. Celle-ci permit à un Ambroise ou à un Jérôme d'affirmer qu'elle libérait la femme des vicissitudes d'une sexualité débridée ».

Il faudrait de longues pages pour montrer comment au long des siècles et jusqu'au nôtre se sont élaborés tout un culte et une théologie de la virginité perpétuelle de Marie et son exaltation. Ils sont tout à fait respectables, certes. Mais, on ne peut les appuyer sur les textes que l'Eglise catholique considère comme fondateurs – le Nouveau Testament.

L'Eglise orthodoxe, elle, s'appuyant sur des Evangiles dits « apocryphes », c'est-à-dire considérés comme douteux par les catholiques[40], estime que Jésus était entouré de demi-frères et de demi-sœurs que Joseph avait eus d'un premier mariage. En dehors de ces apocryphes, rien ne confirme pourtant cette thèse.

Il est donc impossible de trancher absolument. Plusieurs passages des Evangiles, c'est vrai, donnent le sentiment que Jésus est seul avec ses parents ou la seule Marie : sa visite au Temple, à douze ans, les noces de Cana, la crucifixion où, avant de mourir, il confie sa mère à Jean. Mais d'autres parlent très clairement de ses frères et sœurs.

Il paraît probable – même si cette probabilité peut choquer – que Jésus ait eu des frères et sœurs, que, vrai homme, il ait appartenu à une vraie famille, nombreuse comme elles l'étaient alors[41], et qu'il fût le fils d'une femme – alors que toute une littérature fait de Marie non seulement une Vierge perpétuelle, mais une créature éthérée.

Il n'y a rien là, en vérité, qui porte atteinte en quoi que ce soit à la grandeur de Marie, ni qui puisse gêner profondément le croyant assuré de sa foi. L'Eglise catholique, pourtant, a tellement exalté le culte marial que toute atteinte à l'image traditionnellement donnée

de Marie peut troubler certains esprits, jeter le soupçon non seulement sur ce fait-là, mais à partir de là
sur l'essentiel. Or, l'essentiel est ailleurs.

L'essentiel, nous y arrivons. C'est l'action et le message de Jésus.

CHAPITRE V

Baptême : l'annonce faite à Jésus

Le fleuve tourne et tourne encore à travers les rousses collines et les plaines verdoyantes comme s'il n'en finissait pas de chercher son chemin.

S'il allait droit, le Jourdain joindrait la mer de Galilée (le lac de Génésareth) à la mer Morte en une petite centaine de kilomètres. Mais il en parcourt deux fois plus et change parfois d'idée à la fin des crues de printemps pour se tailler une autre voie parmi les tamaris, les gerbes de roseaux, les fouillis de ronces et les fourrés de lauriers-roses entremêlés de vignes. Il galope pour dévaler les deux cent vingt mètres qui séparent les niveaux des deux mers. C'est un tourbillonnant, un violent qui charrie boues, branchages et débris de toutes sortes. Il emporte aussi, parfois, les imprudents ou les audacieux qui, le jugeant peu profond, ont cru pouvoir le franchir sans risque.

Il existe quand même quelques gués, quatre ou cinq, où l'eau prend ses aises, s'accorde des répits. Des caravanes y ont leurs habitudes, de médiocres caravansérails, dont les petites chambres sont des nids de punaises joliment appelées « bêtes de la saison d'été », ont été bâtis pour tirer profit de leur passage. Le voyageur est toujours assuré de trouver à qui se plaindre et à qui parler.

C'est là que prêche Jean, ou Yohanon, ou Yokanaon, un prénom fort commun qui signifie « Yahvé l'a béni » ou « Yahvé lui fut favorable ». On ne sait rien de ce qu'il a fait, de ce qu'a été sa vie depuis qu'Elisabeth l'a mis au monde et que le vieux prêtre Zacharie, son père, a aussitôt retrouvé la parole. Sauf ceci : Jean a refusé la prêtrise, il n'a pas souhaité succéder à Zacharie. Le sacerdoce en effet se transmet par héritage. Mais sa réputation se dégrade jour après jour.

La communauté des prêtres, le clergé si l'on préfère, se divise en vingt-quatre classes, dont les membres, dispersés en Judée et en Galilée, sont appelés à tour de rôle à Jérusalem pour célébrer les sacrifices au Temple. Au-dessous d'eux existe un bas clergé, les lévites, que nous retrouverons et qui sont un peu des hommes à tout faire : chanteurs (la fonction la plus prestigieuse à leurs yeux), sacristains, policiers du Temple, etc.

Le prêtre Zacharie appartient, lui, à la classe d'Abia, la huitième des vingt-quatre, un rang honorable, sans plus. Il n'est probablement pas très riche : tous les prêtres perçoivent, en principe, une dîme sur les produits du sol de leur village, mais les paysans ne la paient pas de grand cœur. En outre, il arrive souvent que les prêtres permanents du Temple de Jérusalem, l'aristocratie sacerdotale, passent par-dessus la tête de leurs confrères de base pour percevoir les dîmes à leur unique profit. Ce qui n'arrange évidemment pas leurs relations avec eux.

Cette aristocratie sacerdotale, le haut clergé si l'on veut, souffre d'une réputation détestable. Elle vit à Jérusalem et s'est laissé gagner par l'influence grecque, s'affuble de vêtements et de noms grecs, collabore volontiers avec l'envahisseur romain, mais se prévaut bien entendu de l'autorité de l'Eternel pour justifier ses privilèges. Les prêtres de base, comme Zacharie, ne sont pas les derniers à lui reprocher ses mœurs dissolues, son indolence et sa corruption.

Les croyances elles-mêmes les séparent. Les hommes de Jérusalem, appelés aussi « sadducéens », sans doute par référence au prêtre Saddok, qui vivait à l'époque de David, se moquent de la foi populaire en la vie éternelle : seule compte à leurs yeux l'existence terrestre. Si les fils d'Abraham mènent leurs affaires avec sagesse et honneur, enseignent-ils, ils trouveront leur récompense ici-bas, dans la prospérité et le respect général. La réussite matérielle devient ainsi le signe d'une vie respectueuse de la Loi. Ce qui déplaît bien entendu beaucoup aux juifs les plus pieux, à commencer par ceux que l'on nomme pharisiens, ces dirigeants religieux et laïcs, un peu intellectuels, qui prônent, eux, la réforme religieuse et un plus grand respect de la Loi (voir ci-dessus, p. 59), qui croient, eux, en l'immortalité de l'âme et en la résurrection des corps. Pour un pharisien convaincu, le mot « sadducéen » est synonyme de « matérialiste » et d'« épicurien ».

Jean n'est pas pharisien. Mais rien chez les sadducéens ne peut séduire ce jeune homme dont l'ange Gabriel avait dit, à en croire Luc : « Il ne boira ni vin ni boisson forte ; il sera rempli d'Esprit Saint dès le sein de sa mère et il ramènera de nombreux fils d'Israël au Seigneur leur Dieu [1]. » Devenir prêtre comme son père ne le rangerait pas aussitôt parmi les sadducéens. Mais ce serait appartenir, bon gré mal gré, au Temple dont ceux-ci sont les maîtres. En renonçant à succéder à Zacharie, Jean a donc rompu avec le Temple, la plus haute autorité religieuse du pays, sa principale puissance économique aussi.

Et voici qu'il surgit sur les rives de ce Jourdain aux eaux boueuses et tumultueuses. Un peu miséreux comme un ermite, la peau tannée par le soleil dont le feu brûle dix mois sur douze, vêtu de poil de chameau et portant « autour des reins une ceinture de cuir » [2]. L'Évangile de Matthieu ne le décrit pas ainsi par hasard. C'est exactement la tenue du prophète Elie : « vêtu de peau velue, une ceinture de cuir sur les reins [3] ». Les tissus en poil de chameau présentaient l'avantage d'être imperméables et inusables (les meilleurs étant fabriqués en Anatolie et en Cilicie, d'où le nom de « cilice »). La ceinture, elle, représentait la liberté humaine, le choix pour chacun de son destin : « Le voyageur en porte une pour se donner le pouvoir d'aller où il veut (...). Chez les nomades de la steppe, dénouer sa ceinture et en même temps retirer son bonnet, c'est reconnaître sa vassalité, sa dépendance [4]. »

Jean, cet ascète, se nourrit de miel récolté dans les

troncs d'arbres où les abeilles ont construit leur ruche, de sauterelles (d'énormes criquets), crues ou grillées sur quatre branchages dont il fait le soir un feu. Là encore, rien de vraiment étonnant : cette nourriture-là, nombre de bédouins pauvres doivent parfois s'en contenter.

L'époque est favorable à ceux qui annoncent l'approche de temps nouveaux. Le bassin méditerranéen, qui avait été depuis plus d'un siècle le théâtre de bien des troubles et des violences, connaît désormais une certaine unité et une paix relative. L'empereur romain assure aux peuples « le pain et les jeux du cirque ». Ils espèrent confusément franchir une nouvelle étape, atteindre l'aube d'un âge d'or.

Israël participe de cette espérance, mais peu et à sa manière. Voilà un peuple qui se sent chargé de mission par Dieu, qui porte le redoutable honneur et la lourde charge d'être en ce bas monde l'allié unique de l'Eternel. Il attend l'établissement sur terre du Royaume de Dieu, d'abord chez lui, puis, de proche en proche, chez tous les peuples. Le César de Rome, considéré comme divin par nombre de ses sujets [5], y compris les orientaux, ne peut être, aux yeux du peuple juif, qu'un rival, un usurpateur qui occupe indûment le rôle du « fils de David », lequel, à son arrivée, établira un empire juif aussi puissant et étendu que l'Empire romain. Et à tant attendre ce Messie par qui se réalisera ce grand dessein de Dieu, on finit par penser que c'est pour demain, très bientôt.

Car on n'en peut plus. On se répète, pour se les appliquer, les paroles attribuées à Isaïe, huit siècles plus tôt :

Nul ne porte plainte selon la justice,
Nul ne plaide de bonne foi ;
On assoit son assurance sur du vide,
On parle creux,
On conçoit le dommage et on enfante le méfait (...).
Nous espérions la lumière et voici les tensions,
La clarté et nous marchons dans l'obscurité.
Nous tâtonnons comme des aveugles contre un mur,
Nous tâtonnons comme des gens sans yeux.

En plein midi nous trébuchons comme au crépuscule,
En pleine santé nous sommes tels des morts.
Tous, nous grondons comme des ours,
Comme des colombes nous roucoulons plaintivement [6].

Quand Jean commence à prêcher se multiplient pourtant les écrits ou les discours réconfortants : ils annoncent au peuple juif que le jour, enfin, est proche où Dieu viendra à son secours. Ces récits, on les appelle des « apocalypses », mot qui n'a pas le sens négatif que l'usage lui donne aujourd'hui. Des prophètes vont de ville en ville, de village en village, pour les répandre, annoncer que cette fois ça y est, c'est pour demain. Des farfelus ou des tricheurs font de même, se proclament le Sauveur promis par Dieu qui établira une nouvelle société et mettra fin à toutes les injustices.

Le peuple les écoute d'autant plus que ces injustices, on l'a vu au chapitre précédent, sont de plus en plus criantes, le fossé entre les groupes sociaux (on vient de le voir encore) de plus en plus profond. Ce peuple choisi entre tous par Dieu craint même de se montrer infidèle : le haut clergé justement, les hommes du Temple ne donnent-ils pas le mauvais exemple ? Le roi Hérode n'a-t-il pas fait construire des gymnases, des théâtres et des stades grecs ? Ne joue-t-on pas dans le théâtre de Jérusalem des comédies grecques jugées obscènes et des tragédies qui célèbrent les exploits des héros et des dieux païens ? Plus ce peuple craint pour sa personnalité, plus il est disposé à écouter ceux qui lui prédisent que bientôt tout va changer, que le jour J est pour demain.

Mais le prophète hirsute qui se prénomme Jean, fils de Zacharie, et qui prêche au bord du Jourdain, ne lui annonce pas des lendemains qui chantent ni des avenirs radieux. Il invective au contraire ses auditeurs, les traite d'« engeance de vipères », un terme que Jésus reprendra une fois ou l'autre, leur fait craindre « la colère prochaine » [7]. Et, au lieu de détourner leurs peurs et leurs ressentiments vers l'étranger, le païen, l'occupant, il leur explique que le fait d'être juifs ne leur confère aucun privilège : « Ne commencez pas à dire en vous-mêmes : "Nous avons pour père Abraham", car je vous dis que Dieu peut, des pierres que voici, susciter des enfants à Abraham[8]. » Ils sont comme les autres, ils seront jugés avec les mêmes lois, la même rigueur, et tout de suite. « Déjà la cognée se trouve à la racine des arbres ; tout arbre qui ne produit pas de bon fruit va être coupé et jeté au feu[9]. »

Ce Jean est tout le contraire d'un démagogue. Il se montre plus rude que ne le sera Jésus. Jean voit en ses auditeurs des pécheurs endurcis sensibles seulement à la menace du jugement divin ; Jésus, quelquefois sévère, parlera plus volontiers de pardon et de la grâce de Dieu.

Il est vrai que Jean vit en ascète, hors du monde : pour le trouver, il faut sortir des villes et des villages, abandonner une société maléfique et gagner les portes du désert. Jésus, lui, ira de bourg en village, il participera aux fêtes et ses compagnons ne jeûneront pas plus que lui (qui sera traité de « glouton »). Ils auront leurs raisons : « Les invités à la noce peuvent-ils jeûner pendant que l'époux est avec eux[10] ? » Le temps de la joie aura succédé aux angoisses de l'attente.

Mais, quand Jean commence à tenir ces discours enflammés et presque terrifiants, Jésus ne s'est pas encore manifesté.

Or, ces propos si peu rassurants ne détournent pas les foules. Au contraire. A tel point que l'historien Flavius Josèphe gardera le souvenir de ce Jean et le décrira comme « un homme de bien, exhortant les juifs à cultiver la vertu et à user de justice dans les relations entre eux et de piété envers Dieu afin de se joindre au baptême[11] ».

Tout le monde se presse autour de Jean, l'interroge. Les gens du peuple : « Que devons-nous faire ? » Réponse : « Celui qui a deux tuniques, qu'il partage avec celui qui n'en a pas ; et celui qui a de quoi manger, qu'il fasse de même. » Les publicains, ces percepteurs : « Et nous ? » Réponse : « N'exigez rien au-delà de ce qui vous est ordonné » (autrement dit : ne rajoutez pas à l'impôt de quoi remplir vos poches). Et aux soldats, que l'on peut supposer être des légionnaires : « Ne molestez personne ; n'extorquez rien et contentez-vous de votre solde » – ce qui en dit long sur leurs pratiques [12].

Il a tant de succès, ce prophète inquiétant et exigeant, que le bruit s'en répand jusqu'à Jérusalem. Les notables décident de lui envoyer une commission d'enquête, composée de prêtres et de lévites, à qui il commence par préciser ce qu'il n'est pas : ni le Messie, le Christ, ni le prophète Élie revenu sur terre. Ils s'énervent : « Qui es-tu donc, que nous donnions réponse à ceux qui nous ont envoyés ? » Ces enquêteurs sont de braves petits sous-fifres, pas des patrons ; ils n'ont qu'un souci : ne pas revenir les mains vides, ce qui n'arrangerait pas leur avancement. Réponse : « Je suis la voix de celui qui crie dans le désert : aplanissez le chemin du Seigneur, ainsi qu'a dit le prophète Isaïe [13]. »

Jean, l'évangéliste, qui est seul à conter cette comparution devant la commission d'enquête, n'en dit pas plus. Mais on peut imaginer les interrogations et les doutes de ses membres : ont-ils eu affaire à un illuminé comme il en court tant par le pays ces temps-ci ? Que veut-il dire en annonçant qu'il prépare le chemin du Seigneur ? Ils concluaient volontiers qu'il s'agit seulement d'un détraqué. Seulement voilà : il baptise. Et le baptême auquel il procède est une autre rupture avec le Temple, un second défi qui lui est lancé.

Le symbole de l'eau existe dans presque toutes les religions. Il rayonne d'un éclat particulier chez les peuples qui vivent dans le désert ou qui l'ont traversé. C'était le cas des juifs. L'une des bénédictions que devait réciter le juif pieux au long de la journée était un remerciement à « Dieu, Roi de l'univers (...) qui nous a ordonné de nous laver les mains ». Quand les textes de la Bible décrivent un lieu paradisiaque ou simplement réjouissant, ils y font jaillir des sources d'eau vive. Et la religion juive avait multiplié les rites de purification par l'eau. Les prêtres devaient se laver avant d'entrer dans le Temple, avant et après les cérémonies, avec de l'eau vive (on disait en hébreu *mayim hayim*, ce qui signifie « eaux vivantes »), c'est-à-dire de l'eau de pluie ou de source canalisée mais non puisée avec un récipient, car celle-ci, jugeait-on, ne purifiait pas [14].

A l'époque de Jean et de Jésus, alors qu'Israël s'arc-boutait pour préserver une identité menacée par les influences étrangères, la volonté de purification par l'eau était devenue quasi obsessionnelle, surtout chez les pharisiens, les plus soucieux de défendre l'intégrité de leur religion. La plupart des rabbins des synagogues, qui subissaient leur influence, avaient fini par demander à tous les fidèles de suivre scrupuleusement les rites de pureté imposés aux prêtres. Si un objet ou un vêtement avait été touché par un païen, un étranger, il fallait le plonger dans l'eau.

Par l'eau, le juif se séparait ainsi du non-juif, l'impur. Mais il n'obtenait pas le salut promis par Dieu : d'ailleurs, il devait toujours et toujours reprendre les rites de purification.

La révolution que provoque le prophète hirsute prénommé Jean, la voici donc : le baptême par immersion sauve, une fois pour toutes, après confession des péchés. Il est unique et définitif. C'est lui, Jean, qui l'administre, en public (alors que les rites habituels de purification étaient privés et que les juifs pieux s'administraient eux-mêmes les bains et les ablutions).

C'est un formidable défi au Temple, puisque l'on peut obtenir le pardon des péchés hors de lui, de ses rites et de ses hommes. Qui veut signifier sa foi et son attachement profond à Dieu ne doit plus supporter les gros frais et les peines d'un voyage à Jérusalem pour apporter des offrandes au Temple et payer des taxes aux prêtres : il suffit de montrer un sincère repentir et une volonté ferme de se corriger (ce qui est considérable, il est vrai) et de se faire plonger dans les eaux bondissantes du Jourdain. Les hommes du Temple ne pouvaient évidemment voir d'un œil réjoui le succès de Jean.

Une telle révolution, l'histoire le montre, ne surgit jamais d'un coup et en un seul lieu, comme par enchantement. Il existait en Israël d'autres mouvements que l'on peut qualifier de baptistes. Par exemple, un étrange groupe appelé « les Plongeurs du matin », qui prenaient un bain chaque matin, unissant ainsi hygiène et spiritualité, et polémiquaient avec les pharisiens : « Nous vous plaignons, disaient les Plongeurs, vous qui invoquez le Nom (divin) le matin sans avoir pris de bain. » A quoi les autres répliquaient : « Nous vous plaignons, baptistes du matin, vous qui prononcez le Nom avec des lèvres impures [15] ». Comme on le voit, ce baptême par plongée n'était pas comparable à celui de Jean puisqu'il fallait le reprendre chaque jour.

Les esséniens, enfin, pratiquaient de nombreux bains rituels. On a même prétendu en un temps que ce Jean, dont certaines idées étaient proches des leurs, qui prêchait et baptisait non loin de leur monastère de Qumrān, appartenait à ce groupe très particulier, qu'il avait sans doute reçu chez eux sa formation religieuse.

C'est le moment d'évoquer en détail les usages et les croyances de ces esséniens, connus de longue date mais que la découverte par un jeune bédouin des manuscrits de la mer Morte, en 1947, dans une caverne du désert de Judée, a rendus célèbres. La plupart vivaient en communauté dans le désert, comme des moines, respectant avec une rigueur scrupuleuse les exigences de pureté religieuse et morale des écrits bibliques : ces saints hommes formaient, a écrit le Romain Pline, « une race solitaire, et la plus singulière qui soit au monde ». Pourtant, et contrairement à ce que l'on croit souvent, tous n'avaient pas quitté la société une fois pour toutes. « Ils n'occupent pas une seule ville mais se trouvent en grand nombre dans chaque ville [16] », indique Flavius Josèphe, selon lequel quelques-uns étaient même mariés... n'ayant trouvé que ce moyen pour perpétuer la race humaine.

Les amateurs de pittoresque relèvent qu'un bon essénien ne devait pas cracher en public, mais s'isoler pour le faire et alors cracher à gauche, côté du mal et de l'impur ; il devait faire ses besoins à l'écart après avoir creusé dans ce but un trou, toujours avec le même outil, une petite houe, en s'enveloppant de ses vêtements pour ne pas offenser le soleil, puis combler le trou avec la terre, mais il ne pouvait se soulager le jour du sabbat, sinon il l'aurait profané ! Il devait se lever chaque matin avant l'aube, se taire avant d'avoir prié l'Eternel de faire lever le soleil. Et ainsi de suite.

Rappeler ces règles – parmi tant d'autres, car toute la vie était codifiée – montre surtout que la discipline de ce groupe était presque militaire ; la plupart vivaient sous la tente, plus rarement dans des grottes ; ils s'immergeaient complètement dans l'eau chaque jour avant le repas pris en commun (du moins pour ceux qui avaient accompli deux années de noviciat), un repas plutôt joyeux semble-t-il. Tout nouveau membre devait aussi se baigner dans l'eau courante et abandonner ses biens. Après trois ans de formation, il prêtait serment pour la vie. En cas de faute grave, il était exclu de la communauté. Terrible punition puisqu'il avait fait vœu, entre autres, de ne manger aucune nourriture cultivée par des non-esséniens. Or, un accès de colère excluait de la communauté, pour un an, une parole « insensée » pour trois mois... pendant lesquels il fallait se contenter d'herbes et de racines.

Mais voici l'essentiel : les esséniens – quatre mille hommes et femmes environ à cette époque – n'étaient pas loin de se tenir pour les seuls élus du peuple élu. Ils envoyaient bien quelques offrandes au Temple mais s'opposaient aux sacrifices d'animaux qu'on y pratiquait, jugeaient les prêtres infidèles et considéraient volontiers les autres juifs comme des enfants des ténèbres (bien qu'ils aient été un temps, et bizarrement, assez proches d'Hérode). Ils attendaient une sorte de grand soir très proche, où Dieu ferait valoir sa souveraineté sur le monde, écrasant à la fois les païens et les juifs hérétiques. Ils rétabliraient alors le vrai culte de l'Eternel dans le Temple. Les élus vivraient dans la paix et la joie tandis que les autres humains seraient livrés aux flammes d'un enfer.

Que Jean ait connu les esséniens et entretenu des contacts avec eux paraît probable. Qu'il ait été élevé par eux est très contestable. Certains le pensent en se fondant sur une allusion à son enfance contenue dans l'Evangile de Luc, selon lequel il « grandissait et son esprit se fortifiait et il fut dans les déserts jusqu'au jour de sa manifestation à Israël[17] ». Or, Flavius Josèphe souligne que les esséniens adoptaient souvent des enfants pour les endoctriner[18]. Mais on peut penser que c'est seulement dans les années qui précédèrent sa « manifestation à Israël », c'est-à-dire après qu'il eut dépassé vingt ans, que Jean vécut dans les déserts, où les esséniens n'étaient pas seuls à peupler les grottes. On doit d'ailleurs se demander si Zacharie, qui appartenait à la caste sacerdotale, eût volontiers confié son gamin à des gens pour qui tous les prêtres étaient corrompus et bons à jeter aux orties.

Le baptême de Jean, enfin, avait peu à voir, l'immersion exceptée, avec ceux des esséniens : leurs ablutions avaient pour but unique la purification, elles étaient répétées chaque jour, et c'était seulement après deux années de noviciat que les membres du groupe pouvaient y participer : « Jean baptisait ceux qui voulaient changer leur manière de vivre. La communauté de Qumrān n'acceptait que ceux qui pouvaient prouver qu'ils avaient déjà changé leur façon de vivre », résume l'exégète anglais John Drane[19].

Ce que fait Jean le Baptiseur, personne ne l'a donc fait avant lui. Il ouvre une voie nouvelle. Mais ce révolutionnaire ne travaille pas pour son propre compte. Il annonce Jésus. Il le connaissait, pour une bonne raison à en croire Luc : ils sont cousins.

Je ne suis rien, dit-il à peu près aux foules qui se pressent autour de lui, un autre viendra bientôt, « dont je ne suis pas digne de dénouer la courroie des sandales ». Fait remarquable parce que rare : à un ou deux mots près, les quatre Evangiles utilisent ici la même expression. Justin aussi, ce philosophe né vers l'an 100 et martyrisé à Rome en 164 ou 165, qui a laissé quelques textes sur Jésus. Comme si cette allusion aux sandales les avait tous frappés.

Les sandales étaient alors d'un usage très commun, sauf chez les riches qui leur préféraient des bottines en peau d'hyène ou de chacal, ou des chaussures rouges à la pointe relevée, et chez les Romains qui les jugeaient efféminées. Mais qui dénoue les sandales ? Quand le maître rentre chez lui, fatigué, l'un de ses serviteurs ou de ses esclaves le fait, en se courbant à ses pieds.

Le message de Jean est donc double : celui qui vient ne se comporte pas comme un puissant ; pourtant il est si important que moi, vers lequel vous accourez tous, je ne suis même pas digne de me comporter comme son serviteur ou son esclave. On imagine la perplexité de ses auditeurs peu accoutumés à entendre paroles si paradoxales.

Pourtant, Jean le Baptiseur lui-même ne mesure pas encore, lorsqu'il parle ainsi, le destin tout à fait exceptionnel de Jésus. En effet, le voyant bientôt arriver, il dira, selon Jean l'évangéliste : « Je ne le connaissais pas. » Autrement dit : je ne le connaissais pas vraiment, je ne savais pas tout à fait qui il était.

Jean le Baptiseur ne soupçonne pas la portée du message que Jésus va prêcher. Pour lui, la venue du Messie se traduira par des jugements et des condamnations sévères. Il l'affirme en utilisant des images de paysan : Jésus « tient en sa main la pelle à vanner et va nettoyer son aire, et il recueillera son blé dans le grenier ; quant aux balles, il les consumera au feu inextinguible [20] ». Précision pour les urbains que nous sommes : la balle est la fine enveloppe du grain de céréale. Le Sauveur promis par Dieu est donc, aux yeux de Jean, quelqu'un qui brûlera la paille séparée du bon grain ; la société qu'il annoncera sera fondée sur la damnation et le jugement. Alors que Jésus prêchera un monde fondé sur l'amour et le pardon. Ce que ses contemporains, et même les hommes d'aujourd'hui, auront du mal à comprendre. Il n'est donc pas surprenant que le Baptiseur n'ait pas d'emblée franchi cette étape.

Il ne le fera que lorsque Jésus viendra à lui. Il dira : « Voici l'agneau de Dieu qui enlève le péché du monde[21]. » Il ne frappera plus le monde de condamnation.

L'expression « agneau de Dieu », elle, a suscité bien des commentaires et de multiples interprétations. La plus courante identifie Jésus à l'agneau du sacrifice : et des milliers de pages ont été écrites, des milliers de sermons prononcés pour expliquer aux foules que Dieu a envoyé Jésus endurer sur la terre les pires souffrances et la mort afin d'« effacer la tache originelle et de son père apaiser le courroux », comme dit le vieux cantique *Minuit chrétien*, lequel éveille de sympathiques nostalgies mais a largement répandu cette absurdité. Peut-on imaginer en effet un Dieu d'amour – le Père de l'enfant prodigue dans la célèbre parabole – ne consentant à pardonner aux hommes les bêtises du premier couple qu'en envoyant son Fils s'offrir à Lui en sacrifice ? C'est une horrible vision de Dieu, présenté comme barbare, assoiffé de sang, emporté par une telle folie de vengeance qu'Il lui sacrifiera son propre Fils. Elle n'a rien à voir avec le message de Jésus. Lequel n'a jamais évoqué le péché originel. Mais le mal du monde, ce qui est tout à fait différent.

Comment, dès lors, interpréter cet « agneau de Dieu » ? De manière beaucoup plus simple. Israël sacrifiait sans cesse des animaux, des agneaux le plus souvent, pour garder le contact avec l'Eternel, rétablir toujours son lien avec Lui. L'arrivée de Jésus rend ces rites inutiles : il établit lui-même le contact avec Dieu, il crée une ligne directe. Il est l'agneau envoyé par Dieu dans ce but. C'est notamment la thèse de l'exégète jésuite Xavier Léon-Dufour[22]. On peut avancer une autre interprétation : de même que l'agneau pascal servit à la libération des juifs captifs en Egypte, Jésus est le libérateur du peuple. Une tradition juive comparait d'ailleurs l'histoire d'Israël au combat d'un agneau contre les loups pour protéger les brebis que lui avait confiées l'Eternel.

Voici que Jésus se décide à suivre les foules qui affluent vers Jean le Baptiseur. Ce jeune rural dont personne n'a encore entendu parler s'en va trouver un prédicateur de grand renom. Celui-ci, selon l'Evangile de Matthieu, le reconnaît et s'étonne : « Moi, j'ai besoin d'être baptisé par toi, et toi, tu viens à moi ! » Alors Jésus : « Laisse (faire) à présent ; ainsi, en effet, il nous convient d'accomplir toute justice[23]. »

Jean n'est pas seul à s'étonner : pourquoi Jésus, pur de tout péché selon les Evangiles, a-t-il voulu être baptisé ? Il était bien le seul pour qui ce ne fût pas nécessaire.

Cette question a tourmenté ses disciples et les évangélistes. Certains auteurs des premiers siècles citent parfois un Evangile dit « des Hébreux », un texte qui circula dans les premières communautés chrétiennes et où l'on voit Jésus lui-même s'interroger : « Voici que la mère du Seigneur et ses frères lui disaient : "Jean-Baptiste baptise pour la rémission des péchés, allons et soyons baptisés par lui." Mais il leur dit : "En quoi ai-je péché, que j'aille et sois baptisé par lui ?"[24] »

Les Evangiles officiellement reconnus ne racontent pas cette scène mais le problème ne leur a pas échappé. Le texte de Jean, qui décrit la rencontre de Jésus et du Baptiseur, le résout en ne soufflant pas un mot du baptême. Luc en parle mais ne cite pas celui qui baptisait ; Jean est tout simplement oublié : « Or, il arriva, quand tout le peuple eut été baptisé et Jésus ayant été baptisé[25]. » Par qui ? Mystère... Matthieu enfin, oublie, lui, de rappeler que Jean baptisait pour la rémission des péchés.

Bien des spécialistes pensent que Jésus, allant demander le baptême, a voulu s'associer au mouvement qui portait en foule le peuple vers Jean, poser un premier geste affirmant la venue de temps nouveaux.

Ce geste, en tout cas, nous renseigne sur les intentions de son auteur : dès que Jésus apparaît, il se range dans le camp de Jean, il ratifie son action, c'est-à-dire, de fait, la rupture avec le Temple, avec le pouvoir économico-religieux du Temple.

Jean ne discute pas plus longtemps. Il s'exécute, baptise Jésus aussitôt. C'est alors, racontent les Evangiles, que l'Esprit Saint descend sur Jésus « comme une colombe ». Les quatre textes disent la même chose mais, pour deux d'entre eux, Matthieu et Marc, c'est Jésus seul qui a vu la colombe, tandis que pour Jean, c'est le Baptiseur qui l'a aperçue.

Les colombes apparaissent souvent dans la littérature juive, pour y jouer des rôles divers. Celles-ci ont évidemment beaucoup intrigué les spécialistes. Selon le P. Xavier Léon-Dufour, « on compte au moins sept interprétations différentes de la colombe au baptême de Jésus[26] ». Nous n'allons pas nous attarder dans ce labyrinthe. Un autre exégète, Jacques Guillet, a écrit avec l'approbation des autorités religieuses (l'*imprimatur*) que les Evangiles n'entendent pas décrire « un phénomène extérieur » mais « une expérience spirituelle, une vision ». Il s'agit, insiste-t-il, « d'une expérience intérieure de Jésus, d'une perception du Père et de l'Esprit[27] ». Et quand les Evangiles ajoutent que « le ciel s'ouvre », c'est bien sûr une fort jolie image pour signifier que le lien est rétabli entre les cieux – où traditionnellement les Anciens situaient la résidence de Dieu ou des dieux – et la terre des hommes.

Le ciel s'ouvre et l'Eternel parle. Il désigne Jésus comme son Fils. Les versions diffèrent selon les Evangiles. Celui de Jean, d'ailleurs, ne fait pas mention de l'ouverture des cieux ; c'est le Baptiseur qui s'exprime, il dit que « celui qui l'a envoyé baptiser dans l'eau » (l'Eternel), lui a fait reconnaître en Jésus « l'élu de Dieu ».

Selon David Flusser, un juif, professeur à l'université hébraïque de Jérusalem, « des voix de ce genre n'étaient pas rares dans le judaïsme de l'époque (...). Le don de l'Esprit accompagné par une expérience extatique était loin d'être un fait isolé parmi ceux qui recevaient le baptême dans le Jourdain des mains de Jean[28] ». Mais Flusser et bien d'autres spécialistes avec lui estiment que les paroles rapportées par les évangélistes ne sont pas tout à fait exactes. Pour eux, la « voix » aurait plutôt repris la parole d'Isaïe : « Voici mon serviteur que je soutiens, mon élu auquel mon âme prend plaisir, j'ai mis sur lui mon esprit pour qu'il apporte le droit aux nations[29]. »

Pour compliquer encore la question, l'évangéliste Luc, lui, fait dire à la voix : « Tu es mon fils, moi aujourd'hui, je t'ai engendré. » Une phrase tirée d'un psaume[30] et qui s'appliquait des siècles plus tôt aux rois d'Israël ; or, le Messie attendu par les juifs au temps de Jésus devait précisément devenir leur roi.

Le débat est capital. Il s'agit de savoir quelle conscience Jésus a de lui-même et de sa mission à ce moment. Qui pense-t-il être ? Et que lui révèle cette « expérience spirituelle » ? Si l'on s'en tient à la version de David Flusser (qui ne doute pas, il l'écrit, de « l'historicité de l'expérience vécue par Jésus lors de son baptême dans le Jourdain »), Jésus peut alors se considérer seulement comme un prophète parmi d'autres.

Juge-t-il, au contraire, qu'il est beaucoup plus : le Fils de Dieu ? Le pensait-il avant d'aller voir le Baptiseur ? Le pense-t-il à partir du moment où il entend la voix ? Ou bien percevra-t-il peu à peu que sa mission est universelle ? Cette question a provoqué recherches et controverses multiples.

Une conclusion s'impose, quelle que soit la thèse que l'on choisisse : à ce moment, Jésus prend une conscience plus aiguë de sa relation particulière à Dieu, du rôle qu'il doit jouer, pour le moins au sein du peuple juif (car il lui arrivera de dire, ensuite, qu'il n'a « été envoyé qu'aux brebis perdues de la maison d'Israël[31] »).

Ce qui s'est passé, ce jour-là, sur les bords du Jourdain, c'est donc l'annonce faite à Jésus. Elle fut jugée tellement importante par la primitive Eglise qu'au début du IVe siècle on célébrait, le 6 janvier, à la fois la naissance et le baptême du Christ[32]. On chantait une hymne qui unissait étroitement les deux événements :

La Création tout entière le proclame,
Les Mages le proclament,
L'étoile le proclame.

Voyez, voici le Fils du Roi,
Les cieux s'ouvrent
Les eaux du Jourdain écument,
La colombe apparaît :
Voici mon Fils bien-aimé !

Plus tard, on dissocia les deux fêtes, dans le but d'éviter une confusion jugée hérétique : certains, en Orient surtout, prétendaient que Dieu Lui-même ne s'était pas fait homme dès sa naissance, mais s'était uni temporairement à la personne de Jésus à partir du baptême. Autrement dit, Jésus n'aurait été d'abord qu'un homme et Dieu n'aurait revêtu son enveloppe charnelle, ne serait entré dans son corps, qu'au moment où la colombe descendit sur lui. Au concile de Nicée, en 325, l'Eglise condamna cette thèse pour affirmer que Jésus fut « vrai Dieu et vrai homme » dès sa naissance. Mais cette controverse marque assez l'importance que revêtit, à ses yeux, l'épisode du baptême.

L'évangéliste Luc donne sur la date de l'événement quelques indications. « L'an 15 du principat de Tibère », dit-il, Jean avait commencé de baptiser. Le prédécesseur de Tibère étant mort le 19 août de l'an 14 après J.-C., la première année de celui-ci commence le 20 août. Les années suivantes sont comptées à partir du 10 décembre, date de renouvellement de la puissance « tribunicienne » des empereurs. L'an 15 commence donc le 10 décembre 27[33]. Né entre – 4 et – 7, Jésus avait donc entre trente et un et trente-quatre ans quand Jean commença à prêcher. Mais on peut penser que le baptême fut plus tardif, le mouvement des foules (dont l'ampleur allait provoquer, avant même la venue de Jésus, l'envoi d'une commission d'enquête par Jérusalem) ne s'étant à coup sûr pas produit aussitôt.

Voilà Jésus prêt à partir en mission. Pas tout à fait cependant. Car il lui faut encore choisir une stratégie, décider de ses priorités, accueillir aussi une autre annonce.

Les débuts : le choix d'une stratégie et des hommes, l'organisation du mouvement de Jésus

Jésus franchit le Jourdain, part pour l'Orient. C'est le désert. Une plaine scintillante de sel, entourée ou hérissée de roc crayeux, de pics calcaires, fréquentée par les aigles et les chacals. Par quelques hommes aussi : ermites et ascètes éprouvent une véritable prédilection pour ces lieux désolés. Les opposants au pouvoir y cherchent parfois refuge.

Pour les juifs, le désert a deux visages. C'est un lieu vide où l'homme, libéré des distractions et des obligations du monde, peut plus aisément rencontrer Dieu : ce qui advint à Moïse pendant l'Exode, le retour d'Egypte du peuple exilé. L'Eternel, à ce moment aussi, manifesta sa bonté, sa bienveillance envers le peuple élu en faisant tomber sur lui la manne, « quelque chose de fin, de crissant, tel du givre [1] », de nourrissant.

Mais le désert présente aussi une image sombre, celle d'un lieu maudit où les « terres sont en deuil [2] », où l'on ne trouve « ni figue, ni vigne, ni grenade, ni même eau à boire [3] ». Les animaux fuient ces tristes étendues. Désert rime avec mort, malédiction. Et avec démons. C'est le lieu de la tentation, du combat spirituel.

Que Jésus, après l'expérience mystique du baptême, la vision, le choc qu'il éprouva, ait ressenti le besoin de se reprendre, de faire retraite au désert, rien de plus normal. Il n'y a pas de raison d'en douter. Mais ce qui se produisit alors, selon les Evangiles de Matthieu et de Luc (que nous avons déjà vus à l'œuvre dans les Evangiles de l'enfance), est plus mystérieux.

Jésus demeure quarante jours et quarante nuits en ce lieu, à jeûner et à prier. Quarante : voilà encore un chiffre qui n'est pas choisi par hasard. On le retrouve dans bien des légendes anciennes, dans les rites funéraires de nombreux peuples africains ou asiatiques ; Bouddha et Mahomet ont commencé leur prédication à quarante ans... Chez les juifs, les eaux du déluge avaient recouvert la terre quarante jours, David et Salomon régnèrent chacun quarante ans, Moïse est resté quarante jours et quarante nuits sur le mont Sinaï... Tant de symboles réunis peuvent nous alerter. Nous entrons dans un domaine sans doute plus littéraire qu'historique. Nous voilà aux prises avec un théologoumène. Ce qui ne signifie pas qu'il ne s'est absolument rien produit.

Le récit des trois tentations de Jésus au désert est bien connu. Le diable commence par lui proposer de changer des pierres en pain afin de prouver son origine divine. A quoi il répond que « l'homme ne vit pas de pain seulement mais de toute parole qui sort de la bouche de Dieu », ce qui est une citation biblique [4]. Le diable, pas découragé – ce n'est pas son genre –, l'emmène alors sur le faîte du Temple (d'où l'on domine d'environ cent cinquante mètres le fond de la vallée du Cédron) et le met au défi de se jeter au sol car, dit-il, il est écrit qu'« Il (Dieu) commandera pour toi à ses anges, et ils te porteront dans leurs mains de peur que tu ne heurtes ton pied à une pierre ». Le diable connaît les Ecritures puisqu'il fait ainsi référence à un psaume [5]. Et Jésus lui répond par un autre extrait du Deutéronome : « Tu ne tenteras pas le Seigneur ton Dieu [6]. » Troisième tentative : le diable, persévérant, enlève Jésus jusqu'au sommet d'une très haute montagne, lui montre « tous les royaumes du monde et leur gloire » et les lui promet à condition qu'il veuille bien se prosterner devant lui. A quoi Jésus réplique par le très célèbre « Retire-toi, Satan ! » *(Vade retro, Satanas)*, nouvelle citation du Deutéronome à l'appui : « Le Seigneur ton Dieu tu adoreras et à lui seul tu rendras un culte [7]. »

L'abondance des citations bibliques confirme ce que laissaient pressentir les chiffres : il s'agit bien d'une sorte de parabole. D'ailleurs, puisque cette triple tentation n'a eu, dans le désert, aucun témoin, il faudrait supposer que Jésus en ait fait ensuite confidence. Or, quand c'est le cas, les évangélistes le précisent, mettent ses propos dans sa bouche. Rien de tel ici.

Cela signifie-t-il que ce récit, rajouté postérieurement comme les Evangiles de l'enfance, soit absolument dénué de toute base historique ? Ce n'est pas certain. Car il gêne plutôt qu'il n'aide les disciples de Jésus qui, après la Pâque, veulent convertir à leur foi juifs et païens. Il présente en effet un Dieu soumis à la tentation par le diable, comme le premier mécréant venu. Pour des juifs, c'est tout à fait inacceptable, c'est un scandale. Pour beaucoup d'autres aussi, bien sûr. Si Matthieu et Luc en parlent quand même, ce ne peut donc être que parce qu'il s'est passé vraiment quelque chose, ce que l'Evangile de Marc confirme d'une phrase (« Et il fut tenté par Satan »), et parce qu'ils veulent insister sur la nature humaine de Jésus.

Ils souhaitent aussi, semble-t-il, répondre aux accusations des pharisiens, lui reprochant sa connivence avec « Beelzeboul, le prince des démons [8] ».

Enfin, il s'agit pour eux d'éclairer ce qui va suivre, comme dans une préface : voilà ce que Jésus ne veut pas être, ne doit pas être.

D'abord, un magicien. Les faiseurs de miracles, à cette époque, courent les rues, si l'on peut dire, en Israël. Des miracles, Jésus en fera aussi, à en croire les Evangiles. Mais toujours avec réticence. Il n'est pas venu pour cela. Il ne veut, lui, rien prouver par des miracles, même s'il en est tenté à plusieurs reprises et si tout son entourage y voit des signes et des preuves. Paul, plus tard, écrira aux Corinthiens que c'est un trait permanent des juifs que de « demander des miracles [9] ». On pourrait ajouter : c'est un trait de la plupart des humains, aujourd'hui encore. Voilà donc un point établi, même s'il l'a été *a posteriori* par Matthieu et Luc et non décidé à l'avance par Jésus : sa stratégie ne passerait pas en priorité par le miracle, le merveilleux, mais par la parole ; c'est donc à l'intelligence de ses interlocuteurs qu'il s'adresserait d'abord.

Ensuite, il ne veut pas être un roi. C'était précisément ce que les juifs espéraient du Messie. Beaucoup d'entre eux, répétons-le, attendaient même qu'il supplantât l'empereur romain pour exercer son pouvoir sur l'univers entier. La réponse négative est d'autant plus facile pour Jésus que la royauté ainsi offerte implique vassalité, soumission au diable. (Cela signifie-t-il qu'il y a, aux yeux des évangélistes, quelque chose de diabolique dans tout pouvoir terrestre ? C'est une question à laquelle on ne peut échapper.)

On peut enfin donner de la triple tentation une autre interprétation : ce n'est pas Jésus qui décide, en méditant et en priant au désert, ce qu'il ne veut pas être, c'est l'Eternel qui lui révèle ce qu'il doit être, ce qu'il doit faire. Le passage au désert, dans ce cas, constitue une nouvelle étape après celle du baptême, de l'annonce faite à Jésus ; il complète, mais sans l'achever encore, la révélation de sa personnalité réelle et des moyens d'exercer sa mission. Mais cette mission, Jésus ne la mènera pas seul.

Les quatre Evangiles ne donnent pas la même version des débuts de Jésus. Matthieu, Marc et Luc le montrent prêchant en Galilée, admonestant quelques foules : « Repentez-vous, car le Royaume de Dieu est proche. » Une pérégrination qui l'amène au bord du lac de Génésareth. Il y rencontre des pêcheurs, deux paires de frères : André et Simon, Jacques et Jean, fils d'un associé de Simon, Zébédée. Il les appelle à le suivre, ce qu'ils font aussitôt. Cela se passait, assurent les trois textes, après que l'autre Jean, le Baptiseur, eut été « livré », c'est-à-dire arrêté par les hommes d'Hérode Antipas.

L'Evangile de Jean, d'ordinaire soucieux de chronologie [10], précise au contraire que c'est au lendemain de son baptême que Jésus, passant près du Baptiseur qu'accompagnent deux de ses disciples, André, déjà nommé, et un inconnu, est suivi par eux. Ils le font sur le conseil du Baptiseur, semble-t-il, qui le leur a montré : « Voici l'agneau de Dieu. » Il se retourne : « Que cherchez-vous ? » Ils lui donnent aussitôt du *rabbi*, « maître ». « *Rabbi*, où habites-tu ? » Il les emmène on ne sait où et ils passent la journée avec lui. Le lendemain ou le soir même, une chaîne se forme. André va chercher son frère Simon : « Nous avons trouvé le Messie. » Puis le même André recrute un de ses amis (on les verra souvent ensuite agir ensemble[11]), un Galiléen comme lui, Philippe[12] ; Philippe à son tour rencontre Nathanaël, d'abord très réticent – ce Jésus vient de Nazareth ; or, de Nazareth peut-il sortir quelque chose de bon ? – mais qui se laisse convaincre quand Jésus lui dit l'avoir vu « sous le figuier » avant que Philippe l'appelât. Selon la tradition des rabbins, le figuier était considéré comme l'arbre de la connaissance du bonheur et du malheur. Cette étrange parole de Jésus semble donc signifier qu'en étudiant la Loi Nathanaël s'est préparé à le rencontrer[13]. En tout cas, le voilà complètement retourné. Il n'hésite pas – et il est vraiment rapide, il est le premier à le faire – à proclamer Jésus roi d'Israël. Celui-ci le calme : « Tu m'as cru parce que je t'ai dit que je t'ai vu sous le figuier ! Tu verras mieux encore. » Autrement dit, ce n'est qu'un début[14].

Les deux versions, celle de Jean et celle des trois autres Evangiles, ne sont pas absolument contradictoires : on peut penser que, après avoir eu un premier contact avec ces hommes dans l'entourage de Jean le Baptiseur, Jésus les retrouve en Galilée au bord du lac de Génésareth. Il est probable en tout cas qu'il ait recruté ses premiers compagnons parmi les proches de son cousin.

Ce sont des hommes simples, quelques-uns sans doute ne savent ni lire ni écrire. Mais tous les disciples de Jésus, y compris ceux qui deviendront les plus proches, les apôtres, ne peuvent être considérés comme de petites gens. Les bateaux des pêcheurs ne sont pas de frêles canots : dans l'épisode de la tempête apaisée [15] Jésus est accompagné par plusieurs de ses disciples et trouve le moyen d'aller dormir à l'écart. Zébédée, le père de Jacques et de Jean, pêcheur lui aussi, a des ouvriers. C'est que la mer de Galilée abondait en poissons (l'un des meilleurs étant le *Zeus faber*, devenu le saint-pierre), pris par de petits filets circulaires ou des dragues tendues entre deux bateaux. Parmi les « terriens », Matthieu, employé du fisc, vit certainement très à l'aise. Judas, lui, ne serait pas chargé de tenir la bourse commune s'il n'avait manifesté quelque expérience des affaires financières.

Ils vont pourtant choisir une vie d'errants. Sans doute interrompue de haltes, car, à bien lire les Evangiles, on a le sentiment que les apôtres eux-mêmes n'accompagnent pas toujours Jésus. Pierre, par exemple, continue à pêcher parfois, au moins dans les premiers temps, et le fera aussi après la résurrection. Mais des mois durant, ces jeunes hommes, dont quelques-uns sont dans leurs villages des petits notables, deviennent des sans-domicile-fixe.

Ils ne sont pas les seuls. Cette époque troublée voit se multiplier, on l'a déjà dit, les prédicateurs, les inspirés, les petits prophètes qui arpentent le pays, suivis de groupes de fidèles qui attendent chacun à leur manière le Messie et se tapent dessus à l'occasion. Ce phénomène n'est d'ailleurs pas propre à Israël. Dans d'autres parties de l'Empire romain errent les mendiants philosophes cyniques (appelés ainsi en souvenir de Diogène, surnommé le chien – *kuôn* en grec –, lorsqu'il logeait dans son tonneau) barbus et crasseux comme des hippies qui veulent vivre en marge de toutes les normes. Mais les déracinés sont plus nombreux en Judée et en Galilée. Le Romain Pline l'Ancien signale que venaient à Qumrân, chez les esséniens, « des gens fatigués de la vie, que le destin poussait par vagues vers ses mœurs [16] » et qui, selon Flavius Josèphe, se recrutaient aussi bien chez les riches que parmi les nécessiteux. Dans les campagnes se cachèrent aussi – un peu plus tard semble-t-il – des maquisards opposés aux Romains, des zélotes, dont les troupes étaient surtout formées de paysans surendettés, ruinés, incapables de payer leurs impôts. Et puis, les mendiants, les estropiés, les handicapés, les dérangés que l'on dit aussitôt possédés du démon, les exclus. On les rencontre presque à chaque page des Evangiles, y compris dans la parabole de « l'intendant malhonnête » que son maître veut renvoyer car il a dilapidé ses biens et qui, n'ayant pas la force d'envisager un travail manuel, pense aussitôt à mendier (mais, dit-il, « j'aurais honte »), comme s'il n'avait pas des frères, une famille pour lui porter secours, l'aider[17], comme si le phénomène de mise à l'écart était fréquent, comme si cette société était peu unie.

Tout ce petit monde – mendiants exceptés, que Jérusalem attire, comme tout lieu de pèlerinage – se tient assez loin des villes, centres du pouvoir politico-économico-religieux. Les villes, d'ailleurs, s'en méfient et s'enferment. Gens de la ville et de la campagne ne s'aiment pas. Quand Jésus arrivera à Jérusalem lors de l'épisode dit des « Rameaux », il sera acclamé par des groupes de paysans-pèlerins, mais lors de son procès ce seront surtout, semble-t-il, des citadins qui pousseront à sa condamnation et lui feront ensuite une haie d'insultes.

Jésus et son groupe, la plupart du temps, ne circulent que dans la campagne : des villes comme Sephoris, Jatapata ou Gischala, importantes à l'époque, sont ignorées de nos jours pour la seule raison qu'elles n'ont jamais été citées dans les Evangiles. Ceux-ci évoquent au contraire de minuscules localités galiléennes dont on ne trouve pas trace ailleurs. Ou bien Jésus et les siens approchent seulement des faubourgs : l'Evangile de Marc les montre allant vers « les villages voisins de Césarée de Philippe[18] » ou « le territoire de Tyr[19] » ; il est vrai que ces villes étant très marquées par l'influence grecque, les juifs – minoritaires parfois – se trouvaient souvent relégués aux environs[20].

Cette vie de prédicateurs errants était plutôt misérable. Quand Jésus dit qu'il n'a pas « une pierre où reposer sa tête », ce n'est pas seulement une manière de symbole. Quand il interpelle ses auditeurs sur le thème : « Ne vous inquiétez pas pour votre vie de ce que vous mangerez, ni pour votre corps de quoi vous le vêtirez[21] », ce ne sont pas paroles en l'air. Il lui faut remonter le moral de jeunes hommes qui dorment sur la dure, roulés dans leur cape de laine, après avoir marché et marché sur de mauvais chemins, bousculés par le vent, brûlés par le soleil ou trempés par les averses. Il lui faut réchauffer les ardeurs de disciples plus souvent nourris de pains et de dattes que de beignets frits ou de miel. Et qui ont dû, en outre, essuyer les quolibets des sceptiques ou des ennemis, riposter aux contradicteurs, se méfier des brigands, nombreux aussi ceux-là, et toujours prêts – comme tout voyou en toute société – à dépouiller plus pauvre qu'eux.

Peu à peu cependant va se constituer une sorte de réseau de soutien. A lire certains passages des Evangiles[22], on voit bien que le groupe est envoyé faire du porte-à-porte pour prêcher mais aussi demander le vivre et le couvert. Mais il arrive aussi à Jésus et à ses proches d'être accueillis dans des maisons de sympathisants : dans la famille de l'un d'entre eux (chez Pierre par exemple, dont Jésus, selon l'Evangile de Matthieu, guérit alors la belle-mère[23]), mais aussi chez Marthe et Marie[24], chez de riches publicains, d'autres encore, comme ce pharisien qui leur offre un grand repas (pour lequel ces vagabonds sont étendus sur des lits comme de bons bourgeois) troublé par une femme (de « mauvaise vie », assure Luc) qui vient asperger Jésus de parfum[25]. Des femmes, d'ailleurs, jouent un grand rôle dans ce réseau de soutien. Luc les cite : Marie-Madeleine, d'autres qui « avaient été guéries d'esprits mauvais et de maladies »[26], une certaine Suzanne, et Jeanne surtout, épouse d'un très haut fonctionnaire – Chouza, l'intendant d'Hérode – qui ne devait pas manquer de moyens ni de relations. Enfin, si Judas doit gérer les finances du groupe, c'est qu'elles existent, c'est qu'ils ont recueilli des aumônes, collecté des fonds, gagné quelque argent par leurs propres travaux entre deux tournées de prédication.

Ce groupe, Jésus va bientôt le structurer. Parmi ceux qui le suivent, les plus importants, ceux dont les noms nous sont parvenus, ont été élus par lui. Ce qui est contraire à la tradition juive : d'ordinaire, un *rabbi*, un maître, est plutôt choisi par des jeunes qui deviennent ses élèves (c'est le sens premier du mot « disciple »), sont initiés par lui et deviennent *rabbi* à leur tour. Rien de tel dans le cas de Jésus. C'est le maître qui appelle : « Venez à ma suite [27] ! » Et les appelés ne doivent pas se faire d'illusions : « Le disciple n'est pas au-dessus du maître [28]. » Ils ne lui succéderont pas, ne le dépasseront pas, ils ne feront pas carrière. « Pour vous, ne vous faites pas appeler *rabbi* car vous n'avez qu'un maître, et vous êtes tous des frères [29]. » Mais ils seront largement payés en retour : « Si vous demeurez dans ma parole, vous serez vraiment mes disciples, vous connaîtrez alors la vérité, et la vérité vous rendra libres [30]. » Pas de promotion donc, mais bien mieux : la libération.

Jésus les prend, ses hommes, un peu partout : des paysans conformistes et des pêcheurs moins regardants, des Galiléens et au moins un Judéen (Judas), un publicain et un opposant déclaré au pouvoir (Simon). Ils ne s'entendent pas toujours très bien, ils se jalousent, se méfient les uns des autres et il est contraint de les rappeler souvent à l'ordre : « Vous êtes tous des frères. »

Ceux-là sont les plus proches, ceux que l'on nommera ses apôtres. Mais la lecture des Evangiles montre bien que « le mouvement de Jésus » (d'autres diraient son « parti ») est à trois étages.

A la base, des sympathisants, plus ou moins fidèles. Ils restent chez eux, au travail, dans leur famille, et l'on va parfois leur demander asile. Aux yeux de Jésus, ils sont nombreux : « Qui n'est pas contre nous, dit-il, est pour nous [31]. » Certains figurent même parmi ses amis intimes. Le plus célèbre est Lazare.

A un niveau supérieur, les disciples. A ceux-là il est beaucoup demandé. D'abord de le suivre sans hésiter.

L'un souhaitait enterrer auparavant son père et s'est entendu répondre qu'il faut « laisser les morts enterrer les morts[32] ». Un autre voulait d'abord prendre congé des siens mais Jésus l'a apostrophé rudement : « Quiconque a mis la main à la charrue et regarde en arrière est impropre au Royaume de Dieu[33]. » Règle générale : « Si quelqu'un vient à moi sans haïr son père, sa mère, sa femme, ses frères, ses sœurs, et jusqu'à sa propre vie, il ne peut être mon disciple[34]. »

Ce qu'il y a de tranchant, de presque inacceptable, dans cette clause de rupture totale avec la famille exigée de celui qui veut se lier par contrat avec lui, Jésus le sait : « Désormais, en effet, dans une maison de cinq personnes, on sera divisé, trois contre deux et deux contre trois[35]. » « Et vous serez haïs de tous à cause de mon nom[36]. » Des propos qui étaient à coup sûr instruits par l'expérience. Sa propre famille, rapporte Marc, voulut même « se saisir de lui, car ils (les siens) disaient : "Il a perdu le sens"[37] ».

Ces disciples peuvent se voir confier des missions particulières. Luc raconte que Jésus, montant à Jérusalem, se fait précéder d'une avant-garde de missionnaires chargés d'annoncer le Royaume de Dieu : « Le Seigneur désigna soixante-douze autres (que les apôtres) et les envoya deux par deux en avant de lui dans toute ville et tout endroit où lui-même devait aller[38]. » Le chiffre soixante-douze ne doit sans doute pas être pris à la lettre car il correspond à celui des anciens sages d'Israël réunis par Moïse dans le désert pour l'aider à gouverner le peuple[39] et aussi à celui des nations du monde, toutes issues, selon la Genèse, des fils de Noé[40]. Mais il signifie que les disciples étaient assez nombreux.

Enfin, au sommet de la pyramide, ou plutôt au cœur de cette nébuleuse, les apôtres. Le mot grec *apostolos* est une traduction de l'araméen *chelilah*, qui signifie « envoyé » et désignait des chargés de mission que Jérusalem déléguait en province. Les apôtres ne sont pas des chefs, un organe de gouvernement, un conseil de direction, mais les compagnons les plus proches de Jésus, ses hommes de confiance. Lorsqu'il les sélectionne, c'est « pour les envoyer prêcher, avec pouvoir de chasser les démons [41] ». Exactement la même mission et les mêmes pouvoirs que les disciples dont il vient d'être question. D'ailleurs, la distinction entre apôtres et disciples n'est pas toujours très claire [42]. Ce collège des Douze est surtout un symbole, celui des douze tribus d'Israël issues des fils de Jacob. Les Evangiles de Marc, de Matthieu et de Luc les appellent d'abord simplement ainsi : les Douze. C'est seulement après qu'ils ont été envoyés en mission dans les villages alentour qu'ils reçoivent le nom d'apôtres [43], envoyés. Et c'est après la mort de Jésus qu'ils assumeront des fonctions nouvelles.

Les Evangiles ne donnent pas les mêmes noms pour les douze apôtres. Jean ne cite d'ailleurs jamais douze noms : il omet par exemple Matthieu (aussi appelé Lévi) le Publicain et Simon ; c'est lui, en revanche, qui fait mention de Nathanaël, ignoré par les trois autres. Seuls André, Pierre, Jean, Jacques, fils de Zébédée, Thomas et Judas Iscariote font l'unanimité des quatre Evangiles. Mais qui veut faire le total des Douze en trouve en réalité quatorze. Ces divergences ont donné lieu à des discussions sans fin et à de multiples supputations. Elles s'expliquent sans doute par le faible nombre de prénoms d'usage courant chez les juifs de l'époque, la fréquence des homonymies et, en conséquence, la multiplication des surnoms, tout cela créant des confusions. Il reste très probable que Jésus tenait à ce chiffre douze étant donné sa forte valeur symbolique : il voulait ainsi montrer son autorité en Israël et rétablir le peuple de Dieu en son état primitif.

CHAPITRE VII

Cana : le signe du vin

Quelle fête !

Ils étaient partis en cortège, le marié devant, courant presque en compagnie de ses amis et de ses cousins, munis de torches qui formaient au crépuscule une guirlande de lumières. Le gros de la troupe, les plus âgés des voisins et de la parentèle, se hâtait comme il pouvait, afin de ne pas rater l'arrivée chez la mariée, le vrai début des réjouissances.

Elle attendait chez ses parents, sagement, avec quelques filles d'honneur, vêtues comme elle de robes brodées, tenant bien haut leur petite lampe de terre cuite (et, accroché à un doigt, un petit flacon d'huile en réserve). La mariée portait au front des pièces brillantes, plus bas un voile. Elle écoutait, nerveuse, joyeuse, la rumeur qui montait de la ruelle, s'approchait, grandissait. C'étaient eux, c'était lui. Il arrivait, demandait la permission de la voir, soulevait son voile, clamait à tous son bonheur. Alors, un hourvari : dans les cris et les ris, le cortège repartait, emmenant la mariée sur une chaise à porteurs, on brisait un vase de parfum, les serments étaient échangés à l'ombre du voile nuptial, la fête commençait.

Quelle fête ! Les paysans galiléens adoraient les mariages, occasion de regrouper la famille et les amis, d'oublier le labeur des jours ordinaires, leurs privations et leurs soucis. Le plus souvent, ils attendaient pour le faire la fin de la moisson, les greniers ou les pots à blé remplis, le travail accompli, une petite aisance retrouvée qui ne durerait peut-être pas jusqu'à l'été suivant. Mais au diable l'avarice, il serait assez tôt pour s'en soucier le moment venu ; ce n'est pas tous les jours qu'on marie son fils ; d'ailleurs, le père du marié, chez qui se célèbre la noce, est assez content de lui : cette bru qui lui arrive, il ne l'a pas payée trop cher, il a bien négocié avec l'autre famille. Pas question de se priver : on va festoyer jusqu'au sabbat. Et puisqu'on a fixé le mariage un mardi [1], on a trois bonnes journées devant soi.

Le premier soir, rien ne manque. On a démarré sec après avoir procédé aux rites sur le vin : « Béni le Créateur du fruit de la vigne ! » On ne l'a pas coupé d'eau, bien qu'il fût haut en degré d'alcool : tout, ou presque, est permis le jour des noces. L'eau n'est là, dans des jarres de pierre, que pour les multiples rites de purification. C'est avec le vin qu'on accompagnera et arrosera viandes, poissons farcis cuits avec noix et pistaches, ragoût de poulet aux olives noires, pâté de foie de volaille et dattes grillées.

Et voilà que l'un de ces trois jours de noces à Cana, un grand village à flanc de coteau, paraît-il, le vin vient à manquer. L'eau-de-vie de dattes aussi peut-être. Marie, qui est là depuis le début, qui reste à coup sûr plus fraîche que la plupart des convives, s'en aperçoit la première : les femmes ont pour cela des dons. Elle en prévient Jésus, arrivé avec quelques-uns de ses nouveaux compagnons. Réponse littérale : « Femme, quoi à toi et à moi ? » Ce qui semble d'abord étrange et a donné lieu à de multiples interprétations. Pourquoi Jésus ne dit-il pas « mère » ? Parce que désormais, il veut faire abstraction du lien qui l'unit à Marie. Il lui dit « femme » comme il le dira en d'autres circonstances à des étrangères ou à des proches. Sa mission passe avant les relations familiales. Quant à « quoi à toi et à moi ? », il s'agit d'une expression encore courante dans l'araméen d'aujourd'hui et dans plusieurs langues africaines, qui signifie tout simplement : « Cette affaire ne nous regarde pas [2]. » A quoi Jésus ajoute, selon l'évangéliste, que son « heure n'est pas encore venue ».

Marie ne se laisse pas si vite démonter, et commande aux serviteurs de faire ce qu'il leur dira. Il leur ordonne d'abord d'emplir d'eau les six jarres de pierre (si elles ne l'étaient pas, c'est qu'on avait déjà procédé à pas mal d'ablutions purificatrices ; on n'en était plus au premier jour ; le mariage était consommé et, selon la coutume, on avait déjà exhibé aux invités, sous leurs acclamations, le linge taché de sang qui prouvait la virginité de la jeune mariée). L'utilisation de ces jarres par Jésus est bizarre : d'ordinaire, on se sert d'amphores pour conserver le vin. Et ces jarres-là sont énormes : elles peuvent contenir chacune entre quatre-vingts et cent vingt litres d'eau ! Qui deviennent bientôt quelque six cents litres de vin. Du meilleur.

La fête peut continuer. Personne ne s'est aperçu de rien. Garçons et filles dansent, en frappant les talons sur l'aire balayée où quelques jours plus tôt on a battu le blé. Les plus vieux voient se remplir leurs verres, trop éméchés sans doute pour constater quelque différence entre ce vin-là et le précédent. Seul l'échanson, ou le sommelier, ou le majordome – choisissez la traduction qui vous plaît ; de toute manière, chacune montre que ce n'est pas un mariage de pauvres gens et qu'on a bien fait les choses –, seul ce personnage, donc, se dit que voilà un grand cru et se montre un peu amer qu'on lui en ait caché l'existence jusque-là car il l'eût fait servir dès le premier soir, alors que tous ces paysans gardaient le palais assez frais pour distinguer nectar et bibine.

Ainsi se termine le récit de Jean l'évangéliste (ni Matthieu, ni Marc, ni Luc ne font mention de cet épisode), qui conclut : « Tel fut le premier des signes de Jésus ; il l'accomplit à Cana de Galilée et il manifesta sa gloire et ses disciples crurent en lui[3]. »

Il nous reste à le décrypter.

On vient de le lire : il s'agit, selon l'auteur du texte, d'un « signe ». Pour Jean, en effet, un miracle a une fonction démonstrative. Il l'écrit vers la fin de son Evangile : « Jésus a fait sous les yeux de ses disciples encore beaucoup d'autres signes, qui ne sont pas écrits dans ce livre. Ceux-là ont été mis par écrit *pour que vous croyiez*[4]. »

Mais ce récit-là est différent de ceux qui vont suivre, des guérisons et des exorcismes. D'abord, il n'a pratiquement pas de témoins, mis à part le personnel, le marié, Marie et les disciples dont Jésus s'assure ainsi la fidélité. Ensuite, les bénéficiaires – les mariés et leurs parents que la pénurie de vin eût beaucoup embarrassés – ne sont pas précisés, contrairement à ce qu'on peut lire dans la plupart des récits des miracles. La mariée n'apparaît à aucun moment alors qu'elle est la vedette de tout mariage ; le marié fait seulement un passage discret à la fin du récit. Ces silences sont d'autant plus remarquables que Jean ne nous laisse rien ignorer en revanche de certains détails concernant, par exemple, les six jarres d'eau et leur contenance.

Ni les bénéficiaires du miracle, d'ailleurs, ni leurs proches n'avaient demandé quoi que ce soit, contrairement à la veuve de Naïm, l'aveugle de Jéricho, Marthe et Marie qui intercèdent pour leur frère Lazare. Et dans l'état où ils sont, ils ne doivent pas inspirer la compassion. « C'est à l'intérieur (du) gémissement de la Création et de l'homme que se produit le miracle », écrit le P. Georges Chantraine, jésuite, qui ne doute ni des miracles de l'Evangile ni de ceux qui peuvent se produire aujourd'hui[5]. Or, on ne peut évidemment parler ici de gémissement de la Création ou de la créature. Si ces gens, qui ne demandaient rien, ne s'étaient pas vu attribuer une ration de vin supplémentaire, ils ne s'en seraient pas plus mal portés ; on est tenté d'ajouter : au contraire. Voilà donc un miracle gratuit, un miracle-don, sur l'initiative de Jésus et de sa mère, qui n'est un signe que pour les intimes et les serviteurs.

Ils ne manquent pas d'intérêt non plus, les serviteurs. D'ordinaire, Jésus n'utilise guère d'intermédiaires. Il agit directement, que ce soit, dans le même Evangile de Jean, pour la multiplication des pains (« Alors Jésus prit les pains et, ayant rendu grâces, il les distribua aux convives, de même aussi pour les poissons[6] »), pour la guérison de divers malades ou pour la résurrection de Lazare. Pourquoi Jean s'étend-il ici sur le rôle des serviteurs et leur obéissance ? Et pourquoi ne vont-ils pas expliquer à l'échanson (ou au maître d'hôtel) comment l'eau est devenue vin ? Et pourquoi n'est-il fait aucune mention de leur admiration après le miracle, contrairement à ce qui se passe dans d'autres récits du même type ?

Tant de remarques et tant de questions montrent que ce récit de miracle là mérite un traitement spécifique. Et, dans un livre déjà cité [7], qui a reçu l'*imprimatur*, le P. Léon-Dufour écrit paisiblement : « La conclusion s'impose, le récit de Cana n'est pas de type biographique. » Ce qui est l'opinion de la plupart des spécialistes.

Il s'agit donc d'un symbole. Ou plutôt de plusieurs symboles, parfois mêlés à des éléments réels.

Commençons par ceux-ci. Le récit met d'abord en évidence une certaine rupture avec le Baptiseur. Personne n'imagine l'ermite chevelu qui prêche au bord du Jourdain allant faire la noce à Cana et y demeurant assez longtemps pour que soient épuisées les provisions de vin constituées par les organisateurs de la fête. Ce n'est pas du tout son genre. Un peu plus tard, racontent Luc et Matthieu, Jésus l'a souligné lui-même, pour reprocher à ses auditeurs leur incrédulité : quand Jean le Baptiseur est venu « ne mangeant pas de pain et ne buvant pas de vin », ils l'ont accusé d'être possédé, mais quand lui, Jésus, est venu, « mangeant et buvant », ils ont dit : « Voilà un glouton et un ivrogne, un ami des publicains et des pécheurs. » Et il a conclu : « La sagesse a été justifiée par tous ses enfants [8]. » Autrement dit : il y a plusieurs chemins pour faire la volonté de Dieu.

Ce n'est pas le sentiment de tous : des divergences semblent avoir existé entre le groupe de Jean et celui de Jésus. Ces paroles de Jésus sont en effet précédées, chez Matthieu et chez Luc, d'une scène qui en dit long. Jean le Baptiseur, qui s'était fait apparemment une autre image du Messie, commence à douter. Les disciples qui sont restés avec lui doivent l'y pousser. Ce Jésus fait concurrence à leur maître ! Ils veulent se convaincre qu'à la différence de leurs compagnons qui les ont quittés pour suivre Jésus, ils ont fait le bon choix. Ils ont besoin de se donner des raisons. Et lui, Jean, se laisse impressionner.

Alors qu'il avait officiellement reconnu la suprématie de son cousin en baptisant celui-ci, voilà qu'il lui envoie deux de ses disciples pour lui demander : « Es-tu celui qui doit venir ou devons-nous en attendre un autre [9] ? »

Jean, l'évangéliste cette fois, rapporte une autre scène : alors que le Baptiseur est à l'œuvre « à Aenon, près de Salim, car les eaux abondaient », Jésus en fait autant en Judée. Les disciples du Baptiseur n'apprécient pas : « *Rabbi*, celui qui était avec toi de l'autre côté du Jourdain, celui à qui tu as rendu témoignage, le voilà qui baptise et tous viennent à lui. » Il les calme et s'impatiente quelque peu : « Vous m'êtes témoins que j'ai dit : "Je ne suis pas le Christ, mais je suis envoyé avant lui." » Et il leur tient un très beau discours, imagé et fleuri, pour leur faire entendre ce qu'ils refusent de comprendre : « Qui a l'épouse est l'époux ; mais l'ami de l'époux qui se tient là et qui l'entend est ravi de joie à la voix de l'époux. Telle est ma joie et elle est complète. Il faut que lui grandisse et que moi, je décroisse [10]. »

Donc il est ravi. Mais tous ne sont pas aussi enthousiastes. Et lui-même, on l'a vu, doute parfois puisqu'il délègue ces deux personnages afin d'obtenir de Jésus des assurances. Que celui-ci donne aussitôt : « Allez rapporter à Jean ce que vous avez vu et entendu : les aveugles voient, les boiteux marchent, les lépreux sont purifiés, les sourds entendent, les morts ressuscitent, la Bonne Nouvelle est annoncée aux pauvres. » Voilà une belle accumulation de merveilleux miracles. Ce qu'il faut, semble-t-il, à ces gens pour être convaincus – « pour que vous croyiez », comme le disait l'évangéliste. Là-dessus, Jésus, tout comme Jean dans le récit précédent, chante la gloire de celui qui l'a baptisé. C'est, dit-il, « plus qu'un prophète », et « de plus grand parmi les enfants des femmes, il n'y en a pas ». Mais il précise bien que Jean, tout grand qu'il soit, n'est qu'un précurseur : « C'est celui dont il est écrit : "Voici que j'envoie mon messager en avant de toi pour préparer la route devant toi." »

Les leaders des deux groupes, si l'on peut employer cette expression, font donc de leur mieux pour définir leurs positions respectives, célébrer chacun les mérites de l'autre et persuader leurs disciples et les foules qu'ils ne sont pas rivaux.

Un peu plus tard, Jean est mis en prison. Le tétrarque de Galilée, Hérode Antipas, fils du roi Hérode sous le règne duquel Jésus est né, ne vaut guère mieux que son père. Au contraire. Il multiplie les crimes, il se montre un serviteur zélé des Romains et, pour finir, il épouse une petite-fille d'Hérode, sa nièce donc, Hérodiade, dont il est follement amoureux. C'en est trop pour Jean. Il quitte son Jourdain, s'en va trouver le tétrarque pour lui dire que, non, la loi ne permet pas ce mariage [11]. Hérode Antipas, furieux, pense d'abord à lui faire couper le cou. Mais la popularité de Jean est telle que le tétrarque se reprend, le fait seulement jeter au trou, dans une colossale forteresse appelée Macheronte, indique Flavius Josèphe.

Il ne l'en sortira que pour le faire assassiner. On connaît bien l'histoire que racontent les évangélistes (mais il faut prendre garde : les Galiléens haïssaient Hérodiade, et il est possible que, dans ce récit, les disciples aient un peu exagéré) : Hérodiade, ainsi mise en cause par le Baptiseur, ne désarme pas, elle veut sa mort. Et voilà que sa fille, Salomé, une belle adolescente, danse pour le tétrarque au cours d'un dîner d'anniversaire. Après avoir eu la mère, celui-ci voudrait bien posséder la fille. Laquelle joue les coquettes, fait monter les enchères. Lui, ivre sans doute, lui promet tout ce qu'elle veut. Hérodiade saisit l'occasion : demande la tête de Jean sur un plateau, souffle-t-elle à la jeune danseuse. « Le roi fut contristé, raconte Matthieu, mais à cause de ses serments et des convives, il commanda de la lui donner et envoya décapiter Jean dans la prison. Sa tête fut apportée sur un plat et donnée à la jeune fille, qui la porta à sa mère. Les disciples de Jean vinrent prendre le cadavre et l'enterrèrent, puis ils allèrent informer Jésus[12]. » Lequel, éprouvé, se retira quelque temps au désert.

Le tétrarque, lui, si endurci qu'il fût, ne se remit jamais tout à fait de cet assassinat. Lorsqu'on lui parlait de Jésus, il croyait que c'était le Baptiste ressuscité.

Les disciples de celui-ci, privés de leur maître, ne se rallièrent pas tous à Jésus pour autant. Leur groupe continua, selon divers indices, à exister parallèlement au mouvement de Jésus. Et quand l'Evangile de Jean, postérieur aux faits, souligne en préambule : « Celui-là (le Baptiseur) n'était pas la lumière mais il avait à rendre témoignage à la lumière[13] », c'est bien sûr afin de dissiper une confusion toujours existante. Certains commentateurs voient même dans cette phrase une « pointe polémique ».

Revenons à Cana et aux symboles :

En participant à ces noces, Jésus n'a pas seulement rompu avec la tradition de Jean. Il s'est distingué plus encore des esséniens, parmi lesquels certains commentateurs, surtout depuis la découverte des manuscrits de la mer Morte, veulent aujourd'hui le ranger. Enfin, il transgresse quelques tabous alimentaires. Le Deutéronome, livre de la Bible qui est par quelques aspects une sorte de Code civil, cite le cas d'un fils « révolté » qui ne se contente pas de désobéir à ses parents : « Il s'empiffre et il boit[14]. » Propos qui sera repris presque littéralement par les adversaires de Jésus, selon ce qu'il dit lui-même, nous l'avons vu : « Voilà un glouton et un ivrogne. »

Il n'agit pas ainsi par provocation, mais à l'occasion d'un mariage, et c'est de vin qu'il s'agit.

Le vin est symbolique à plusieurs niveaux. L'historien Jean-Paul Roux, directeur de recherches au C.N.R.S., rappelle que « la vinification, découverte récente de l'agriculture, conservait encore quelque chose d'assez mystérieux et paraissait inquiétante surtout parce qu'elle permettait d'atteindre l'ivresse. Depuis longtemps, l'Antiquité classique (...) avait établi une équivalence entre ce qu'elle nommait, à l'instar des juifs, le sang de la vigne et la sève qui coule dans les veines des hommes et des animaux [15] ». Les grappes de raisin sont foulées, écrasées au pressoir, avant de devenir comme un sang écarlate. Elles passent par une sorte de mort avant de renaître *autrement*. Or, quand l'évangéliste écrit l'histoire de Cana, il a en tête deux événements : le dernier repas pris par Jésus avec les Douze, la Cène, au cours de laquelle il leur a donné à boire du vin en disant que c'était son sang ; puis sa mort et sa résurrection, *autrement*.

Autre symbole du vin : la joie, évidemment. Certes, Job, homme intègre et droit, estime que ses fils et ses filles exagèrent en buvant et en festoyant les uns chez les autres ; de même les fils de Noé ne sont pas très fiers de leur père qui, ayant été le premier au monde à planter une vigne, s'est si bien enivré qu'ils l'ont trouvé nu et cuvant son vin. Ce qui n'a pas empêché, il est vrai, le vieux patriarche de vivre encore, selon la Genèse, trois cent cinquante ans. Mais l'Ecclésiaste dit que « le vin égaye la vie [16] ». Le psaume 104, qu'il « réjouit le cœur des humains en faisant briller les visages plus que l'huile [17] ». A condition, ajoute quand même un autre texte biblique, le livre du Siracide (un notable de Jérusalem), d'être consommé avec modération : « Le vin apporte allégresse du cœur et joie de l'âme quand on le boit à propos et juste ce qu'il faut [18]. »

Enfin, et surtout, le vin est, dans le Cantique des cantiques, le signe de l'union amoureuse. Et il coulera à flots lors du banquet céleste, des noces entre Dieu et l'humanité, à la fin des temps. Les prophètes l'annoncent. Amos : « Les montagnes feront couler le jus de raisin, toutes les collines en seront ruisselantes [19]. » Isaïe : « Le Tout-Puissant va donner sur cette montagne un festin pour tous les peuples, un festin de viandes grasses et de vins vieux [20]. »

A quelles noces pense l'auteur du récit de Cana ? Dans celui-ci, on l'a déjà souligné, la mariée, bizarrement, n'apparaît pas : le premier rôle est tenu par Marie. Laquelle n'est pas désignée par son nom mais comme la « mère de Jésus ». Aux yeux de la plupart des critiques, cette mère de Jésus représente ici Israël (et aussi, pour certains, l'Eglise).

Le récit annonce donc les noces d'Israël avec Dieu (le marié) réalisées grâce à Jésus. Il peut dès lors se lire ainsi : Israël constate sa détresse (la pénurie de vin) mais Jésus se fait tirer l'oreille car sa mission est bien plus importante, universelle. Israël ne se décourage pas pour autant, lui fait confiance tout en renonçant à se l'approprier (Marie ne dit pas aux serviteurs : « Faites tout ce que *mon fils* vous dira », mais « ce qu'*il* vous dira »). Jésus alors se tourne vers les jarres, où avait été gardée l'eau pour les purifications, mais qui sont vides, ces paysans y ayant procédé tout au long de la fête. Ce qui signifie qu'Israël a fait son devoir (pas de manière parfaite puisque Jésus ne trouve que six jarres et non sept, chiffre sacré), qu'Israël a répondu, comme il croyait devoir le faire, aux désirs de Dieu. Et c'est à partir de là, en se fondant sur cet acquit, que Jésus agira.

Il faut ici citer Thomas d'Aquin, dominicain italien, pour qui l'utilisation de l'eau met en lumière la persévérance d'un Dieu pédagogue qui a préparé patiemment les hommes, aux temps bibliques, au message qu'allait leur apporter Jésus. Celui-ci, dit Thomas, « n'a pas voulu faire le vin à partir de rien mais à partir de l'eau, pour montrer qu'il ne voulait pas établir une doctrine entièrement nouvelle ni réprouver l'ancienne, mais l'accomplir. Je ne suis pas venu abolir, mais accomplir... Ce que l'ancienne Loi figurait et promettait, le Christ le révéla et le manifesta[21] ».

Enfin, quand les serviteurs ont fait confiance et donc obéi (une fois de plus dans l'Evangile, ce sont les pauvres qui font la volonté de Dieu : ceux-là en seront récompensés par la vision du miracle), commence une ère nouvelle. Elle est marquée d'un mot : « maintenant ». Les serviteurs ayant rempli d'eau les jarres, Jésus leur dit : « Puisez maintenant et portez-en au maître du repas. » L'auteur du récit eût pu se passer de ce « maintenant ». Mais dans des textes de ce genre, il faut peser chaque expression avec un trébuchet, une balance de précision. Ce « maintenant » n'est pas là par hasard. Maintenant, grâce à la présence de Jésus, la nouvelle Alliance de Dieu et des hommes va se réaliser.

Tous les hommes de bonne volonté deviendront les alliés de Dieu, comme les serviteurs ont été dans cette histoire les alliés de Jésus. Sa mission aura été accomplie.

Le récit de Cana est riche d'autres significations. On peut noter que ce premier « signe », pour reprendre l'expression de l'évangéliste Jean, est donné à la demande d'une femme : quand Jésus répond à sa mère, il lui dit « femme » ; sa féminité importe donc plus, ici, que sa maternité.

Une autre interprétation concerne la qualité des vins : celui qui a été servi d'abord représente la révélation progressive de l'identité du Dieu unique et de sa volonté faite à Israël par les prophètes ; mais Jésus apporte une révélation plus complète, totale, d'où la qualité de celui qu'il fait servir, d'un cru infiniment supérieur, qui surprend le sommelier et dont les convives n'auront d'abord pas conscience.

Enfin, bien sûr, on l'a déjà signalé, la transformation de l'eau en vin annonce l'eucharistie, la dernière Cène.

Bien qu'il ne soit pas de type biographique, le récit de Cana méritait donc une analyse détaillée On peut d'ailleurs le considérer comme une préface : Jean, qui est le seul à raconter cette histoire, l'a placée au tout début de son Evangile, dont elle constitue le deuxième chapitre. Comme s'il voulait répéter sous une autre forme ce qu'il avait écrit dans le premier : « La Loi fut donnée par Moïse ; la grâce et la vérité sont venues par Jésus-Christ. Nul n'a jamais vu Dieu. Le Fils unique, qui est tourné vers le sein du Père, lui, L'a fait connaître [22]. » Le récit de Cana dit l'essentiel. Et, ce qui n'est pas négligeable, il place d'emblée la mission de Jésus sous le signe de la joie. Renan l'écrit en exagérant : « Il (Jésus) parcourait la Galilée au milieu d'une fête perpétuelle [23]. » Ceux qui, au long des siècles, se dirent ses disciples l'oublièrent souvent.

CHAPITRE VIII

Les miracles

Les Evangiles relatent une quarantaine de miracles accomplis par Jésus : vingt-deux chez Matthieu, dix-neuf chez Marc, quatorze chez Luc et sept (chiffre sacré) chez Jean. Ce ne sont pas toujours les mêmes : parmi les sept que raconte Jean, six ne se retrouvent pas chez les trois autres. Mais tous indiquent qu'il y eut d'autres interventions miraculeuses, « beaucoup », dit Jean[1]. La plupart du temps, il s'agit de guérisons de malades : aveugles, paralytiques, lépreux, sourds-muets, une femme atteinte d'hémorragie chronique. D'autres miracles remettent tout à fait en cause les lois naturelles : Jésus apaise la tempête, multiplie des pains dans le désert pour les foules, fait ressusciter des morts.

Les Evangiles et les Actes des apôtres[2] sont nos seules sources d'information sur ces miracles. Un texte juif, le *Talmud* babylonien[3], rapporte cependant que Jésus fut exécuté parce qu'il pratiquait la « sorcellerie », ce qui pourrait confirmer, au moins, qu'il exerçait une activité semblable à celle des guérisseurs et des exorcistes.

Les évangélistes attachaient, si l'on s'en tient à la longueur des récits qu'ils leur consacrent, une certaine importance aux miracles. Marc surtout : en dehors des chapitres de la Passion, les descriptions de miracles occupent 47 % de son texte. Pourtant, détail intéressant, les évangélistes n'employèrent jamais pour les qualifier le mot grec *terata*, qui signifie « prodiges stupéfiants », mais, plus modestement, *dunameis*, c'est-

113

à-dire « actes de puissance », ou, chez Jean, *sêmeia*, « signes ».

Il leur arriva, il est vrai, d'en rajouter, d'amplifier et de multiplier ces actes de puissance. La guérison d'un aveugle et d'un possédé chez Marc devient celle de deux aveugles et de deux possédés chez Matthieu ; les quatre mille personnes nourries de pain dans le désert chez l'un deviennent cinq mille chez l'autre et les restes augmentent plus encore ; ils emplissaient sept corbeilles, ils en emplissent douze. Ce qui laisse soupçonner que lorsque ces textes ont été écrits, d'autres rajouts ont pu être opérés par des fidèles zélés.

L'attitude de Jésus lui-même à l'égard des miracles était ambiguë, à en croire les Evangiles. D'un côté, nous l'avons vu, il répond aux délégués de Jean qu'il est bien « celui qui doit venir » en le prouvant par une liste de miracles (les boiteux marchent, les aveugles voient, etc.) qui est en partie une citation d'Isaïe[4]. A l'inverse, il se fait la plupart du temps arracher ces miracles, ne les accomplit pas en tout cas de sa propre initiative. Jamais il ne se comporte comme un magicien ou un prestidigitateur qui rameute les passants : Approchez ! Venez voir !

Au contraire, il se cache. On lui amène « un sourd et parlant difficilement », il le prend « à l'écart de la foule[5] » pour le guérir. On lui présente, à Bethsaïde, un aveugle, en suppliant qu'il « le touche », il l'entraîne dans les champs, le guérit et le renvoie chez lui avec cette recommandation : « N'entre même pas dans le village[6]. » Quand un lépreux se prosterne devant lui, implorant une guérison qu'il obtient, Jésus lui recommande bien de n'en « parler à personne[7] ».

Très souvent, quand on lui demande de procéder à des miracles comme on impose à un ambassadeur de présenter des lettres de créance ou à un suspect de prouver son identité, il s'impatiente. Marc, aussitôt après le récit de la multiplication des pains, raconte que les pharisiens réclament à Jésus un signe venu du ciel (comme si ça ne leur suffisait pas, qu'ils refusaient d'y croire ou voyaient dans cette abondance soudaine de pains un signe venu non du ciel mais d'ailleurs, de Satan par exemple). Alors, lui, « gémissant en son esprit » : « Qu'a cette génération à demander un signe ? En vérité, je vous le dis, il ne sera pas donné de signe à cette génération [8]. » Ce qui peut aussi signifier : puisque vous vous obstinez à ne pas croire, soyez assurés que je ne ferai pas de miracle pour vos beaux yeux ; je ne m'y résous que lorsque c'est utile. Un langage que Jésus avait déjà tenu, on l'a vu, au diable lui-même qui lui demandait de changer en pains les pierres du désert. Il exprime le même agacement, au même moment (après la multiplication des pains) dans l'Evangile de Matthieu, mais de façon plus menaçante : « Au crépuscule vous dites : "Il va faire beau car le ciel est rouge feu", et à l'aurore : "Mauvais temps aujourd'hui car le ciel est rouge sombre." Ainsi, vous savez interpréter le visage du ciel, mais pour les signes des temps, vous n'en êtes pas capables ! Génération mauvaise et adultère ! Elle réclame un signe et, de signe, il ne lui sera donné que le signe de Jonas [9]. » Le signe de Jonas est sans doute la destruction de la ville de Ninive et la disparition de ses habitants que le bonhomme sorti de la baleine ne cessait d'annoncer. La réponse fait peut-être allusion à la destruction de Jérusalem.

Mais pour le philosophe René Girard, ce signe est celui du « bouc émissaire, le signe du malheureux jeté à la baleine par les matelots qui le tiennent pour responsable de la tempête [10] ». Jésus ferait alors allusion à sa mort, à son sort de bouc émissaire chargé de tout le mal du monde.

A l'égard du miracle, notre génération, elle, se divise entre deux attitudes. Les uns s'en montrent avides, ils aiment le mystère et le merveilleux, qui confortent leur foi dans le surnaturel. Pour d'autres, les miracles relatés par les Evangiles sont des obstacles à la foi plutôt que des incitations à croire. Ils partagent le sentiment de Paul Valéry pour qui « le mépris du dieu pour les humains se marque par les miracles [11] ». L'existence de Jésus, ils ne la nient pas, ce qu'il a dit les intéresse, les enthousiasme même parfois, et ils se montrent disposés, autant qu'ils le peuvent, à mettre ses enseignements en pratique. Mais les miracles !

Essayons donc de discerner, si c'est possible, de quoi il s'agit, ce qui s'est vraiment passé et ce que cela signifie.

Qu'est-ce qu'un miracle ? Tous les dictionnaires répondent en liant deux propositions :

1. Il s'agit d'un phénomène extraordinaire.

2. Sa cause réside, aux yeux des croyants, dans une intervention divine (ce qui distingue le miracle de la magie, laquelle utilise des « procédés occultes » ou fait appel à des « forces surnaturelles immanentes à la nature »).

L'extraordinaire varie avec le temps. Ce qui semblait tel à un contemporain de Jésus peut nous paraître banal aujourd'hui. La psychiatrie moderne explique ou provoque des guérisons qui semblaient jadis miraculeuses ; ce qui se vérifie notamment pour les sourds, les aveugles, les épileptiques ou les paralytiques, souvent cités dans les Evangiles. Mais elle s'est révélée impuissante devant la lèpre ou les handicaps congénitaux.

L'extraordinaire existe encore. Beaucoup connaissent, par expérience ou par des proches, les phénomènes de télépathie, de guérisons inexpliquées, d'apparitions étranges dont la plupart n'osent pas faire confidence de peur de passer pour des esprits crédules ou dérangés. Et les explications rationalistes de tels phénomènes multiplient à ce point les hypothèses et les coïncidences hasardeuses qu'elles paraissent plus fantastiques que le fait lui-même.

Les scientifiques admettent plus aisément aujourd'hui qu'au début du siècle l'existence de situations « paranormales », ou « d'autres logiques ». Ainsi les lois de la géométrie du Grec Euclide, toutes vérifiables sur un espace restreint, deviennent caduques sur de grandes distances, comme l'a montré l'Allemand Riemann, dont les travaux ont servi de modèle à la théorie de la relativité. Les lois établies par la science et valables dans l'univers quotidien peuvent être déformées dès que l'on change radicalement d'échelle dans le temps, dans l'espace, dans l'infiniment grand ou l'infiniment petit, dans le très dense, dans les hautes énergies, y compris – pourquoi pas ? – les hautes énergies spirituelles.

L'attitude objective, en une telle matière, consiste à analyser avec soin, précision et sans a priori, tous les récits des Evangiles. Ce qui signifie bien sûr qu'il ne faut pas les considérer comme incontestables. Mais aussi qu'il ne faut pas rejeter d'emblée tout ce qui paraît merveilleux ou insaisissable de prime abord par notre raison. « De ce qu'un fait vous semble étrange, écrivait Victor Hugo, vous concluez qu'il n'est pas. On a vite fait de dire : c'est puéril. Ce qui est puéril, c'est de se figurer qu'en se bandant les yeux devant l'inconnu, on supprime l'inconnu [12]. »

Renan, à l'inverse, partait de présupposés : le surnaturel n'existe pas, donc les miracles n'existent pas, et puisque les Evangiles racontent des miracles, les Evangiles sont des légendes. « Les miracles, écrivait-il, sont des choses qui n'arrivent jamais ; les gens crédules seuls croient en voir ; on n'en peut citer un seul qui se soit passé devant des témoins capables de le constater (...). Par cela seul qu'on admet le surnaturel, on est en dehors de la science, on admet une explication qui n'a rien de scientifique, une explication dont se passent l'astronome, le physicien, le chimiste, le géologue, le physiologiste, dont l'historien doit aussi se passer. Nous repoussons le surnaturel pour la même raison qui nous fait repousser l'existence des centaures et des hippogriffes : cette raison, c'est qu'on n'en a jamais vu [13]. »

Ernest Renan appartenait à un siècle qui croyait ferme à toutes les vertus de la science : elle avait déjà beaucoup expliqué, elle finirait par expliquer le reste. Nous savons aujourd'hui qu'elle enseignait à cette époque, à côté de vérités incontestables et démystifiantes, quelques lourdes erreurs. Et Jean Rostand, qui ne croyait pas plus en Dieu et au surnaturel que Renan, écrivait quelques décennies plus tard : « Que l'insatisfaction de l'esprit soit notre lot, qu'il faille nous résigner à vivre et à mourir dans l'anxiété et dans le noir, telle est l'une de mes certitudes. Lorsque, après des milliers et des millions d'années, notre espèce s'éteindra sur la terre, l'homme en sera encore réduit à ruminer son ignorance et à rabâcher son incompréhension. Ignorance plus ornée que la nôtre – mais ignorance [14]. »

On se défiera donc de l'a priori suivant lequel le surnaturel n'existant pas, tout miracle n'est que légende.

Une autre attitude, plus actuelle (et assez répandue chez les croyants), consiste à penser que, le miracle étant « inacceptable pour l'homme moderne [15] », il convient de s'y référer le moins possible, voire de le passer sous silence quand on évoque les dits et les faits de Jésus. A quoi l'on peut répondre d'abord que si vérité il y a, elle demeure vérité, même si elle est « inacceptable pour l'homme moderne », que si question il y a, elle demeure question, que si erreur il y a, elle demeure erreur... L'important, l'essentiel n'est pas de savoir ce qui est « acceptable » mais ce qui est vrai.

A quoi l'on pourrait ajouter que le discours sur « l'homme moderne » pèche par trop de globalité, que le portrait-robot de l'homme moderne maître de lui comme de l'univers et sûr de sa victoire est bien trompeur. Il correspondit peut-être à quelque réalité au lendemain de la Seconde Guerre mondiale ; ensuite l'image se brouilla rapidement. Mais ceci est une autre histoire.

Enfin, quiconque croit en l'existence de Dieu ne peut imaginer que jamais, à aucun moment, en aucun lieu, il n'intervienne, directement ou par délégation, dans les affaires du monde et des hommes. Le théologien protestant allemand Günther Bornkamm, très réputé outre-Rhin et qui fut proche du très critique exégète Rudolf Bultmann, écrit : « Avoir la foi, c'est compter avec confiance sur le fait que la puissance de Dieu n'est pas au bout d'elle-même lorsque les possibilités humaines sont épuisées [16]. » En langage publicitaire, on pourrait dire qu'il existe un « plus » de Dieu, un « plus » aux infinies dimensions.

Le miracle, ou ce que l'on nomme ainsi, n'avait rien de très surprenant dans le monde antique. L'homme, qui ne parvenait pas à maîtriser la nature, tentait de la flatter pour obtenir ses bienfaits, de l'apprivoiser par la magie, de faire commerce avec les forces obscures qui la régissaient en offrant des sacrifices en échange de guérisons, de pluie ou de beau temps. Des magiciens, des sorciers, des prêtres attachés au culte des idoles s'exerçaient longuement à dominer ces forces obscures, à conjurer le sort, à lire l'avenir.

Les juifs, il est vrai, se distinguaient des autres peuples du bassin méditerranéen en ce qu'ils croyaient au Dieu unique et non à des dizaines d'idoles. Pas question donc, pour eux, du moins en principe, d'interroger les entrailles de poulets, de lancer des pierres dans l'eau, ou de s'abandonner à toute autre pratique magique. Celles-ci étaient punies de mort par la *Tora*, comme toutes les formes de spiritisme, ou toute divination. En principe seulement, car l'Ancien Testament raconte, entre autres, l'histoire de Saül, le premier roi d'Israël, qui, désespéré par le malheur, s'en va, dissimulé sous un déguisement, implorer une sorcière de consulter un revenant. Pas de chance : c'est le prophète Samuel qui apparaît et annonce que Saül, sa dynastie et l'armée d'Israël sont condamnés à disparaître ; ce qui se vérifiera dès le lendemain.

L'histoire religieuse des juifs est ainsi faite d'un long effort des prophètes et des prêtres pour purger la nature des forces obscures qui, selon les primitifs, l'habitaient, pour expliquer à leur peuple que les pratiques magiques ne pouvaient pas contraindre le Dieu unique. Ce long effort a porté quelques fruits. Mais les mentalités primitives, jamais tout à fait effacées, resurgissent au moindre malheur. Des magiciens et des voyants (les *rohé*) couraient encore la campagne. Des exorcistes tentaient de chasser les démons. C'est-à-dire presque toujours de calmer les énervés et les dérangés. Les malades se groupaient, dans l'espoir de guérison, auprès de sources d'eau ou de piscines miraculeuses. Telle celle de Béthesda, la célèbre piscine à cinq portiques [17] de Jérusalem, dont parle l'Evangile de Jean : le premier boiteux, aveugle, impotent qui s'y précipitait quand « l'ange du Seigneur » agitait soudain les eaux était délivré de son mal [18]. De telles piscines, rendant à peu près les mêmes services, existaient dans tout le monde influencé par les Grecs. A Corinthe, dans le temple d'Esculape, dieu de la médecine, on a retrouvé une inscription, signée Hermodikos, qui dit : « En remerciement pour tes bontés, ô Esculape, je te dédie ce roc que j'ai soulevé par la seule force de mes bras et qui restera, aux yeux de tous, le témoignage de tes pouvoirs. Car avant de me remettre entre tes mains et celles de tes fils médecins en ton temple, je souffrais d'une terrible maladie : j'avais un abcès au poumon et mes deux bras étaient paralysés. Tu m'as convaincu que je pourrais soulever ce roc ; je t'ai obéi et j'ai été guéri [19]. » Des disciples d'Esculape soignaient de la même manière que Jésus, en imposant les mains, en priant ou en prononçant de mystérieuses formules. C'était la médecine de l'époque.

Les miracles attribués à Jésus, dans un tel contexte, surprenaient moins qu'ils ne nous surprennent. Les hommes et les femmes à qui il s'adressait entendaient régulièrement parler, à la synagogue, de la mer Rouge coupée en deux, du feu tombé du ciel, de l'effondrement des murs de Jéricho. La guérison d'un sourd, la disparition de la fièvre chez la belle-mère de Pierre n'étaient pas, si l'on peut dire, « à la hauteur », n'avaient rien de très bouleversant pour eux. Si Jésus avait voulu ainsi prouver quoi que ce soit, il n'y fût point parvenu.

Les évangélistes, pourtant, ne se lassent pas de raconter des guérisons (l'un ou l'autre ignorant, à l'inverse, des miracles plus importants, comme la résurrection du fils de la veuve de Naïm, que seul Luc rapporte, ou celle de Lazare, qui ne se trouve que chez Jean).

Les communautés chrétiennes primitives y attachaient également beaucoup d'importance. Dès le jour de la Pentecôte, selon les Actes des apôtres[20], Pierre, qui n'en menait pas large quelques semaines plus tôt, déclare aux juifs que Dieu a « accrédité » près d'eux Jésus le Nazaréen « par les miracles, les prodiges et les signes qu'Il a opérés par lui ».

Arrêtons-nous au mot « accrédité ». Pour les hommes et les femmes auxquels s'adresse Pierre ce jour-là, nul ne peut être considéré comme prophète s'il n'est pas, en même temps, faiseur de miracles. Les deux activités sont liées, même chez les faux prophètes. Jésus lui-même, lorsqu'il prédira la ruine du Temple, les pires calamités pour la Judée, plus une pluie de malheurs pour ses disciples, annoncera l'apparition de « faux prophètes qui opéreront des signes et des prodiges pour abuser, s'il était possible, les élus[21] ».

Les Evangiles rapportent donc les activités miraculeuses de Jésus afin, dans un premier temps, de le faire reconnaître, « accréditer », comme prophète. Et ils insistent parfois lourdement : Matthieu assure ainsi que Jésus guérissait « toute maladie et toute langueur[22] ». Puis, la cause leur semblant entendue, ils le font apparaître comme un prophète unique en son genre. C'est une pédagogie qui s'adresse notamment à des Grecs, lesquels disposent d'une petite foule de dieux guérisseurs et sauveurs.

Reste à savoir quels rapports ont ces récits avec la vérité.

Surprise : personne, ou presque, parmi les spécialistes de ces questions ne remet en cause la réalité de la plupart des guérisons. L'historien et théologien protestant Etienne Trocmé, président de la Société internationale pour l'étude du Nouveau Testament, paraît résumer une opinion quasi générale quand il écrit dans l'*Histoire des religions* : « Il est impossible de dire avec la moindre certitude comment les choses se passaient quand un malade se présentait. Mais il est évident que Jésus avait des dons exceptionnels de guérisseur et en faisait un usage désintéressé[23]. »

Comment les spécialistes parviennent-ils à de telles

conclusions ? Ils tentent d'abord de retrouver, à travers les Evangiles écrits en grec, ce qui est le plus ancien, ce que l'on s'est répété de bouche à oreille, ce qu'on appelle la « tradition orale ». Ils se demandent ensuite quel crédit accorder à cette tradition. En se heurtant toujours au même problème : ceux qui ont transmis, oralement ou par écrit, les dits et les faits de Jésus savaient comment s'était terminée son histoire terrestre ; or, on ne décrit pas de la même manière une histoire en train de se faire et une histoire dont la conclusion est connue ; les faits s'ordonnent autrement, prennent éventuellement, à la fin, un sens que l'on n'avait pas perçu jusque-là.

Premier travail : la comparaison des quatre Evangiles. Elle permet de débusquer les exagérations, les déformations de l'un à l'autre.

Deuxième opération : la recherche des formes de langage les plus archaïques. Ainsi, quand Jésus fait se lever la fille du chef de synagogue Jaïr, que l'on disait morte, il dit : « *Tallitha Koum* », ce qui est de l'araméen, et l'évangéliste Marc prend soin de préciser que cela se traduit : « Fillette, je te le dis, lève-toi [24] ! » Comme l'écrit Charles Perrot, dont nous suivons ici la démonstration, « de tels mots ont un "effet de réel" des plus considérables [25] », mais il ajoute aussitôt que des récits comparables et non chrétiens, d'origine grecque par exemple, « aiment bien rapporter les mots quasi magiques du guérisseur dans une langue étrange ».

D'autres détails ont un « effet de réel ». Ainsi quand Marc montre Jésus apaisant la tempête qui effraie ses compagnons, il précise qu'il était à la poupe, « dormant sur le coussin [26] ». Mais les bons connaisseurs de Marc vous diront qu'il importe de se méfier, car l'auteur de ce texte est un littéraire, qui se plaît à mettre en scène ses personnages.

Plus probant peut-être : les détails que les évangélistes auraient été tentés d'« oublier » parce qu'ils étaient plutôt dérangeants pour eux. Par exemple, quand Jésus utilise sa salive pour guérir des aveugles et un sourd-muet. Ainsi l'aveugle de naissance rencontré près du Temple de Jérusalem : « Jésus cracha à terre et fit de la boue avec sa salive, puis il l'étendit sur les yeux de l'aveugle et lui dit : "Va, lave-toi dans la piscine de Siloé"(...) Il partit, se lava et s'en retourna voyant clair[27]. » Utiliser ainsi sa salive, tous les guérisseurs le faisaient. A en croire Pline dans son *Histoire naturelle* et Suétone dans *Vespasien*, les gens de l'époque jugeaient la salive efficace dans le traitement des maladies des yeux. Evoquer la salive, c'est donc ramener Jésus au rang des simples guérisseurs.

Bien pis, ces pratiques ne sont pas toujours immédiatement efficaces. Ainsi, à Bethsaïde, quand Jésus met de la salive sur les yeux d'un aveugle et lui impose les mains, il s'inquiète : « Aperçois-tu quelque chose ? » L'autre n'est pas très enthousiaste : « J'aperçois les gens, c'est comme si c'étaient des arbres que je les vois marcher. » Alors, Jésus impose les mains de nouveau et le bonhomme, enfin, voit « tout nettement, de loin[28] ».

Le comble est atteint quand Marc raconte que, de retour au pays, à Nazareth, Jésus, pas très bien accueilli par ses anciens voisins, « ne pouvait faire là aucun miracle, si ce n'est qu'il guérit quelques infirmes en leur imposant les mains[29] ».

Un propagandiste zélé qui voudrait prouver à ses contemporains la toute-puissance de Jésus et sa divinité oublierait volontiers de tels échecs (dus, signalent les évangélistes la plupart du temps, au manque de foi de ceux qui demandaient des miracles). Le rappel insistant de l'utilisation de la salive et la relation de ces difficultés constituent donc des présomptions de vérité.

Les spécialistes utilisent, pour trier parmi les miracles, un autre critère : celui de l'originalité. Certains récits, en effet, en rappellent d'autres, qui n'avaient rien à voir avec Jésus. Par exemple, quand il dit à Pierre, à propos de la collecte d'impôt pour le Temple, d'aller pêcher un poisson : « Tu y trouveras un statère (un statère, pièce d'or, valait quatre drachmes et tout juif de plus de vingt ans devait payer chaque année deux drachmes au Temple) ; prends-le et donne-le-leur, pour moi et pour toi[30]. » Des histoires de poisson portant dans la bouche une pièce ou un anneau d'or, on en racontait en ces temps-là tout autour de la Méditerranée. Celle-ci doit donc être reçue avec prudence.

De même, la guérison du fils du centurion à Cana, rapportée à la fois par Jean, Matthieu et Luc [31]. Le centurion, qui est en garnison à Capharnaüm et dont le fils est malade, vient trouver Jésus et le prie de l'accompagner chez lui pour le guérir. Jésus, toujours réticent : « Si vous ne voyez pas des signes et des prodiges, vous ne croyez pas ! » L'autre insiste. Jésus le rassure : « Va, ton fils vit. » Le centurion, confiant, repart, et ses serviteurs, venus à sa rencontre sur le chemin, lui confirment la bonne nouvelle ; la fièvre « a quitté » son fils la veille, à la septième heure, l'heure exacte où Jésus avait rassuré le père : « Ton fils vit. » Or, on trouve dans le *Talmud* un récit de la même époque [32] qui présente avec celui-ci quelques similitudes : le fils de *rabba* Gamaliel tombe malade ; il envoie deux de ses disciples chez un certain Hamina Ben Dosa, lequel, aussitôt informé, se met en prière, puis les renvoie : « Allez, la fièvre l'a quitté. » Ceux-là, on ne sait pourquoi, s'assirent avant de partir et notèrent l'heure qu'il était. Ce qui leur permit de constater, à leur retour chez Gamaliel, qu'à cette heure-là exactement le malade avait demandé à boire, tandis que la fièvre le quittait.

La similitude est évidente. Mais il est difficile d'en tirer une quelconque conclusion. Un récit a-t-il influencé l'autre, et dans ce cas lequel ? Personne n'en sait rien. Mais ce que veut dire l'évangéliste est clair : si l'on fait confiance à Jésus, si l'on croit en lui, on a la vie. Pour Jean, et sans doute les autres, cela importait beaucoup plus que la réalité historique des faits.

Certains se sont d'ailleurs demandé si plusieurs récits de miracles n'étaient pas, à l'origine, des paraboles transformées peu à peu, par le bouche à oreille, avant la rédaction des Évangiles, en récits de faits réels. Ainsi l'épisode du figuier que Jésus, qui a faim, trouve sans fruit alors qu'il se dirige vers Jérusalem, à la veille de la Pâque, donc à la saison des premières fleurs : n'y trouver aucun fruit n'est guère surprenant. L'évangéliste Marc ajoute d'ailleurs tout bonnement : « Car ce n'était pas la saison des figues. » Mais Jésus condamne le figuier : « Que jamais plus personne ne mange de tes fruits. » Le lendemain, quand il repasse par là avec les apôtres, le figuier maudit est desséché[33]. Pauvre figuier ! Comme l'écrivent les commentateurs de La Bible du peuple de Dieu, publiée avec l'imprimatur[34], « le geste de Jésus serait bien arbitraire s'il ne voulait être un symbole ». C'est Israël qui est ici condamné parce qu'il ne produit pas les fruits attendus. D'ailleurs l'évangéliste, après avoir cité la condamnation – « Que jamais plus personne ne mange de tes fruits » –, ajoute : « Et ses disciples (de Jésus) l'entendaient. » On ne voit pas pourquoi Marc se serait cru obligé d'ajouter ce bout de phrase – car il est évident que les disciples n'étaient pas subitement devenus sourds – s'il n'avait voulu signifier que les disciples comprenaient.

De même, à Gérasa, où Jésus arrive après avoir calmé une tempête : un possédé sort du cimetière où il errait, repoussé de tous, « poussant des cris et se tailladant avec des pierres ». Jésus chasse les démons, car ils sont toute une bande logés en ce seul homme, lesquels lui demandent alors poliment de ne pas les envoyer trop loin, « hors du pays » (lequel pays, il est vrai, n'est pas soumis à la loi de Moïse ; c'est la seule incursion de Jésus en terre païenne). Par chance, il y a là un grand troupeau de porcs et les démons négocient : que Jésus les transfère donc dans ces animaux. Ce qu'il fait, compatissant. Résultat : le transfert aussitôt opéré, « le troupeau se précipita du haut de l'escarpement dans la mer, au nombre d'environ deux mille, et ils se noyaient dans la mer[35] ». Comme le disent les mêmes commentateurs de l'Evangile, on trouve « des traits légendaires » dans cette histoire ; et surtout beaucoup de drôlerie dans ce récit où un tas de mauvais esprits n'envisagent d'autre issue que de demander à trouver refuge dans les corps des cochons, animaux impurs s'il en est aux yeux des juifs (l'épisode, on l'a dit, ne se déroule pas en Palestine, où l'on n'en élevait guère). Les juifs qui entendaient ce récit comprenaient plus vite que nous que Jésus, qui avait de l'humour, voulait ridiculiser les esprits malins et montrer qu'ils avaient perdu le pouvoir.

Il est impossible, et serait fastidieux, de faire ici le tri entre tous les miracles relatés par les évangélistes et de les analyser. Il faut pourtant s'intéresser encore à ce qu'on appelle les « miracles sur la nature ». Les spécialistes catholiques soulignent en effet volontiers que « le miracle ne s'oppose pas aux lois naturelles *(contra naturam)* ; il s'y juxtapose *(praeter naturam)* [36] ». C'est la maladie qui est contraire aux lois naturelles, pas la guérison. Le P. Georges Chantraine, jésuite, écrit : « Dieu peut l'impossible, mais le Créateur ne se contredit pas ; il renouvelle sa Création en la réconciliant avec lui [37]. »

Or, on recense dans les Evangiles quatre grands miracles sur la nature : la tempête apaisée, la marche de Jésus sur les eaux, la multiplication des pains et les résurrections des morts.

La plupart de ces miracles présentent des analogies avec des scènes de l'Ancien Testament. Dieu, dans le psaume 65, « apaise le fracas des mers, le fracas de leurs flots et l'agitation des peuples [38] ». Dans le Livre de Job, il « foule les houles des mers [39] ». Dans le récit de l'Exode, il nourrit les Hébreux dans le désert en répandant la manne. Dans le premier Livre des Rois, Elie ressuscite le fils d'une veuve et, dans le deuxième, Elisée en fait autant pour le fils d'une notable israélite, la Shounamite (celle-ci avait déjà bénéficié d'un miracle puisqu'il lui avait permis d'engendrer ce garçon alors que, telle Elisabeth, la cousine de Marie, elle désespérait d'enfanter, d'autant que son mari était très âgé [40]). Le même Elisée, d'ailleurs, remplit miraculeusement d'huile des jarres vides [41] et multiplie vingt pains d'orge de façon à nourrir cent personnes : « Ainsi parle le Seigneur, dit-il, on mangera et il y aura des restes. »

De toutes ces similitudes certains ont conclu que les

évangélistes ont voulu, en contant ces « miracles sur la nature », montrer que Jésus agissait comme les plus grands prophètes et possédait les pouvoirs attribués à Dieu dans l'Ancien Testament. Ce que l'on ne peut exclure.

Mais l'on ne peut non plus conclure d'emblée que ces récits sont purement légendaires et encore moins les laisser de côté comme s'ils n'avaient guère de sens.

Attachons-nous donc à deux des plus importants de ces miracles. D'abord, la multiplication des pains qui marque un tournant dans l'histoire du mouvement de Jésus et qui est le seul épisode de sa vie – entre le baptême et la dernière entrée à Jérusalem – à être raconté par chacun des quatre évangélistes, et même deux fois par Matthieu et Marc, si bien que nous disposons de six récits. Ensuite la résurrection de Lazare, que seul Jean a contée, mais dont la portée est grande.

Le succès a toujours un revers, c'est bien connu : il vous suscite des ennemis. Jésus, en ce temps-là, voyait son audience s'élargir et ses disciples s'affermir. Bien sûr, à Nazareth, dans son village, on lui a fait grise mine lorsqu'il a enseigné dans la synagogue – « Un prophète n'est méprisé que dans sa patrie, sa parenté, et sa maison[42] », a-t-il conclu – et, on l'a vu, il n'a pu faire là aucun miracle, dit l'évangéliste Marc, qui ajoute aussitôt, comme s'il s'agissait d'une information négligeable, qu'il guérit quand même « quelques infirmes en leur imposant les mains[43] ». Mais Nazareth excepté, il a réuni des foules, des « multitudes » et guéri bien des gens[44]. Il a aussi structuré son équipe en instituant les Douze[45] et il les a envoyés en mission, par paires[46]. Ils ont plutôt réussi, à en croire Luc et Marc : « Ils passaient de village en village, annonçant la Bonne Nouvelle et faisant partout des guérisons[47]. »

Le succès du mouvement de Jésus est tel qu'Hérode Antipas, l'homme qui a fait décapiter Jean-Baptiste, s'en inquiète. On lui rapporte que cet homme qui remue les foules n'est autre que le décapité, justement, ressuscité des morts, ou le prophète Elie, soudain reparu. Et le tétrarque souhaite le voir. Ce qui ne signifie pas que, touché par une grâce soudaine, il veuille recevoir les leçons de ce nouveau prophète. Au contraire. Si c'était Jean le Baptiseur soudain revenu à la vie, il finirait sans doute par lui faire couper la tête à nouveau [48].

Jésus, à ce moment, éprouve le besoin de s'écarter. Pour prendre un peu de repos ? C'est ce que suggère Marc [49]. Pour se soustraire aux recherches d'Hérode ? C'est ce que laisse entendre Matthieu [50]. Mais les deux peuvent se conjuguer. Il passe donc « de l'autre côté de la mer », c'est-à-dire du lac de Tibériade.

On n'échappe pas si aisément à la foule. La rumeur fonctionne bien. Le temps est beau, la Pâque est proche, précisera Jean, dont nous avons déjà remarqué qu'il aimait les notations chronologiques ; et celle-ci paraît vérifiée par un autre fait : en ce lieu quasi désertique, la foule pourra s'asseoir sur l'herbe. Car la foule a suivi, on ne sait comment. Et qu'elle ait suivi à cette date pose d'ailleurs un problème : c'est la route de Jérusalem qu'elle devrait prendre pour la Pâque, pas celle de la région de Bethsaïde, selon Luc [51], ou de Tibériade, selon les interprétations les plus sérieuses du texte de Jean [52].

Voilà qui ne va pas arranger les relations de Jésus avec le Temple. Bien sûr, il n'a pas voulu attirer la foule. Mais les gens du Temple, qui devaient observer de près les agissements d'un tel personnage, pouvaient-ils admettre qu'il dise en somme à ses compagnons les plus proches : « N'allons pas à Jérusalem, nous avons mieux à faire » ? Pas plus qu'ils ne pouvaient accepter que, loin de repousser tous ces gens qui l'ont précédé ou rejoint contre son gré, loin de leur rappeler leur devoir pascal, il s'occupât de les nourrir [53].

Peu importe qu'ils soient quatre ou cinq mille hommes. A l'échelle du pays, c'est un chiffre considérable. Un assemblage bigarré de familles éplorées traînant un malade, un handicapé ou un débile dans l'espoir d'une guérison ou d'un exorcisme, de volontaires costauds et dévoués, type brancardiers de Lourdes, portant des fiévreux et des paralytiques, de simples badauds, d'agents de tous les pouvoirs politiques ou religieux qui tentent de contrôler cet incontrôlable pays, de disciples fervents, d'autres aussi qui veulent entendre le message de Jésus ou qui souhaitent peut-être le contraindre : la suite permet de le supposer. Et lui s'inquiète vite. Pour eux. Comment vont-ils se nourrir ? Ils sont, on l'a dit, quatre ou cinq mille – sans compter les femmes et les enfants, signale Matthieu, comme si ces derniers étaient quantité négligeable[54]. Jean ajoute plus loin que « les hommes s'étendirent » pour le repas[55]. Pas les autres... Ainsi allait ce monde.

Le soir est venu. Les disciples, peut-être fatigués, peut-être frustrés d'un moment d'intimité avec leur maître, renverraient volontiers tous ces gens s'approvisionner alentour[56]. Il ne s'agit pas seulement de prendre un petit casse-croûte : pour les juifs, le repas du soir est le plus important. Jésus interroge Philippe : comment acheter des pains – le principal aliment, comme on l'a dit, qui sert même d'assiette à l'occasion – pour faire manger tous ces gens ? Philippe, que l'Evangile présente souvent comme un esprit pratique et réfléchi à la fois : « Deux cents deniers de pain ne leur suffiront pas pour qu'ils en aient un peu chacun[57]. » Pourquoi deux cents deniers ? C'est une somme notoirement insuffisante mais pas nulle : presque sept fois le prix de la trahison de Judas, six mois de salaire d'un ouvrier agricole. Et selon Marc, le petit groupe en dispose ce jour-là : « Quoi, disent-ils, faudra-t-il que nous allions acheter des pains pour deux cents deniers afin d'en nourrir tous ces gens[58] ? » Ce qui confirme une remarque précédente : le mouvement de Jésus disposait d'une petite organisation financière.

Mais à bien lire les récits, on saisit une opposition absolue entre la logique de Jésus et celle des disciples : ils lui parlent d'acheter, il leur répond de donner ce qu'ils ont. Quand il évoque ailleurs l'argent, c'est comme un moyen de don. Ainsi conseille-t-il au jeune homme riche qui veut le suivre de vendre tout ce qu'il a et de le donner aux pauvres.

Revenons à la multiplication des pains. André (le frère de Simon-Pierre), qui est toujours proche de Philippe, signale qu'un garçon a amené avec lui cinq pains d'orge et deux poissons. Evidemment ridicule alors qu'il y a tant de bouches à nourrir. Comment André a-t-il repéré ce garçon dans cette foule ? Peut-être comptait-il sur lui pour ravitailler, ce soir-là, Jésus et ses compagnons. Mais pourquoi ne lancent-ils pas un appel au peuple, afin de savoir si d'autres prévoyants n'ont rien amené avec eux dans besaces et paniers ? Questions sans réponses. Jésus, quoi qu'il en soit, n'attend guère. Il prend les cinq pains et, « ayant rendu grâces [59] », les distribue aux convives, comme tout bon père juif qui, présidant le repas du soir, en remercie le Seigneur, avant de répartir la nourriture. Et quand tous sont rassasiés, il ordonne de rassembler les restes, importants (de quoi remplir douze couffins – douze, un par apôtre, comme par hasard). Une règle juive, banale en vérité, prescrit en effet de ne pas gaspiller la nourriture. Mais les évangélistes y insistent afin de montrer la surabondance de pain et de poisson.

Alors survient l'important, le grand malentendu. La foule, qui jusque-là s'était peu manifestée, acclame Jésus. Celui-là, dit-elle, selon Jean, est « le prophète qui doit venir dans le monde [60] ». *Le* prophète et non pas *un* prophète. Cette fois, il est identifié comme le Messie. Et le Messie, à leurs yeux, sera le roi d'Israël, un souverain politique. Jésus, qui ne peut l'accepter, se retire dans la montagne, seul.

Que peut-on retenir et comprendre de ces récits ?

De toute évidence, ils sont émaillés d'ajouts littéraires et de chiffres-symboles. Les évangélistes, qui aiment placer Jésus dans le sillage des grands prophètes, fût-ce pour montrer qu'il les a dépassés, ornent leurs textes de citations bibliques, sans les signaler toujours, comme des clins d'œil à des auditeurs ou des lecteurs juifs.

A propos de la multiplication des pains, nous avons déjà évoqué la manne tombée du ciel pour nourrir les

Hébreux pendant l'Exode, ainsi qu'Elisée qui nourrit une centaine de personnes avec une vingtaine de petits pains.

A propos des « restes » de ce repas dans le désert, on pourrait aussi citer Ruth la Moabite, une « étrangère » donc, qui s'était intégrée par le mariage au peuple d'Israël : le vieux Booz, un notable fortuné (qui deviendra son mari), donne du grain grillé : « Elle mangea, dit la Bible, fut rassasiée et en eut de reste[61]. » Le « reste » manifeste toujours la générosité surabondante de Dieu.

L'herbe verte rappelle, elle, le psaume 23 : « Le Seigneur est mon berger. Je ne manque de rien. Sur de frais herbages, Il me fait coucher[62]. » Il s'agit de présenter Jésus comme le berger de ce peuple ; d'ailleurs, quelques lignes avant de donner cette précision sur l'herbe, Marc avait écrit : « En débarquant, il (Jésus) vit une foule nombreuse et il en eut pitié car ils étaient comme des brebis qui n'ont pas de berger[63]. »

Les chiffres de cinq pains et deux poissons ne sont pas, non plus, donnés au hasard. Il existe cinq livres de la Loi, complétés par les « écrits » et les « prophètes » que représentent les deux poissons. Lesquels ne suffisent plus à « rassasier la faim de sagesse du peuple de Dieu. Pour qu'il soit possible de passer de la Pâque des juifs à la Pâque des disciples, il faudra que Jésus donne une sagesse plus riche et une manne plus fortifiante que celle de Moïse[64] ». Enfin, la répartition de la foule en carrés de cinquante et cent est fréquente dans l'Ancien Testament, pour l'organisation des combats et aussi pour les grands repas.

Telles sont les références à ce qui s'était produit, ou avait été écrit, avant Jésus-Christ. Mais les Evangiles – il faut sans cesse revenir sur ce point – ont été transmis, rédigés, après son passage sur la terre, par des gens qui en connaissaient toute l'histoire, notamment le dernier repas qu'il prit avec les Douze, la dernière Cène. Racontant la multiplication des pains, ils font évidemment allusion à celle-ci.

Récit de la multiplication des pains par Marc : « Il prit alors les cinq pains et les deux poissons et, levant les yeux au ciel, il dit la bénédiction, rompit les pains et il les donna à ses disciples pour les distribuer[65]. »

Récit de la Cène par le même Marc : « Et tandis qu'ils mangeaient, il prit du pain et, après avoir prononcé la bénédiction, il le rompit et le leur donna[66]... »

Les poissons exceptés, la similitude est évidente. Ce qui s'est passé dans le désert a été interprété ensuite comme une préfiguration de la dernière Cène.

Mais que s'est-il vraiment passé ?

Un événement considérable à coup sûr. Les quatre Evangiles le mentionnent ; or, nous le verrons, ils n'avaient pas tous les mêmes sources. Et même s'ils se réfèrent tous, par des voies diverses, à ce que croyait la toute première communauté chrétienne, celle qui naquit à Jérusalem aussitôt après l'annonce de la résurrection, on doit admettre que celle-ci – fût-elle dotée d'un grand appétit de merveilleux – n'aurait pas tiré cette histoire de rien, si peu de temps après. D'ailleurs, ce n'est pas comme merveille et prodige que les Evangiles traitent cette histoire. Ils n'en font pas des gorges chaudes, ne lui consacrent en général qu'une dizaine de versets et s'intéressent plus à ses suites et à ses conséquences.

Bien entendu, certains ont tenté de donner des explications « rationnelles » à cette affaire. Celle-ci surtout : en réalité, les gens qui étaient là n'étaient pas tous partis sans biscuits ; beaucoup s'étaient munis de provisions, d'autres, plus passionnés ou moins prévoyants, n'avaient rien apporté ; en voyant que Jésus et ses disciples donnaient l'exemple du partage fraternel, les cœurs des premiers s'ouvrirent, ils se mirent à en faire autant, et tous purent manger à leur faim. Ce miracle des cœurs soudain ouverts est aussi sympathique que celui de la multiplication des pains, mais ce n'est qu'une hypothèse, qui ne repose sur aucun mot, aucun fait précis[67]. Elle paraît, en outre, en contradiction avec les réactions de la foule : si celle-ci s'était partagé les provisions qu'elle détenait, elle n'avait aucune raison d'en faire un événement et encore moins d'y trouver le signe (indiqué par Jean) que Jésus était le Messie attendu et de vouloir le faire roi.

On pourrait, dans le même registre, avancer une autre hypothèse : comme toute foule, celle-ci aurait été suivie de quelques marchands – comme ceux qui dans les rassemblements populaires d'aujourd'hui vendent des merguez ou des cacahuètes –, lesquels marchands, touchés par les propos et l'exemple de Jésus, auraient soudain donné leurs stocks, peut-être dissimulés jusque-là dans le dessein de faire monter les prix... Cette conversion des spéculateurs serait bien sympathique également. Mais tout aussi hypothétique.

Une autre explication a été avancée, sous forme prudemment romancée, par l'Allemand Gerd Theissen, un historien, spécialiste du Nouveau Testament, professeur à Heidelberg. Il s'intéresse, lui, à Jeanne, l'épouse de l'intendant d'Hérode, Chouza, que Luc [68] cite parmi les femmes qui assistaient Jésus et ses disciples « de leurs biens ». C'est elle, suggère-t-il, qui a envoyé des provisions : « Quand mes gens, dit-elle, lui apportent (à Jésus) tout d'un coup tout cela, la foule regarde cette apparition de tant de nourriture comme un miracle. Ces pauvres gens n'en ont jamais tant vu d'un coup [69]. » A quoi Theissen ajoute lui aussi que, dès lors, les gens « n'ont plus peur d'avoir faim. Alors ils sortent les provisions qu'ils tenaient cachées pour ne pas avoir à les partager ». Mais, par prudence ou par conviction, le même auteur fait ensuite tenir à ses personnages le dialogue suivant :

« Veux-tu dire qu'on pourrait expliquer ainsi l'histoire de la multiplication miraculeuse du pain ?

– Pas directement. On ne peut pas dire que ce ne se soit pas produit ici ou là. Avec Jésus, les gens découvrent toujours qu'il dispose de moyens extraordinaires sans travailler, sans mendier et même sans s'organiser. »

Le mot n'est pas prononcé, mais voilà revenue l'hypothèse du miracle.

En réalité, bien des spécialistes pensent qu'il n'est pas possible de reconstituer les faits. « Il doit sûrement y avoir un événement réel comme base du récit, écrit

A.-G Herbert[70], mais il a été tellement transformé qu'il nous est aujourd'hui impossible de dire ce qui s'est exactement passé. »

Cependant, pour la grande majorité d'entre eux, ce qui s'est passé reste important : « Quelle qu'ait été sa nature, écrit H. Clavier[71], il y a eu un événement extraordinaire ; un acte de Jésus, qui a profondément bouleversé les esprits mais différemment de ce qu'il aurait souhaité. C'est pour ainsi dire contre son gré que cette action a provoqué un accès de messianisme politique et matérialiste. »

Voilà qui n'est pas écrit simplement, mais nous conduit aux sens de ces récits. Ces sens sont différents, mais non contradictoires, si l'on suit le texte de Jean ou ceux des trois autres évangélistes.

Commençons par Jean, qui utilise cette histoire pour faire de la théologie, comme toujours. Après la multiplication des pains, explique-t-il, les disciples – que Jésus a laissés seuls – montent dans une barque pour traverser à nouveau le lac, en direction de Capharnaüm cette fois. Une tempête survient, ils rament de toutes leurs forces, pas très rassurés, mais Jésus survient, marchant sur les eaux, et arrange tout.

Ouvrons une parenthèse à propos de cette marche sur les eaux. Bien entendu, nombre de spécialistes ont contesté sa réalité historique. D'autres se sont disputés sur des problèmes de traduction : il serait possible d'interpréter le texte grec de l'Evangile en disant que Jésus a marché non sur la mer mais « sur la grève »... Ce qui est évidemment plus banal mais contesté[72]. La plupart n'attachent qu'une importance limitée à ce débat : l'auteur, disent-ils, veut surtout montrer que l'on va entrer ici dans le mystère de la mission de Jésus, cette marche sur les eaux est une nouvelle révélation de sa nature divine (Dieu, dans l'Ancien Testament, triomphe de la mer, qui a toujours fait peur aux juifs, qui est le domaine des puissances mauvaises) et aussi une promesse faite aux disciples qu'Il ne les laissera jamais seuls, l'assurance donnée aux premières communautés chrétiennes (et à l'Eglise ensuite) qu'Il sera toujours avec elles, y compris dans les pires difficultés. Nous sommes donc dans l'ordre du symbole.

Revenons au récit. La foule, dit Jean, continue à rechercher Jésus. Elle monte dans des barques pour le rejoindre. Cette « foule » doit être bien réduite déjà par rapport à celle de la veille car on imagine mal qu'il se soit trouvé à Tibériade, ce matin-là, des barques en nombre suffisant pour transporter quatre ou cinq mille hommes, plus les femmes et les enfants. Alors, Jésus : « Vous me cherchez non parce que vous avez vu des signes, mais parce que vous avez mangé des pains et en avez été rassasiés. Œuvrez non pour la nourriture périssable, mais pour la nourriture qui demeure pour (être) vie éternelle, celle que vous donnera le Fils de l'homme, car c'est lui que le Père, que Dieu, a marqué d'un sceau [73]. » Autrement dit, Jésus, toujours un peu provocant (mais non méprisant : il provoque par pédagogie, pour susciter des questions), répond à ces Galiléens qu'ils n'ont rien compris. Multiplier les pains, il peut le faire, mais ce n'est pas l'essentiel ; l'important, c'est qu'il leur donne un autre pain, non périssable et vivifiant ; l'important, c'est que Dieu l'a envoyé pour cela, lui, le « Fils de l'homme ».

Il trouve des oreilles attentives. « Seigneur, disent ces braves gens, donne-nous de ce pain-là, toujours [74]. » En débarquant sur la rive, ils l'avaient appelé *rabbi*, tout simplement ; le voilà devenu « Seigneur ». Ils semblent être éclairés. Alors il prononce un très long discours dans lequel il explique qu'il a été envoyé par le Père, qu'il est le pain de vie, qu'il garantit la vie éternelle à ceux qui croiront en lui [75].

Annonce-t-il ainsi l'institution de l'eucharistie ? Dans son livre dûment estampillé de toutes les autorisations officielles, le P. Xavier Léon-Dufour estime que seul un « lecteur naïf » peut le croire [76]. Ce ne sont pas les paroles exactes de Jésus qui sont ici livrées mais des paroles telles qu'elles ont été réinterprétées par l'auteur du texte à la lumière de ce qu'il avait vu, entendu et compris *après*.

Quoi qu'il en soit, cette fois le discours ne passe pas. Les Galiléens connaissent bien Jésus, Marie et Joseph et voilà qu'il se dit descendre du ciel ! Certains doivent penser que le succès remporté la veille l'a quelque peu dérangé. Mais l'évangéliste lui fait maintenir l'affirmation de son origine divine. Jésus explique dans un nouveau discours sur le symbole du pain que celui-ci représente sa chair et qu'il est promesse de vie éternelle[77]. Ils murmurent. Il insiste : « Oui, ma chair est vraie nourriture et mon sang vraie boisson[78]. »

Il est clair pour quiconque lit tout ce passage que Jean ne fait pas de l'histoire mais de la théologie, qu'il n'a pas enregistré les paroles de Jésus mais que – se fondant sur des propos réels de celui-ci – il a élaboré tout un discours sur l'eucharistie, qu'il fait, si l'on veut, le catéchisme aux communautés chrétiennes de son temps pour leur expliquer de quoi il s'agit. Et chaque fois que l'on voit les juifs murmurer, s'esclaffer ou s'indigner, il ne s'agit pas des Galiléens de l'époque de Jésus : les objections qu'ils avancent dans ce texte sont en réalité celles des contemporains de Jean.

Les communautés chrétiennes de l'époque de Jean, qui souffrent de ces objections, qui se les voient jeter au visage par leurs adversaires ou plus tard leurs bourreaux, sont encore très réduites. Un petit nombre. De même, dans la scène qu'il raconte, le dialogue se clôt sur un échec de Jésus : « Là-dessus beaucoup de ses disciples se retirèrent et n'allèrent plus avec lui[79]. » Seuls restent les Douze, et Pierre qui prononce un acte de foi : « Seigneur, à qui irons-nous ? Tu as les paroles de la vie éternelle. Nous, nous croyons et nous savons que tu es le Saint de Dieu[80]. » Et Jean, qui ne répugne pas à mêler les épisodes, annonce déjà pour finir la trahison de Judas.

Le récit de Jean est donc à double sens. Biographique : c'est la marche de Jésus vers un échec apparent. La foule des Galiléens s'est réduite d'un temps à l'autre pour se limiter en fin de compte aux Douze, parmi lesquels – pour comble – se trouve un traître. Symbolique : le pain distribué, c'est Jésus lui-même qui se donne, mais à la différence de la manne tombée miraculeusement du ciel chaque matin pour nourrir pendant quarante ans les Hébreux dans le désert, ce pain-là assure la vie éternelle. D'ailleurs, Jésus ne quittera jamais ceux qui ont confiance en lui ; la preuve : il triomphe des eaux mauvaises pour les accompagner.

Matthieu, Marc et Luc insistent moins que Jean sur l'aspect symbolique du pain ; on ne trouve pas chez eux à la suite du récit du miracle un long discours sur l'eucharistie. Ils nous permettent donc d'insister sur un autre sens du récit.

Revenons au désert où la foule vient de se rassasier de pains et de poissons. Ils sont des milliers à acclamer Jésus. Cette fois-ci, pas de doute : le jour J est arrivé, le moment que leurs pères et les pères de leurs pères, et les pères des pères de leurs pères avaient attendu. Ils connaissent tous l'histoire de la manne. Pour la plupart des juifs, c'est le plus grand miracle du temps de l'Exode, bien plus important que le passage de la mer Rouge à pied sec entre deux murailles d'eaux jaillissantes et cascadantes. Ceux qui savent lire ont répété à ceux qui ne savent pas lire, dix fois, cent fois, dans les synagogues ou ailleurs, les textes, nombreux, qui assurent qu'à l'arrivée du Messie la manne tombera de nouveau. Et ces pains infiniment multipliés, non pas tombés du ciel, mais apparus dans des paniers qui jamais ne se vident, ces pains sont comme la manne de leur temps, de leur époque. Le voici donc, le Messie.

Les disciples doivent partager leur enthousiasme. Car, expliquent Matthieu et Marc, quand Jésus s'enfuit pour échapper à la foule, il obligea ses disciples « à remonter dans la barque[81] ».

S'il doit les obliger, c'est qu'ils renâclent. Ils resteraient bien là, eux. Ils n'ont pas encore compris et trouveraient bien agréable, eux, d'être promus du même coup au rang de plus proches compagnons du Messie. Marc, qui ne rate pas une occasion de les abaisser, explique que « leur esprit était bouché[82] ». Et pour montrer à quel point il l'était, il en rajoute : après le récit de quelques guérisons nouvelles – car dans son texte, à la différence de celui de Jean, Jésus, après cet épisode, continue d'attirer les foules –, il leur fait assister à une nouvelle multiplication des pains[83] et il les décrit aussitôt après dans une barque où ces sots se plaignent à nouveau parce qu'ils n'ont pas apporté de nourriture avec eux. Cette fois, Jésus est agacé. Ne comprendront-ils jamais ? « Avez-vous donc l'esprit bouché, des yeux pour ne point voir et des oreilles pour ne point entendre [84] ? » Le premier membre de phrase est de Marc, qui ne se gêne pas pour prêter à Jésus ses propres sentiments, le deuxième une citation de l'Ancien Testament [85].

Marc (Matthieu aussi, qui raconte la même histoire) est bien trop sévère car les disciples sont excusables. Devant l'événement, ils ont pu croire à la naissance d'un monde entièrement nouveau, différent. Tout comme la Samaritaine, cette femme que rencontre Jésus auprès d'une source où elle vient chaque jour emplir sa cruche ; un dialogue s'engage, au cours duquel Jésus se présente comme l'eau « jaillissant pour la vie éternelle [86] », ce qu'elle ne comprend évidemment pas ; toute joyeuse, elle se dit seulement qu'elle échappera désormais à sa corvée quotidienne : « Donne-moi de cette eau (...) que je ne vienne plus ici puiser [87]. »

Les disciples et la foule, à s'en tenir aux récits des Evangiles, ont à peu près la même attitude, ils semblent croire que les pains tomberont chaque jour tout cuits du ciel. Mais non. Le monde continuera, sur ce plan, comme avant. Les boulangers et les ménagères devront toujours fabriquer du pain. Les médecins devront toujours soigner les malades. Les pêcheurs devront toujours pêcher des poissons.

A propos de l'un des principaux personnages de son roman *La Peste*, le Dr Rieux, Albert Camus écrit : « S'il croyait en un Dieu tout-puissant, il cesserait de guérir les hommes, lui laissant alors ce soin (...). En cela du moins, lui, Rieux, croyait être sur le chemin de la vérité, en luttant contre la création telle qu'elle était [88]. »

Il ignorait la leçon des Evangiles : les miracles que ceux-ci racontent respectent l'indépendance, l'autonomie, la liberté des hommes, à qui Dieu propose par ailleurs de conclure avec lui une « Alliance » pour achever la Création et non lutter contre elle. Les miracles racontés par l'Evangile sont seulement des gestes de compassion que Jésus se laisse arracher, l'espace d'un instant.

L'événement des pains, on l'a vu, se double d'un autre sens capital : désormais les juifs savent qu'ils ne peuvent pas compter sur Jésus pour résoudre à leur place leurs problèmes quotidiens ni prendre la tête d'une guerre de libération, afin d'établir la société de paix, de prospérité et de justice dont ils rêvent. Si bien que beaucoup l'abandonnent ; son mouvement est en crise.

Trois résurrections sont attribuées à Jésus par les Evangiles : celle d'une fillette, dont le père, Jaïre, était chef de synagogue et qui venait de mourir ; celle d'un garçon, fils d'une veuve qu'il avait croisée à l'entrée de Naïm et que le cortège funèbre emmenait déjà au son du *shofar* (une corne de bélier trouée des deux côtés) jusqu'au cimetière ; celle de Lazare, enfin, la plus spectaculaire puisqu'elle intervient, au dire de Jean, quatre jours après la mort et que le cadavre commençait à pourrir : « il sentait ».

La plupart des commentaires catholiques soulignent aujourd'hui que, dans ces trois cas, le mot « résurrection » est impropre. A propos de la fille de Jaïre, Anne Reboux-Caubel écrit : « On ne peut parler que de "réanimation" : en effet, elle revit mais elle n'échappe pas pour autant à la loi humaine de mortalité. Il lui faudra un jour mourir de sa belle mort. Alors que la résurrection (...) suppose un autre genre de vie[89]. » Une vie qui ne finit jamais.

Seul Jean, le passionné de théologie, raconte la résurrection de Lazare. Il la situe à un moment difficile de la vie de Jésus. Les habitants de la Judée, certains d'entre eux du moins, veulent le lapider. Ce qu'il fait arrange peut-être les uns ou les autres, mais ce qu'il dit dérange. Ils le lui font savoir, tout crûment : « Ce n'est pas pour quelque belle œuvre que nous voulons te lapider, mais pour blasphème, parce que toi,

étant un homme, tu te fais Dieu[90]. » A quoi il répond :
« Croyez les œuvres, afin que vous appreniez et recon-
naissiez que le Père est en moi et moi dans le Père[91]. »
Et il leur échappe, passe de l'autre côté du Jourdain,
près de l'endroit où son cousin Jean baptisait.

Les Judéens vont le revoir bientôt à l'œuvre, justement. Car on vient le chercher : à Béthanie, à deux
pas de Jérusalem donc, son ami Lazare est très
malade. Ce Lazare, est-il précisé dès le début du très
long récit de Jean[92], est le frère de Marie, une femme
qui avait répandu du parfum sur les pieds de Jésus,
au grand scandale de quelques disciples.

Aussitôt, Jésus annonce la suite : le miracle. « Cette
maladie, dit-il, n'est pas destinée à la mort » ; elle est
en vue de la gloire de Dieu afin que par elle le Fils
soit « glorifié ». Mais il ne bouge pas. Il attend deux
jours, se décide enfin à y aller. Les disciples tentent
de le dissuader : retourner en plein cœur de la Judée
serait une folie puisque les habitants veulent le lapider.
Bien entendu, il ne se rend pas à leurs raisons.
« Lazare est mort, dit-il, et je me réjouis pour vous de
n'avoir pas été là, afin que vous me croyiez. » L'intention est claire : je vais faire un miracle – Jean écrirait
plutôt : je vais vous donner un nouveau signe – afin de
vous ouvrir les yeux. Inquiets, mais courageux cette
fois, ils le suivent : « Allons nous aussi et mourons avec
lui ! » dit Thomas Didyme. Toute révérence gardée, on
croirait lire Corneille ou entendre certains chœurs
d'opéra.

Nous voici à Béthanie. Jésus ne s'est pas trompé :
Lazare est mort et enterré, depuis quatre jours déjà.
Marthe, l'autre sœur du défunt, court à sa rencontre
et lui dit en somme : « Si tu avais été là, ce ne serait
pas arrivé, mais tout est encore possible puisque tu es
là. » Suit un dialogue capital. Elle commence par évoquer la « résurrection au dernier jour », à la fin des
temps, à laquelle croient presque tous les juifs. Mais
il répond : « Je suis, moi, la résurrection et la vie. Celui
qui croit en moi, même s'il vient à mourir, vivra ; et
quiconque vit et croit en moi, il est impossible qu'il
meure pour toujours. Crois-tu cela ? » Et Marthe :

« Oui, Seigneur, moi j'ai la foi que c'est toi le Christ, le Fils de Dieu, celui qui vient en ce monde. »

On a envie d'écrire que tout est dit et que le reste – ce reste qui pourtant frappe tant les esprits – n'est qu'anecdote. Poursuivons pourtant le récit. Marthe va chercher sa sœur, qui pleure beaucoup, ainsi que les visiteurs venus consoler la famille comme il est d'usage. Ce qui fait « frémir » Jésus et le « trouble » comme si l'assurance qu'il manifestait auparavant en parlant aux disciples l'avait soudain abandonné : bien des spécialistes estiment qu'il y a là une référence littéraire au psaume 42 et aux sentiments de Jésus lors de sa propre agonie[93].

Jésus va au tombeau, ordonne de soulever la pierre qui le ferme. Marthe recule un peu : « Seigneur, il sent déjà, c'est le quatrième jour. » Il la rassure en lui rappelant sa promesse : « Si tu viens à croire, tu verras la grâce de Dieu. » Et déjà, tandis qu'on pousse la pierre, il remercie Dieu d'avoir été exaucé. Il appelle Lazare, et celui-ci sort, encore lié de bandelettes et le visage couvert d'un suaire : une allusion évidente aux bandelettes et au suaire que, dans les récits de la résurrection de Jésus, l'on trouve posés dans le tombeau ; car Jésus, lui, s'en est dépouillé seul ; ce n'est pas de la même résurrection qu'il s'agit... La scène se termine donc par cet ordre : « Déliez-le, et laissez-le s'en aller. » Lazare n'a pas dit un mot. Il n'a fait, si l'on peut dire, que de la figuration.

Ce récit a-t-il une réalité historique ?

Un certain nombre de détails donnent, comme le disent les spécialistes, un « effet de réel » : la mention du quatrième jour (qui était le laps de temps exigé pour le constat d'un décès), la pierre du tombeau que l'on enlève, l'entourage en visite de condoléances chez Marthe et Marie, etc. On pourrait y ajouter les bandelettes et le suaire si ceux-ci ne donnaient pas une image parallèle mais renversée de ce que l'on va trouver dans le tombeau de Jésus. Par ailleurs, bien que la seule source de ce récit soit l'Evangile de Jean, les autres textes en confirment au moins les circonstances. Marc signale le passage de Jésus à Béthanie vers la fin de sa vie[94] et Luc fait état (sans évoquer cependant Lazare) d'un repas pris chez Marthe et Marie : le célèbre épisode où Marthe, l'active, se plaint d'avoir à assurer seule le service à table tandis que Marie, la contemplative, « assise aux pieds du Seigneur, écoutait sa parole[95] ».

Ces corrélations et ces indices ne suffisent évidemment pas à établir la réalité historique de cette résurrection. Alors Renan avait imaginé, dans la première édition de sa *Vie de Jésus*, que Lazare était victime d'une syncope passagère. Une hypothèse reprise sous une forme plus scientifique récemment par Gérald Messadié, qui parle, lui, de catalepsie ou de cataplexie[96]. Dans la treizième édition de son best-seller, Renan présenta une thèse quelque peu différente : « On est par moments tenté de supposer, écrivit-il, que la famille de Béthanie (les deux sœurs de Lazare) (...) tomba dans quelque excès de zèle[97]. » Pour aider Jésus dans sa mission, elle aurait inventé ce coup publicitaire : « Une résurrection dut leur paraître ce qu'il y avait de plus convaincant. On peut supposer que Marthe et Marie s'en ouvrirent à Jésus[98]. » Voilà beaucoup de suppositions, qui incitent à s'interroger sur le succès que remporta un tel livre auprès d'esprits qui se voulaient rationnels et scientifiques.

Les spécialistes d'aujourd'hui, y compris les catholiques, ne supposent pas. Ils avouent tout simplement, comme le P. Léon-Dufour : « L'historien d'aujourd'hui est dans la gêne, et cependant il se doit d'esquisser une réponse[99]. »

Certains rapprochent le texte de Jean d'une histoire racontée par Jésus dans l'Evangile de Luc[100]. Elle met en scène un riche anonyme et un pauvre nommé Lazare, qui vivait à sa porte et dont « les chiens eux-mêmes venaient lécher les ulcères ». Le pauvre meurt et il est emporté par les anges chez Abraham ; tout va bien pour lui. Le riche, qui s'était montré indifférent à ses souffrances, se retrouve en enfer, d'où il aperçoit, en « levant les yeux », le bonheur du pauvre bougre qu'il avait méprisé. Il supplie Abraham de le soulager, mais trop tard. Il lui demande alors d'envoyer Lazare en ambassade chez ses cinq frères encore vivants : qu'il les exhorte, par son témoignage, à bien se conduire afin d'éviter, après leur mort, « ce lieu de la torture ». Abraham : ils n'ont qu'à écouter Moïse et les prophètes. Le riche anonyme est sans illusions sur la foi de ses frères : « Non, mais si quelqu'un de chez les morts va les trouver, ils se repentiront. » Alors Abraham : « Du moment qu'ils n'écoutent pas Moïse et les prophètes, même si quelqu'un ressuscite d'entre les morts, ils ne seront pas convaincus. »

Cette parabole, selon certains, aurait été transformée par Jean en récit : mais seuls le nom de Lazare et la fin de la parabole autorisent cette hypothèse, invérifiable.

Selon d'autres, la parabole de Luc et le récit de Jean s'appuieraient sur un même récit de guérison, transformé en récit de résurrection [101].

La plupart des spécialistes actuels, catholiques compris, pensent en tout cas que l'histoire de la résurrection de Lazare a pour source lointaine « une tradition judéenne sur un fait de retour à la vie [102] » sur laquelle Jean se serait appuyé, en même temps que sur un fait réel mais imprécis, probablement une guérison spectaculaire, pour développer son enseignement théologique. Celui-ci est de plusieurs ordres. La préfiguration de la résurrection de Jésus, de sa victoire sur la mort, est évidente. En outre, saint Irénée notait déjà, en 202 : « Le mort sortit, les pieds et les mains liés de bandelettes : c'était le symbole de l'homme enlacé dans les péchés [103]. » Et Jésus le fait délier, il est le libérateur.

L'essentiel, bien sûr, est dans le dialogue de Jésus et de Marthe, la parole de Jésus : « Qui croit en moi, même s'il meurt, vivra », et la réponse de Marthe : « Oui, Seigneur, je crois que tu es le Christ, le Fils de Dieu. »

CHAPITRE IX

Le message

Ils l'appelaient, presque toujours, *rabbi*. C'est-à-dire « maître ». Ce titre n'avait rien d'officiel à l'époque de Jésus, mais il était attribué par le peuple à ceux qui l'enseignaient et regroupaient autour d'eux des disciples.

Ce *rabbi*-là menait campagne, ne cessait de donner des leçons, d'expliquer, d'annoncer. Puisqu'il avait passé les trente premières années de sa vie dans un petit village, il prenait ses exemples et ses références dans le milieu rural, jamais dans la vie quotidienne des gens des villes. Il s'exprimait dans un style très populaire, parfois poétique, et toujours très concret. Pour expliquer que la charité ne doit pas être ostentatoire, il disait : « Quand tu fais une aumône, ne l'annonce pas à coups de trompe [1]. » Oriental, il ne détestait pas l'outrance, parlait de « poutre » dans l'œil, de « foi qui peut déplacer les montagnes », de chameaux qui tenteraient de passer par le trou d'une aiguille, et ainsi de suite. Enfin, il ne dédaignait pas de se moquer gentiment. Discutant avec le pharisien Nicodème, un notable, sympathisant de son mouvement, il lui disait : « Comment, tu es maître en Israël et ces choses-là, tu les ignores ? (...) Nous, nous parlons de ce que nous savons [2]. » Et quand la Samaritaine lui assura qu'elle n'avait pas de mari, il lui répondit : « Tu as bien fait de dire : "Je n'ai pas de mari", car tu en as eu cinq [3]. »

Ce style avait du succès, à en croire Marc : « Et l'on était vivement frappé de son enseignement, car il les enseignait en homme qui a autorité, et non pas comme les scribes[4]. » Les scribes, semble-t-il, faisaient assaut de dialectique et d'arguments doctrinaux auxquels la plupart des Galiléens et des Judéens n'entendaient goutte.

Il parlait beaucoup par paraboles. Les Evangiles en citent une petite cinquantaine[5], Jean se distinguant, comme toujours, en n'en rapportant que cinq (toutes différentes de celles que rapportent les trois autres).

« Parabole », en grec, signifie « comparaison ». Une parabole est un petit récit imagé et imaginé, faisant appel souvent à l'expérience quotidienne des auditeurs, qui permet de comprendre plus aisément une grande vérité, de même qu'une petite lampe électrique aide à découvrir un objet précieux. Les rabbins utilisaient beaucoup la parabole (appelée *machal*), le jeune Jésus en avait sans doute souvent entendu à la synagogue, et il se souvenait de quelques-unes, qui l'ont inspiré[6].

Si clair que soit souvent leur sens, les paraboles posent pourtant deux problèmes d'interprétation.

Exemple : l'histoire de l'intendant infidèle, qui a dilapidé les biens de son maître[7]. Quand il a le couteau sur la gorge, parce qu'on l'a dénoncé, ce trafiquant convoque les clients du domaine et leur demande de falsifier leurs reconnaissances de dettes, d'en diminuer le montant. Un bon moyen, pense-t-il, de se faire des amis, d'utiles relations, pour le jour où il sera licencié. Cette attitude n'a évidemment rien de recommandable et pourtant Jésus conclut : « Le maître loua cet intendant malhonnête d'avoir agi de façon avisée. Car les fils de ce monde-ci sont bien plus avisés envers leurs propres congénères que les fils de la lumière. Eh bien moi je vous dis : faites-vous des amis avec le malhonnête argent, afin qu'au jour où il viendra à manquer ceux-ci vous accueillent dans les tentes éternelles. »

Voilà une parabole qui a donné du souci à bien des prédicateurs et que nombre de lecteurs de l'Evangile préfèrent oublier. Comment ? Jésus n'a pas un mot de réprobation pour ce voleur qui, se sentant démasqué, vole davantage encore ! Il semble que l'auteur de l'Evangile lui-même se soit posé la question. Du coup, il a rassemblé et rajouté à la parabole elle-même divers propos de Jésus – par exemple : « Vous ne pouvez servir Dieu et l'argent [8] » – afin d'éviter toute erreur d'interprétation.

Or, ce que voulait dire Jésus, c'est qu'il faut – comme l'intendant – toujours se préparer à affronter les crises de la vie et bien sûr la mort : faites-vous des amis avec les biens de ce monde pour être comblés dans l'au-delà. Il vante la prudence et l'habileté du voleur, non le vol.

Autrement dit, tous les personnages des paraboles ne sont pas des modèles à imiter, tous les détails que donnent ces récits n'ont pas un sens caché, ils servent souvent à les orner afin de rendre l'histoire plus concrète et intéressante. Ce n'est évidemment pas toujours le cas : il peut exister des détails importants. Mais pour une bonne interprétation de la parabole, il faut toujours en chercher la « pointe », l'essentiel du message, qui est, heureusement, le plus souvent évident. Car la parabole était faite pour éclairer, non pour voiler.

Un passage de l'Evangile de Marc laisse pourtant penser le contraire. Et c'est le deuxième problème. Jésus vient de raconter la très célèbre parabole du semeur [9] dont le grain se répand à la fois sur le chemin (les oiseaux, alors, en font leurs délices), sur le terrain rocheux (où il ne peut prendre vraiment racine), dans les épines (qui l'étouffent) et dans la bonne terre enfin (où il donne du fruit). Ensuite, retiré avec ses disciples, il leur donne la grille d'interprétation de l'histoire : le grain, c'est la parole de Dieu ; les oiseaux du ciel, Satan ; le terrain rocheux, les instables, « les hommes d'un moment », qui changent d'avis à la moindre contrariété ; les épines, les soucis et les séductions du monde et de la richesse [10]. Voilà qui est clair.

Mais les disciples, comme nous, s'inquiètent : pourquoi parler par paraboles s'il est nécessaire de les décrypter ensuite ? Réponse de Jésus (selon la traduction de la Bible de Jérusalem) : « A vous a été donné le mystère du Royaume de Dieu, mais à ceux-là du dehors tout arrive en paraboles, afin que regardant, ils regardent et ne voient pas, et qu'entendant ils entendent et ne comprennent pas, de peur qu'ils ne se convertissent et qu'il ne leur soit pas pardonné[11]. » Voilà qui n'est plus clair du tout. Et s'il est un passage de l'Evangile qui a également donné du fil à retordre à nombre de commentateurs, prédicateurs et exégètes, c'est bien celui-là.

Jésus se serait-il épuisé à parler et à parler encore et encore par paraboles dans le but de n'être pas compris, ou compris seulement d'un petit nombre ? Une telle attitude relèverait d'une étrange logique. Et serait en contradiction avec un autre propos du même évangéliste : « C'est par un grand nombre de paraboles de ce genre qu'il leur (aux foules) annonçait la Parole dans la mesure où ils étaient capables de l'entendre[12]. »

Comment comprendre ces contradictions ?

Trois explications ont été avancées :

1. Matthieu donne une tout autre formulation des propos de Jésus. Quand les disciples lui demandent pourquoi il utilise des paraboles, il leur répond : « A vous, il a été donné de connaître les mystères du Royaume des cieux tandis qu'à ces gens-là, cela n'a pas été donné (...). C'est *pour cela* que je leur parle en paraboles : parce qu'ils voient sans voir et entendent sans entendre ni comprendre. » Autrement dit : la parabole est faite pour les aider. Nous voilà rassurés.

2. Jésus utilise un texte d'Isaïe, lequel se plaignait au VIIIᵉ siècle avant notre ère de prêcher dans le désert, de ne pas être entendu par ses compatriotes. Et le prophète, excédé, fit dire à Dieu, par dérision et provocation, afin de susciter, si c'était possible, une saine réaction de ses auditeurs : « Va leur parler afin qu'ils ne te comprennent pas et ne se convertissent pas. » Jésus, qui a le sentiment de n'être pas assez entendu, reprend la formule d'Isaïe pour des gens qui en connaissent le sens et le contexte. C'est une provocation en forme de clin d'œil, une invitation à être mieux écouté et compris[13].

3. Les paraboles ne sont accessibles qu'à ceux qui veulent les accueillir, qui sont ouverts à la Parole, qui ne se ferment pas les yeux et ne se bouchent pas les oreilles. Elles supposent un certain engagement personnel pour comprendre. Une histoire qui ressemble à une fable sympathique peut devenir un enseignement sur Dieu et son Royaume si celui qui l'entend est quelque peu disposé à l'interpréter de la sorte.

Passons maintenant à l'essentiel. Que dit Jésus, par paraboles ou par des discours comme le Sermon sur la montagne (les Béatitudes) ?

Il annonce une nouvelle société. Bien plus encore : un monde nouveau.

Ceux qui l'écoutaient n'attendaient que cela. Ce peuple divisé entre sectes et partis, riches et pauvres, résistants et collaborateurs de l'occupant, ce petit monde, rongé par les regrets et les rancœurs, se répétait les lumineuses annonces des prophètes, attendait des lendemains glorieux, l'accomplissement de toutes les promesses, l'avènement du Roi d'Israël, qui serait celui de toutes les nations. « Pousse des acclamations, fille de Jérusalem ! Voici que ton Roi s'avance vers toi, disait le prophète Zacharie [14], il est juste et victorieux, humble monté sur un âne, sur un ânon tout jeune (...). Il brisera l'arc de guerre et il proclamera la paix pour les nations, sa domination s'étendra d'une mer à l'autre. » Ils connaissaient un autre portrait du Messie brossé par le psaume 72 : « Tous les rois se prosterneront devant lui, toutes les nations le serviront. Oui, il délivrera le pauvre qui appelle, et les humbles privés d'appui. Il prendra souci du pauvre et du faible ; aux pauvres, il sauvera la vie. Il les défendra contre la brutalité et la violence [15]. »

Ils attendaient et ils enrageaient un peu, ils s'impatientaient : Dieu s'était manifesté comme Roi, une fois déjà, en délivrant son peuple de l'esclavage égyptien, en lui permettant, à coups de miracles, d'échapper à la cavalerie de Pharaon, puis à la faim dans le désert, et à présent il tolérait que les siens soient humiliés, opprimés, maltraités ? Cela ne pouvait pas durer. Et voilà que Jésus annonçait : « Le temps est accompli et le règne de Dieu est tout proche. Repentez-vous[16] ! » – une formule dont, soit dit en passant, des générations de prédicateurs allaient tirer parti pour culpabiliser leurs ouailles, sans savoir que « se repentir », selon la véritable traduction du mot grec de l'Evangile, n'est pas « se couvrir la tête de cendres », mais changer d'idée, d'esprit, pour adopter un nouveau genre de vie[17]. Et voilà que ce Jésus, allant plus loin, affirmait que le règne de Dieu était déjà là.

Comment, déjà là ? Mais l'injustice régnait toujours, les pauvres étaient toujours opprimés, les humbles privés d'appui, et l'occupant romain faisait résonner ses bottes sur les pavés de Jérusalem et de la Judée ! On comprend que les auditeurs de Jésus aient été désorientés, estomaqués, désabusés. Un royaume, pour eux, comme pour la plupart de nos contemporains, est un territoire ou un Etat gouverné par un roi. Et dans ce cas, pas n'importe quel roi : Dieu. Mais Jésus précisait : « Le Royaume de Dieu ne vient pas comme un fait observable (...). Il est au milieu de vous[18]. » Et aussi : « Qui n'accueille pas le Royaume de Dieu comme un enfant n'y entrera pas[19]. » De tels propos ne peuvent évidemment s'appliquer à un Etat ou à un territoire. Rien à voir avec la politique ou le pouvoir. Rien à voir avec un roi d'Israël dont la domination s'étendrait « d'une mer à l'autre » et devant qui tous les autres souverains se prosterneraient.

Mais alors ? Premier élément de réponse, fondamental : le Royaume de Dieu est là parce que Jésus est venu. « Depuis les jours de Jean (...) et jusqu'à présent, le Royaume des cieux souffre violence et des violents s'en emparent », dit Jésus, selon Matthieu[20]. Une allusion aux « violents » qui a suscité des interprétations et des traductions diverses, mais qui manifeste, en tout cas, la présence du Royaume.

Deuxième élément de réponse : le Royaume de Dieu, la nouvelle société, existe mais n'est pas achevé. C'est une histoire qui se développe. « Le Royaume des cieux est semblable à du levain qu'une femme a pris et enfoui dans trois mesures de farine si bien que toute la masse lève [21]. » Ou encore : « Le Royaume de Dieu est semblable à un grain de moutarde qu'un homme a pris et jeté dans son champ, il pousse, devient un arbre, et les oiseaux du ciel viennent faire leur nid dans ses branches [22]. » La nouvelle société doit se former parmi les hommes, grandir parmi les hommes. C'est pourquoi, lorsque ses compagnons lui demandent : « Apprends-nous à prier », et lorsqu'il leur enseigne le « Notre Père » – en deux versions très légèrement différentes dans Matthieu et dans Luc, les seuls évangélistes à l'évoquer [23] –, il leur fait demander à Dieu, au Père, « que ton règne vienne ». Il a commencé le travail, inauguré le temps du salut, mais les hommes doivent poursuivre, avec lui, la construction du Royaume. C'est dans ce but que Jésus a recruté les Douze et d'autres disciples, c'est dans ce but qu'il a lancé son mouvement, qu'il demande de se « repentir », c'est-à-dire non de se frapper la poitrine, de se flageller ou de se dire toujours coupable, mais de changer de mode de vie.

Comment ? En jouant cœur, toujours. Dans cette nouvelle société, il faut se jeter à cœur perdu. Tout faire par amour. Vraiment tout, sans limites. Voilà ce qui est exigé des enfants de Dieu. Et s'ils s'exécutent, ils n'auront accompli que le strict minimum, leur simple devoir. « Quand vous aurez fait tout ce qui a été ordonné, dites : Nous sommes des serviteurs sans mérites, nous n'avons fait que ce que nous devions faire [24]. »

Bien plus, l'amour ne doit pas être partagé entre les seuls membres de la nouvelle société, il est dû à tous, y compris ceux qui l'ignorent, ne veulent pas y entrer ou même le rejettent. Le docteur Freud a noté un jour que des groupes humains où régnait une véritable harmonie, où chacun aimait tous les autres, déchargeaient à l'extérieur un trop-plein d'agressivité qui ne trouvait pas à s'exprimer à l'intérieur : « Il n'est possible, a-t-il écrit, de susciter des sentiments d'amour réciproque dans un groupe humain assez important que lorsque d'autres groupes restent extérieurs, qui permettent à l'agressivité de s'exprimer[25]. » La loi de la nouvelle société va bien au-delà. C'est tout le monde qu'il faut aimer. Le Judéen doit aimer le Samaritain, son ennemi héréditaire, invétéré. Et le Samaritain doit aimer le Judéen. Pas seulement en nourrissant de bons, de gentils sentiments : « Aimez vos ennemis, faites du bien à ceux qui vous haïssent, bénissez ceux qui vous maudissent, priez pour ceux qui vous maltraitent[26]. »

Rude programme ! Que les hommes doivent s'aimer, d'autres l'avaient dit avant Jésus, et les rabbins le répétaient. Lui-même, interrogé par des pharisiens friands de clarifications et voulant connaître le plus grand commandement, avait d'abord cité le Deutéronome : « Tu aimeras le Seigneur ton Dieu de tout ton cœur, de toute ton âme et de tout ton esprit[27]. » Puis un autre texte biblique, le Lévitique : « Tu aimeras ton prochain comme toi-même[28]. » Mais personne n'allait aussi loin que lui. « Le commandement de l'amour des ennemis reste la propriété exclusive de Jésus », comme l'a écrit David Flusser, professeur à l'université hébraïque de Jérusalem[29]. Et, plus loin : « Jésus était (...) certainement très proche de ces pharisiens issus de l'école de Hillel qui aimaient Dieu plus qu'ils ne le craignaient. Mais Jésus allait plus loin sur la voie qu'ils avaient préparée. Seul il prêchait l'amour inconditionnel, notamment l'amour de l'ennemi et l'amour du pécheur. Et il ne s'agissait pas d'un amour sentimental[30]. »

Certes non. Cet amour-là en effet amenait Jésus à s'attaquer aux règles religieuses, à l'argent et au pouvoir.

Les règles religieuses, Jésus ne les méprisait pas. Mieux, il les observait. Mais elles étaient, pour lui, subordonnées à l'essentiel. A propos de l'impôt ecclésiastique, la dîme, il s'écriait : « Malheur à vous, scribes et pharisiens hypocrites, qui acquittez la dîme de la menthe, du fenouil et du cumin, après avoir négligé les points les plus graves de la Loi, la justice, la miséricorde et la bonne foi. C'est ceci qu'il fallait pratiquer, sans négliger cela (...). Vous arrêtez au filtre le moustique et engloutissez le chameau[31]. »

De même, c'est bien connu, pour le sabbat. Jésus respectait le sabbat, participait au culte à la synagogue, en observait les règles. Mais il répétait que « le sabbat a été fait pour l'homme, et non l'homme pour le sabbat[32] ». D'autres rabbins l'avaient déjà dit. Par exemple Simon Menasha (commentant le passage du livre de l'Exode où l'Eternel parle du sabbat à Moïse) : « Le sabbat vous a été "remis", avait dit ce *rabbi*, mais vous n'avez pas été "remis" au sabbat. » Ceux qui parlaient ainsi, il est vrai, n'en tiraient pas toutes les conséquences, par respect du formalisme religieux. Lui alla jusqu'au bout, soigna ce jour-là des malades qui n'étaient pas en danger de mort, qui auraient sans doute pu attendre jusqu'au lendemain, mais qui auraient souffert jusqu'au lendemain.

Au long des siècles, comme il arrive toujours, la Loi de Moïse avait été surchargée d'un échafaudage de traditions qui avaient eu un jour, un temps, leur raison d'être, leur pleine justification. Quelques-unes, c'est vrai, avaient été introduites par des rabbins pour adoucir leurs interdits, rendre plus facile le respect de la Loi. Mais lui, Jésus, allait bien plus loin. Il en appelait, par-dessus les traditions et les règlements, à la conscience de chacun.

Il ne construisit pas un système élaboré de règles de vie. Ce qui ne signifie pas qu'il fût permissif ou laxiste. Bien au contraire : « Aimez vos ennemis, faites du bien à ceux qui vous haïssent, bénissez ceux qui vous maudissent, priez pour ceux qui vous maltraitent. » Mais il faisait passer ce rude programme – l'amour de tout homme impliquant le renoncement à soi-même – avant toute règle, fût-elle religieuse.

Le renoncement à soi-même pose la question de l'argent, de la richesse. L'histoire est bien connue, du jeune homme riche qui s'agenouilla devant Jésus pour lui demander conseil : « Que dois-je faire pour avoir en partage la vie éternelle ? » Réponse : il faut observer la Loi. Le jeune homme : « Je l'ai observée depuis ma jeunesse. » Il était donc très bien, ce garçon, et Jésus, dit Marc[33], l'aima. Reste un problème : « Une seule chose te manque : va, ce que tu as, vends-le et donne-le aux pauvres (...) puis viens, suis-moi. » L'homme, alors, s'en alla, tout triste, « car il avait de grands biens ». Jésus, contrairement à ce qu'on écrit souvent, ne le condamna pas. Il constata simplement et tristement : « Comme il sera difficile à ceux qui ont des richesses d'entrer dans le Royaume de Dieu ! » Suit la célébrissime comparaison avec le chameau qui doit passer par le trou d'une aiguille. Mais les disciples, qui sans doute ne méprisent pas tout à fait l'argent, se demandent entre eux : « Alors, qui peut être sauvé ? » Jésus répond : « Tout est possible pour Dieu. » Même de faire passer un chameau par le trou d'une aiguille.

L'argent a toujours eu mauvaise réputation chez les prophètes. Renan note qu'ils avaient établi « une étroite relation d'une part entre les mots de "riche", "impie", "violent", "méchant", de l'autre entre les mots de "pauvre", "doux", "humble", "pieux"[34] ». Et le psaume 69, parmi beaucoup d'autres, souligne : « Le Seigneur exauce les pauvres[35]. »

Jésus adhère tout à fait à cet enseignement. Il souligne, on l'a vu, que nul ne peut servir à la fois Dieu et l'argent. Il marque sans cesse sa prédilection pour les démunis et les méprisés. Mais, à la différence des esséniens par exemple, il ne maudit pas les riches pour autant. Il les accueille et les écoute, il en compte parmi ses amis. Le renoncement à la richesse n'est pas indispensable à l'entrée dans la nouvelle société, même s'il peut l'être dans certains cas. L'argent, les propriétés, les biens sont des instruments. Reste à savoir ce qu'on en fait. Comme le dit la conclusion de l'histoire de l'intendant infidèle : « Faites-vous des amis avec le malhonnête argent. » Autrement dit : voilà un obstacle sérieux mais soyez un bon épargnant, assez habile pour placer judicieusement vos fonds afin d'en percevoir un jour les dividendes sous forme de vie éternelle ; et moi, Jésus, je vous souhaite bon courage car ce ne sera pas facile. L'argent, Mammon, essaiera toujours de vous avoir, de vous tirer de son côté ; son grand art c'est de jouer les indispensables, il a beaucoup

153

d'attraits et de belles couleurs, mais regardez plutôt les oiseaux du ciel qui ne sont pas mal non plus et qui ne sèment ni n'amassent.

L'autre séducteur qui détourne les hommes d'entrer dans la nouvelle société, c'est le goût du pouvoir. Ainsi Jacques et Jean, les fils de Zébédée, à qui les succès de Jésus donnent ce qu'on appelle aujourd'hui « la grosse tête » (ils devraient pourtant se méfier car la scène se passe, selon Marc, lors de la montée vers Jérusalem, alors que les choses commencent à vraiment mal tourner). Jacques et Jean, donc, vont tout bêtement demander des places d'honneur, « l'un à ta droite, l'autre à ta gauche ». Jésus en profite pour faire la leçon à toute sa petite troupe : « Vous savez que ceux qu'on regarde comme les chefs des nations dominent sur elles en maîtres (...). Il ne doit pas en être ainsi parmi vous : au contraire, celui qui voudra devenir grand parmi vous sera votre serviteur et celui qui voudra être le premier parmi vous sera l'esclave de tous [36]. » Des propos que Luc place, lui, au moment de la Cène, faisant dire à Jésus que le plus grand est « celui qui sert à table [37] », tandis que Jean, au même moment, explique ainsi la scène du lavement des pieds [38].

Celui qui voudra être le premier sera l'esclave de tous ! Il est difficile de trouver dans les textes des prophètes ou les Psaumes des propos aussi révolutionnaires. Le goût du pouvoir serait-il donc plus condamnable que celui de l'argent, bien qu'ils aient tant de connivences ? La leçon en tout cas est claire : dans la nouvelle société chacun doit être le serviteur de tous. Et cette leçon, les propos que nous venons de citer, mérite peut-être plus d'attention que le célèbre débat sur le tribut dû à César, qui a suscité de plus nombreux commentaires.

On connaît l'histoire : Jésus évoque le règne de Dieu, a donc le regard tourné vers l'essentiel, et on vient lui parler de ce qui est transitoire – important certes, pour les juifs qui supportent mal leur sort, l'occupation de leur pays, il le sait bien – et d'un aspect particulier de ce transitoire : « Est-il permis ou non de payer l'impôt à César [39] ? » Une question-piège, nul ne l'ignore. Répondre qu'il faut payer l'impôt, c'est se faire considérer comme un sujet docile de l'occupant, voire un collaborateur actif. Répondre le contraire, c'est se ranger parmi les héritiers de Juda le Gaulonite, qui avait recommandé (voir ci-dessus, p. 60) de ne pas payer l'impôt. Jésus s'en tire en montrant une pièce :

« De qui est cette image ?

– De César.

– Eh bien, donnez à César ce qui est à César et à Dieu ce qui est à Dieu. »

Pirouette ? En partie. Ces questionneurs ne s'interrogent guère quand il s'agit de faire des affaires avec cette monnaie-là, alors pourquoi manifestent-ils ce soudain scrupule ? Pourquoi leur foi leur interdit-elle d'utiliser l'effigie de César quand il s'agit de payer l'impôt, et non quand ils achètent, vendent, prêtent, empruntent ? Les voilà remis à leur place.

Pirouette donc, mais aussi leçon. Non pas, d'abord, pour établir une frontière bien étanche entre les affaires de l'État et celles de Dieu, accordant à l'État une autonomie absolue. Cette idée, que l'on a tirée de cette phrase, a pu avoir d'heureux bénéfices en évitant trop de confusion entre le politique et le religieux, en montrant que Dieu respecte, en ce domaine comme en d'autres, la liberté des hommes. Mais elle n'est pas l'essentiel. Car Jésus ne peut pas mettre sur le même pied ce qui est à César et ce qui est à Dieu. Ce qui est à Dieu, c'est tout ! Jésus, là, rétablit la vraie hiérarchie. César est honoré comme un dieu, se fait vénérer comme un dieu, mais Jésus réaffirme que Dieu est au-dessus de tous les Césars, au-dessus de tous les pouvoirs, au-dessus de tous les États. Parmi les principales victimes de cette réponse de Jésus figure donc l'État totalitaire, puisqu'il prétend être le premier.

Attention : Dieu n'est pas au-dessus de tous les Césars et de tous les rois parce qu'Il serait plus César qu'eux, parce qu'Il aurait les mêmes pouvoirs qu'eux, mais en plus grande quantité. Cette vision d'un Dieu plus puissant que les puissants parce qu'Il est doté de moyens magiques, c'est justement celle que Jésus a voulu dénoncer. Mais elle fleurit et refleurit toujours, au long des siècles, y compris parmi ceux qui se veulent ses disciples.

Le vrai Dieu annoncé par Jésus, c'est au contraire le Père de la parabole de l'enfant prodigue [40]. L'un de ses fils s'en va, usant de sa liberté. Cela peut se comprendre, si Dieu exige – comme le prétendaient alors certains de ses interprètes (qui ont des héritiers aujourd'hui) – le respect de centaines de prescriptions et commandements, et de centaines de commentaires et de déductions de ces prescriptions et commandements. Etre un homme, c'est échapper à un tel père. Mais le fils, quand il revient, désabusé et sans le sou, n'a toujours pas compris qui est vraiment son Père, Dieu : il pense encore qu'il faut apaiser le ressentiment de Celui-ci en se faisant son serviteur. L'autre fils n'a pas mieux compris : son Père, juge-t-il, devrait le récompenser, lui, et punir l'infidèle. Or, le Père embrasse le premier et réconforte le second : faisons la fête, lui dit-Il, puisque ton frère est de retour !

Ce Dieu-là n'a rien à voir avec la présentation qu'en fait un certain christianisme et que l'on peut ainsi résumer : au commencement, Dieu avait fait confiance aux hommes ; mais les premiers d'entre eux trompèrent cette confiance, ce fut le péché originel ; Dieu, furieux, les punit et leur descendance avec eux ; pour réconcilier l'humanité avec Lui, il fallait un sacrifice ; comme Il est bien bon, Dieu décida de sacrifier son propre fils, c'est-à-dire un autre Lui-même ; Jésus est donc venu « effacer la tache originelle » et apaiser par son sacrifice la colère de son Père, comme le répètent sous des formes diverses tant de manuels et de sermons.

L'enseignement de Jésus se situe exactement à l'inverse. A aucun moment il n'a parlé de péché originel. Tout ce qu'il a dit est contraire à l'idée d'une culpabilité collective qui cascaderait de génération en génération.

A aucun moment il n'a présenté l'expiation des

péchés comme la condition de l'entrée dans la nouvelle société, dans le Royaume. Au contraire, c'est parce qu'on entre dans le Royaume qu'on est lavé de ses péchés. Ce qui ne signifie pas que Jésus sous-estime leur importance : les règles de la nouvelle société, on l'a vu, sont très exigeantes.

A aucun moment Jésus n'a présenté Dieu comme un comptable qui inscrirait sur un grand registre ou dans la mémoire d'un super-ordinateur les fautes de chacun, considérées comme autant de dettes envers Lui. Ce qui importe aux yeux de Dieu, montrent toutes les paraboles, c'est que chacun *est* ce que chacun a fait de lui-même.

A aucun moment Jésus n'a expliqué qu'il devait mourir pour « racheter » les péchés des hommes. Cela signifierait qu'un Dieu qui demande, par la voix de son fils, de pardonner « soixante-dix-sept fois sept fois », c'est-à-dire toujours, serait Lui-même incapable d'en faire autant. Cela signifierait aussi que le Père de l'enfant prodigue désire la mort d'un fils innocent ou s'y résigne en vertu de je ne sais quelle règle ou fatalité. Ce qui serait tout à fait dénué de sens.

Jésus, en revanche, a appelé à la joie et au renouvellement de l'Alliance entre Dieu et les hommes.

Dans les Evangiles, les appels à la joie sont multiples : « Il en va du Royaume des cieux comme d'un roi qui fit un festin de noces pour son fils [41]. » « Vous mangerez et boirez à ma table en mon Royaume [42]. » « Réjouissez-vous avec moi, car je l'ai retrouvée, ma brebis qui était perdue [43]. » « Le Royaume des cieux est semblable à un trésor qui était caché dans un champ et qu'un homme vient à trouver ; il le recache, s'en va ravi de joie vendre tout ce qu'il possède et achète ce champ [44]. » Et ainsi de suite.

Certes, on trouve dans le texte de Matthieu cette phrase de Jésus : « Si quelqu'un veut venir à ma suite, qu'il se renie lui-même, qu'il se charge de sa croix et qu'il me suive. » Mais cette phrase se situe dans un ensemble où Jésus annonce sa Passion, « commence de montrer à ses disciples » qu'il lui faut aller à Jérusalem, y souffrir beaucoup, être tué et « le troisième jour ressusciter[45] ». Nombre de spécialistes estiment qu'une prédiction si précise est un rajout. L'allusion au troisième jour comme la mention de la croix auraient été mises dans la bouche de Jésus, après coup, par quelqu'un qui connaissait la suite de son histoire. On imagine difficilement, en outre, que Jésus, qui n'a senti la croix sur ses épaules qu'au moment de sa mort, ait demandé à ses futurs disciples de s'en charger volontairement avant que des épreuves surviennent.

Dans le même Evangile de Matthieu, il est vrai, Jésus dit : « Il faut porter mon joug », mais il ajoute aussitôt : « Mon joug est léger et doux »[46]. Et l'historien Jean-Paul Roux explique à propos du joug : « Cet outil est devenu un symbole d'asservissement (le "joug romain") mais, à l'origine, il exprimait seulement la réintégration dans la société[47]. »

Le joug serait donc un autre signe de l'Alliance renouvelée, l'Alliance dont Jésus reparlera lors de la dernière Cène : « Cette coupe est la nouvelle Alliance en mon sang[48] », l'Alliance entre Dieu et les hommes pour achever la Création. Car le monde n'a pas été fait une fois pour toutes. La Genèse, à sa manière, raconte l'histoire de la Création comme une suite d'interventions divines pour réduire le chaos initial, établir un monde habitable par l'homme[49]. Puis, dit-elle, Dieu cesse de créer. C'est le « septième jour ». Il a depuis « la veille » un partenaire, l'homme. Avec lui, Il poursuit le travail, la lutte contre le mal. C'est la première Alliance, celle du Créateur et de toute l'humanité pour achever ce monde-ci, Alliance que Jésus est venu, selon les Evangiles, renouer après que les hommes l'ont – par sottise, goût de l'argent ou du pouvoir et aussi égoïsme – dénoncée.

Aux yeux des croyants, nous sommes toujours au septième jour[50].

CHAPITRE X

L'escalade des oppositions

À mesure qu'il parle, les menaces se multiplient. Un jour, il déjeune chez un pharisien et une dispute bientôt éclate parce que Jésus n'a pas commencé par les ablutions rituelles. Son hôte s'étonne, des légistes (les interprètes attitrés de la Loi) en font autant. Réponse de Jésus aux pharisiens : « L'extérieur de la coupe et du plat, vous le purifiez, alors que votre intérieur à vous est plein de rapine et de méchanceté. » Puis aux légistes : « Vous chargez les gens de fardeaux impossibles à porter et vous-mêmes ne touchez pas à ces fardeaux d'un seul de vos doigts. »

Le repas, de toute évidence, se termine mal. Jésus sort. Les autres, selon l'Evangile de Luc, « se mirent à lui en vouloir terriblement » et à préparer des pièges « pour surprendre de sa bouche quelque parole », le ridiculiser, l'amener à se contredire ou à blasphémer [1].

Un peu plus tard, selon le même évangéliste, alors que Jésus fait route vers Jérusalem, quelques pharisiens s'approchent et l'avertissent : « Pars et va-t'en d'ici, car Hérode veut te tuer [2]. » Ils le font peut-être avec de bonnes intentions. Mais des stratèges pourraient dire aussi qu'ils pratiquent la dissuasion. Quoi qu'il en soit, on ne peut que constater l'escalade du conflit.

Pourquoi une telle menace contre un homme qui répète sur tous les tons, de village en village, le même message d'amour total ?

Il existe plusieurs réponses à cette question. La première concerne l'attitude de Jésus à l'égard de la Loi de Moïse, la *Tora*. Elle est, apparemment, contradictoire.

D'un côté, Jésus dit : « N'allez pas croire que je suis venu abolir la loi ou les prophètes ; je ne suis pas venu abolir mais accomplir[3]. » Et il se comporte très souvent, on l'a déjà noté, comme un bon juif : il cite les Ecritures, il observe la plupart des coutumes (même s'il prend des libertés avec le sabbat), il pratique presque toujours les ablutions rituelles de purification (sinon, les pharisiens, rigoristes, ne l'auraient jamais, jamais invité à leur table), il porte des franges à son vêtement. On peut, certes, relever chez lui quelques entorses à la Loi et surtout aux règles édictées par les scribes ou les légistes mais il est loin d'être le seul : pour ne citer qu'un exemple, certains juifs de l'époque jugent « intolérable » de porter des franges au vêtement. Ce monde, il ne faut pas l'oublier, est quelque peu divisé, y compris sur l'observation des règles religieuses.

Mais voici la contradiction ; dans le très célèbre Sermon sur la montagne, Jésus proclame : « Vous avez appris qu'il a été dit aux ancêtres : Tu aimeras ton prochain et tu haïras ton ennemi. Eh bien, moi je vous dis : Aimez vos ennemis et priez pour vos persécuteurs. » Et, à cinq reprises, il répète cet « Eh bien, moi je vous dis...[4] ». Donc, il oppose sa propre autorité à celle de la Loi et des prophètes. Or, Moïse ne se prétendait pas auteur de la Loi : elle lui avait été transmise par Dieu sur le mont Sinaï. Les prophètes ne se prétendaient pas auteurs de leurs propos ou de leurs imprécations ; quand ils énonçaient des règles ou dénonçaient des abus, ils ne manquaient pas d'ajouter : « Ainsi parle Yahvé », ou : « Oracle de Yahvé. » Jésus parle en son nom propre.

De la même manière, il remet les péchés : aucun prophète ne se serait permis une telle audace car c'était, à leurs yeux, une prérogative de Dieu ; ils conseillaient seulement à leurs auditeurs de faire pénitence afin que Dieu leur pardonne. Jésus, lui, constate que les péchés sont remis à la femme qui essuie ses pieds de ses cheveux au cours d'un repas chez Simon le pharisien, lequel est scandalisé. Et il ne lui demande même pas une quelconque pénitence : « Ses péchés, ses nombreux péchés lui sont remis, parce qu'elle a montré beaucoup d'amour. » Il ajoute, à l'adresse de la femme : « Ta foi t'a sauvée ! Va en paix. » C'est la foi qui sauve, pas la pénitence ou le sacrifice. Mais les convives de ce repas s'interrogent : « Quel est-il cet homme, qui va jusqu'à remettre les péchés[5] ? »

Il s'attribue les pouvoirs de Dieu. Et il se dit porteur d'une nouvelle révélation, d'un nouveau message de Dieu aux hommes. « Mon enseignement ne vient pas de moi, mais de Celui qui m'a envoyé[6]. » Cela, à la rigueur, peut passer : ainsi parlent les prophètes. Mais il ajoute : « Moi et mon Père sommes un. » Et l'évangéliste Jean, toujours prêt à saisir l'occasion de faire de la théologie, explique : « Non content de violer le sabbat, il appelait encore Dieu son propre Père, se faisant égal à Dieu[7]. »

La contradiction que l'on vient de relever importe peu en vérité. En effet, si Jésus dit qu'il vient « accomplir la Loi », cela signifie qu'elle n'a pas atteint sa forme définitive, qu'elle était une ébauche, une esquisse, un grain de moutarde – pour reprendre une expression évangélique – appelé à se développer. Comme l'écrit Gérard Israël, « si, dès l'origine, le christianisme est accomplissement du judaïsme, même s'il n'y a pas rupture, la religion juive n'en demeure pas moins prescrite, obsolète, dépassée[8] ». Le Sermon sur la montagne, avec ses « On vous a dit... Eh bien, moi je vous dis » cinq fois répétés, manifeste, lui, une opposition plus absolue. Mais le résultat est le même : que la Loi soit dépassée ou directement contestée, elle ne fait plus autorité : la *Tora* est atteinte. Et si la *Tora* est atteinte, c'est une nouvelle image de Dieu qui surgit, c'est aussi – moins important bien sûr, sauf pour les contemporains juifs de Jésus – le pouvoir politico-religieux du Temple qui pourrait être menacé. A terme, mais les auditeurs de Jésus n'en prendront pas conscience aussitôt, l'identité nationale d'Israël sera mise en question par ce dépassement de la Loi.

L'image qui régnait alors, et qui domine encore très

largement aujourd'hui, est celle d'un Dieu juge et législateur, qui récompense chacun suivant ses mérites, ou d'un puissant commerçant avec qui on négocie une prière contre un bienfait, voire d'une de ces machines qui vous livrent automatiquement un espresso ou un Coca-Cola si vous mettez la monnaie qu'il faut là où il faut : en échange d'un sacrifice ou d'une lamentation, Il vous accorde automatiquement votre commande, une guérison, un succès, une réconciliation. La parabole des ouvriers de la onzième heure aussi bien payés que ceux de la première montre bien que le Dieu annoncé par Jésus ne tient pas un compte exact des mérites, qu'Il n'est pas réduit à une mécanique réglée d'avance : la récompense suivrait automatiquement la bonne action et la punition la mauvaise. Comme l'écrit Eduard Schweizer, un protestant spécialiste du Nouveau Testament, professeur à Zurich, « lorsque l'homme croit pouvoir prétendre à une récompense, il supprime Dieu[9] » puisqu'il limite sa liberté. Il est impossible de prendre avec Lui une assurance tous risques ou de traiter donnant-donnant.

Le vrai visage du Dieu de Jésus, c'est celui du Père, comme nous l'avons déjà souligné à propos de la parabole du fils prodigue. Quand il apprend à prier à ses compagnons, il leur fait dire le « Notre Père ». Cette prière, dont l'authenticité n'a été que rarement contestée et dont l'original, selon la plupart des spécialistes, était en araméen[10], présente des analogies avec le *kaddish*, une des rares prières juives en araméen. C'est la prière du juif Jésus[11]. Il arrivait aussi que des textes bibliques parlent de Dieu comme d'un Père, des textes de Qumrān également. Mais, écrit le P. Refoulé, dominicain, « la paternité de Dieu n'est pas un thème dominant de l'Ancien Testament ni du judaïsme du Ier siècle[12] ».

Surtout, le mot « Père » suscite beaucoup d'images différentes. Or, les meilleurs spécialistes pensent que Jésus utilisait plutôt le mot araméen *Abba*, qui signifie « Papa ». Le « Père » de l'Evangile de Luc ne serait que la traduction grecque d'*Abba*. Dans la nuit de Gethsémani, après la Cène, alors que Jésus est envahi par la peur de la mort et le sentiment de l'échec, Marc lui fait dire *Abba* avant d'ajouter la traduction en grec [13]. *Abba* est un mot d'enfant. « Il constitue à coup sûr, écrit J. Jeremias, une façon de parler tout à fait propre à Jésus et à l'expression de sa toute-puissance et de sa conscience d'être l'envoyé du Père [14]. » « Or, en livrant sa prière aux hommes, Jésus les a élevés, avec lui, au rang de ceux qui peuvent dire à Dieu "Papa" [15]. »

Pour aborder ce Dieu, donc, il faut se comporter comme un enfant. L'évangéliste Marc raconte une scène qui dit, sur ce point, l'essentiel. Jésus, comme d'habitude, est en train de prêcher. Voilà qu'on lui amène des petits enfants afin qu'il les touche, qu'il leur impose les mains. Ses compagnons s'y opposent, essayant d'écarter les mères qui se pressent, leurs gosses sur les bras qui piaillent ou qui pleurent peut-être. Et lui, Jésus, se fâche. Il pique une colère. « Laissez les petits enfants venir à moi, ne les empêchez pas, car c'est à leurs pareils qu'appartient le Royaume de Dieu. En vérité, je vous le dis : quiconque n'accueille pas le Royaume de Dieu en petit enfant, n'y entrera pas. » Là-dessus, il embrasse les gosses et les bénit en posant les mains sur eux [16].

Il faut comprendre les disciples. L'enfant, à cette époque et dans toute cette société, n'est pas roi, entouré d'attentions comme aujourd'hui. Il a plus de devoirs que de droits : il doit honorer père et mère, craindre mère et père. « Un fils sage réjouit son père ; un fils sot est le tourment de sa mère [17] », dit la Bible. Et encore : « Le bâton et la réprimande multiplient la sagesse ; un enfant laissé à lui-même déshonore sa mère [18]. » On pourrait multiplier de telles citations. Il faut ajouter qu'en matière religieuse les enfants n'occupent qu'une toute petite place puisqu'ils ne peuvent respecter la Loi. Or, ce sont eux à qui Jésus attribue le premier rang, qu'il fait entrer d'emblée dans sa nouvelle société, le Royaume de Dieu. Ce sont aussi, en priorité, les aveugles, les boiteux, les paralytiques, les lépreux, les prostituées, tous ceux qui sont, à des degrés divers, marginalisés, voire exclus. A condition qu'ils aient une âme d'enfant, c'est-à-dire qu'ils soient capables d'accueillir le don de Dieu, l'amour de leur Papa.

Le Père du fils prodigue n'attend pas que celui-ci se repente, se fasse son serviteur, s'agenouille à ses pieds ou implore son pardon. Il ne lui tient pas de discours du style : « Tu vois, tu as voulu n'en faire qu'à ta tête... Je t'avais pourtant prévenu. » Il pleure de joie et embrasse son enfant réapparu. La seule chose qu'Il attende de lui, c'est qu'il trouve sa joie dans la bonté de son Papa. Et que la fête commence !

Voilà donc un personnage, Jésus, qui tout en soulignant l'exigence de Dieu – une exigence difficile, celle de l'amour, du don de soi, avec toutes ses conséquences –, met à bas l'idée d'un Dieu juge et légiste, si utile pour le maintien de l'ordre sur cette terre. Le même Jésus, en outre, ose dire : « Avant qu'Abraham fût, je suis », ose se prétendre, comme le souligne Jean, « l'égal de Dieu », ose réclamer pour lui le même traitement que pour le Père [19]. L'étonnant, comme l'écrit l'Allemand Rudolf Augstein, qui y trouve argument pour juger les Evangiles invraisemblables, c'est qu'il n'ait pas été aussitôt, alors même qu'il prononçait ces paroles, « lynché par les juifs révoltés sans autre forme de procès, et lapidé [20] ». Mais, à bien lire les Evangiles, il semble qu'à plusieurs reprises Jésus y échappa de peu.

Une telle image de Dieu et l'affirmation du rapport intime de Jésus avec Dieu n'apparaissaient pas seulement blasphématoires à nombre de ses auditeurs, elles avaient des conséquences très pratiques pour le pouvoir politico-religieux, celui du Temple. Un tel Dieu, en effet, n'a nul besoin qu'on Lui consente des sacrifices : ce sera beaucoup plus tard l'un des grands reproches qu'un philosophe comme Nietzsche adressera au christianisme [21]. Déjà, la tradition biblique avait supprimé le sacrifice humain, en montrant Dieu retenant le bras d'Abraham prêt à Lui sacrifier son fils Isaac. Mais Jean le Baptiseur, on l'a vu, a franchi une nouvelle étape : les sacrifices d'animaux eux-mêmes ne sont plus nécessaires, et Jésus l'a largement confirmé. A ses yeux, les sacrifices sont idolâtres.

L'Evangile dit des Ebionites, du nom d'une secte judéo-chrétienne[22] qui niait la filiation divine de Jésus, prête même à celui-ci cette déclaration : « Je suis venu abolir les sacrifices, et si vous ne vous détournez pas des sacrifices, la colère ne se détournera pas de vous. » Bien des spécialistes jugent qu'il faut situer cette phrase dans le contexte d'une polémique entre les juifs et les premières communautés chrétiennes, mais l'existence même de ces polémiques montre l'importance de l'affaire des sacrifices. En s'y attaquant, Jean le Baptiseur et Jésus ne font pas œuvre tout à fait originale. Le prophète Osée, avant eux, l'avait dit : « C'est la miséricorde que je veux, non le sacrifice[23]. » Et les esséniens – voici au moins un point sur lequel Jésus est proche d'eux – pensaient de même, du moins à propos des sacrifices rituels commis au Temple, car ils pratiquaient les leurs, entre eux.

La condamnation de Jésus, elle, est radicale. Elle met à la fois en question les finances du Temple[24] et ses pratiques religieuses, donc son autorité. Elle suscite l'hostilité de tous ceux qui vivent du Temple : depuis le grand prêtre jusqu'aux lévites, aux marchands de colombes et aux habitants de Jérusalem. Cela fait bien du monde. Sans compter les Romains qui trouvaient commode de s'appuyer sur le Temple. Et quand Jésus passera aux actes, quand il chassera les marchands du Temple, incident limité, nous le verrons, mais significatif, quand il annoncera sa destruction, il provoquera la haine absolue.

D'autres juifs, moins liés au Temple et même volontiers critiques à son égard, se sont rangés très vite dans la cohorte des adversaires de Jésus. C'est que sa prédication, bouleversant la religion d'Israël, met en péril, pensent-ils, l'existence même de cette petite nation, occupée par les Romains, isolée dans un monde méditerranéen dominé par la culture grecque. Ces fidèles et ces obstinés ont maintenu envers et contre tout et tous la foi en un Dieu unique, refusé de s'agenouiller devant les idoles qui avaient droit de cité et de culte partout ailleurs, y compris chez leurs vainqueurs. Et s'ils ont pu le faire, c'est en partie grâce à un échafaudage complexe de croyances, de rites et d'obligations. Si ces obligations ne sont plus respectées ou sont considérées seulement comme secondaires, c'est l'ensemble de l'échafaudage qui risque de s'écrouler.

Aux yeux de ces hommes, tout se tenait. C'est pourquoi ils imposaient aux païens qui entraient dans les communautés juives – surtout celles qui étaient dispersées en Egypte, en Syrie ou ailleurs – d'accepter toutes les obligations de la Loi, sans aucune exception. Contrairement à ce que l'on croit souvent, Israël ne voulait pas garder son Dieu comme une propriété exclusive. Celui-ci n'avait-Il pas promis à Abraham de bénir en lui « toutes les familles de la terre » ? Et l'on connaît l'histoire de Jonas, puni pour avoir refusé d'aller annoncer le Dieu unique aux païens de Ninive. Mais tous les juifs n'en avaient pas tiré toutes les leçons. Certains retenaient plutôt de la Bible ce propos du livre du Siracide, dont nous avons déjà parlé (voir ci-dessus, p. 110) et qui était devenu un des textes préférés du judaïsme : « Si tu fais le bien, sache à qui tu le fais, et on te saura gré de tes bienfaits. Fais le bien à l'homme pieux, et tu trouveras ta récompense, sinon auprès de lui, du moins auprès du Très-Haut (...). C'est que le Très-Haut déteste les pécheurs et inflige aux impies le châtiment qu'ils méritent. Donne à l'homme bon, mais ne viens pas en aide au pécheur [25]. »

Tout le contraire de l'enseignement de Jésus. Mais cette rigidité peut s'expliquer par la conscience de garder en dépôt la vérité absolue, d'abriter des valeurs dont la qualité, l'importance comptaient bien plus que l'existence même des douze tribus d'Israël. C'est pour préserver ce dépôt que ce peuple avait été élu, qu'il avait, lui et lui seul, conclu avec Dieu alliance après alliance. Et voilà que ce Jésus risquait de tout compromettre en lançant le peuple dans l'aventure. On pouvait, certes, admettre nombre de ses propos, admirer nombre de ses actions, mais c'était un idéaliste, un utopiste, inconscient des risques, des dangers courus par la nation et son dépôt sacré. Si on le laissait continuer il finirait par entraîner les braves gens, les paysans et les ruraux sans culture et illettrés, les *amha-harez* (voir ci-dessus, p. 62), qui n'avaient que trop tendance, déjà, à s'écarter de la Loi et de ses règles.

C'était, notamment, ce que pensaient les pharisiens. Car ils se sentaient investis d'une double mission : purifier le judaïsme de toutes les scories, les déviations introduites par la caste sacerdotale corrompue et collaboratrice, les sadducéens ; et aussi en préserver l'intégrité. Ces petits notables, recrutés surtout chez les commerçants et les artisans (parfois, rarement, chez des prêtres que l'on dirait aujourd'hui d'avant-garde), étaient quelque six mille, selon l'historien Flavius Josèphe, mais ils tenaient les synagogues, comme on l'a vu, et comme ils vitupéraient les mœurs dissolues des sadducéens, ils ralliaient bien des opprimés, des frustrés et des envieux. D'autant qu'ils militaient pour une participation accrue des laïcs au rituel du Temple (par exemple, l'accès des non-prêtres aux parvis intérieurs du bâtiment où seraient proposées de nouvelles célébrations populaires). Et ils avaient fini par imposer aux prêtres certaines de leurs volontés : « L'opinion des sadducéens est (...) que la seule chose que nous sommes obligés de faire est d'observer la Loi, écrit Flavius Josèphe. Mais lorsqu'ils sont élevés aux charges et aux honneurs, ils sont contraints, même contre leur désir, de se conformer à la conduite des pharisiens, parce que le peuple ne souffrirait pas qu'ils y résistassent [26]. » Que cette influence ait donné aux pharisiens une certaine morgue ne fait aucun doute : ils prétendaient être les véritables héritiers des prophètes chargés de la transmission de la révélation divine, et excluaient même de ce rôle les prêtres [27].

Obsédés par la nécessité de préserver cette révélation faite par Dieu à son peuple, ils estimaient que, pour tout juif, l'étude de la Loi et des multiples commentaires qui en avaient été transmis de siècle en siècle était le devoir le plus strict et l'occupation la plus noble, bien plus même que la construction du Temple. Et comme ils avaient le sentiment que tout l'univers était sacré, que chaque geste accompli, chaque parole prononcée touchait donc au sacré d'une manière ou d'une autre, ils ne cessaient de multiplier les règlements. Jusqu'à sombrer dans le dérisoire et le ridicule. Pas toujours cependant : parce qu'ils cherchaient à évoluer, à adapter parfois les rites et les règles aux mouvements de la société, les esséniens, plus intransigeants encore, les traitaient de « chercheurs d'allégements ». Seulement voilà : la majorité de ces esséniens (même si certains, on l'a vu, habitaient en ville, se rendaient même à Jérusalem) restaient dans leur coin, du côté de Qumrān ; tandis qu'en allant de synagogue en synagogue, Jésus eut affaire directement aux pharisiens.

Qu'il ait été séduit par leur zèle religieux ne fait aucun doute. Les pharisiens, en outre, croyaient en la résurrection des morts, ce qu'il annonçait, insistaient sur le rôle de la providence divine, comme lui, s'attaquaient à l'aristocratie du Temple, comme lui. Leurs opinions étaient souvent proches. Pourtant, une lecture rapide des Evangiles les fait apparaître comme les plus ardents adversaires de Jésus.

C'est que tout mouvement, toute organisation est surtout sensible à la concurrence du mouvement ou de l'organisation qui lui est le plus proche puisqu'il s'agit de s'en différencier. Cela s'observe bien lors des campagnes électorales. Il est donc probable que les premières communautés chrétiennes, dont les croyances et les opinions ont forcément influé sur la transmission des faits et gestes de Jésus et l'écriture des Evangiles, en ont rajouté sur son opposition aux pharisiens. Il est possible aussi que certaines traductions aient déformé les paroles de Jésus : Claude Tresmontant[28], pour qui les Evangiles ont été écrits d'abord en hébreu, considère, à propos de la fameuse imprécation de Jésus : « pharisiens hypocrites » (qui nous semble être une redondance tant, de siècle en siècle, on a fini par donner au premier mot le même sens qu'au second), que les traducteurs ne se sont pas foulés en rendant le grec *hupokritês* par « hypocrite » et suggère, plus ou moins clairement, qu'il faudrait lire, en se rapportant à l'hébreu d'origine, « pharisiens infidèles ». C'est-à-dire infidèles à leurs propres recommandations, adeptes du « faites ce que je dis et non pas ce que je fais ».

Que l'on traduise par « hypocrites » ou « infidèles », Jésus se montre envers certains d'entre eux d'une rare sévérité : « Au-dehors, vous offrez aux yeux des hommes l'apparence de justes, mais au-dedans vous êtes pleins d'hypocrisie (d'infidélité) ou d'iniquité [29]. »

S'agissait-il d'une condamnation générale ?

Les esséniens mettaient tous les pharisiens dans le même sac : « Ils ont suivi de faux prophètes et ils chancellent comme des gens insensés car leurs œuvres ne sont que mensonges [30]. » Mais ce n'était pas la pensée de Jésus. Il n'en a qu'après ceux qui disent et ne font pas. Il compte parmi les pharisiens des amis qui l'invitent à leur table [31]. L'un des plus puissants parmi eux, Nicodème, qui appartient à une grande famille de Jérusalem, qui serait aujourd'hui quelque chose comme adjoint au maire de cette capitale, vient même lui faire cette allégeance : « Tu es un maître qui vient de Dieu, car personne ne peut faire les signes que tu fais si Dieu n'est avec lui [32]. » Mais c'est de nuit que Nicodème rencontre Jésus : on n'est jamais trop prudent et cela donne une idée des risques encourus par le Galiléen et ceux qui le suivent.

Bref, il n'y a pas unanimité chez les pharisiens à propos de Jésus mais plutôt « dissension », comme le dit Jean, relatant une discussion entre eux après que Jésus a guéri l'aveugle-né. Une affaire qui montre assez combien le climat s'alourdit autour de lui : ces pharisiens, en effet, ayant beaucoup palabré sur ce miracle, décident de mener une enquête pour se départager ; or, quand ils interrogent les parents de l'aveugle-né, ceux-ci se dérobent : demandez plutôt à notre fils, il est assez grand pour vous répondre lui-même. On rappelle donc le fils, lequel ne peut que répéter l'évidence : il ne voyait pas et il voit. Oui, mais pourquoi ? Alors le bonhomme : « Jamais on n'a entendu dire que quelqu'un ait ouvert les yeux d'un aveugle-né. Si cet homme (Jésus) ne venait pas de

Dieu, il ne pourrait rien faire. » Aussitôt, furieux, ils le jettent dehors [33].

Scène capitale. Car c'est là où le bât blesse pour les pharisiens. Que Jésus s'en prenne à leur bigoterie, à leur respect ultra-formel des règles les moins justifiées, passe encore : il n'est pas le premier et ils en ont vu d'autres. Qu'il accuse certains d'entre eux d'avoir le cœur dur comme une pierre et la tête grosse comme une citrouille alors qu'ils prétendent louer humblement Dieu et respecter le commandement de l'amour, ils sont bien obligés de l'admettre, car tout le monde sait que c'est vrai. Mais qu'il prétende « venir de Dieu » au point que même un pauvre type comme cet aveugle de naissance (et s'il l'est de naissance, c'est pour expier les fautes de ses parents ; ces gens-là ne sont donc pas recommandables) vienne le répéter, cela est inacceptable. Ils le disent à ce malheureux qui, jusqu'à sa guérison, traînait ses jours à mendier du côté du Temple : ils sont les disciples de Moïse, c'est à Moïse que Dieu a parlé, un point c'est tout. Or, Jésus prétend tenir son pouvoir directement de Dieu, par-dessus la tête de Moïse donc. Il prétend remettre les péchés, alors que seul Dieu peut le faire. Il injurie Dieu en prenant sa place. C'est intolérable.

Les pharisiens comptent sans doute en Israël parmi les plus fervents, les plus ouverts, mais cela, non, ils ne peuvent le croire. C'est bien ce que Jésus, à la suite de la même scène, leur reproche. Quelques-uns en effet sont restés près de lui, alors que le miraculé jeté à la porte est venu lui rendre compte de ses malheurs. Et ces pharisiens lui demandent (par raillerie ou en toute bonne foi, en toute bonne volonté, il est difficile de trancher) : « Est-ce que nous aussi, nous sommes aveugles ? » Réponse : « Si vous étiez aveugles, vous n'auriez pas de péché. Mais vous dites : "Nous voyons !" Votre péché demeure [34]. » Vous croyez savoir, vous êtes murés dans vos certitudes, vous croyez tellement au Dieu de Moïse que vous ne pouvez accepter le nouveau message ni surtout le nouveau messager qu'Il vous envoie et qui n'est autre que Lui-même.

Jésus conclut : c'est votre péché.

Eux concluent : s'il se dit Dieu, s'il se prend pour Dieu, il blasphème.

Le judaïsme proscrit les représentations de Dieu par des images ou des statues, de crainte qu'on ne le célèbre comme une idole, le judaïsme recommande de ne pas prononcer le nom de Dieu, par respect pour sa majesté. Et voilà qu'on propose à ces pharisiens de reconnaître un homme pour Dieu ! Comme l'écrit Charles Guignebert, un critique rationaliste très influent au début du siècle : « Le simple énoncé d'une si monstrueuse hypothèse constituait un de ces blasphèmes qui portaient irrésistiblement (les juifs) à ramasser les pierres vengeresses [35]. » Il n'y avait pas de plus grand blasphème.

Pour cette raison religieuse, les pharisiens vont finir par s'allier aux sadducéens et aux hérodiens qu'ils détestent, à ces gens du Temple qui s'opposent à Jésus pour une raison politique, parce qu'ils craignent, eux, pour leur pouvoir. Ils vont s'allier ou, peut-être, les laisser faire, demeurer neutres. Ce qui conduira Jésus à la mort.

CHAPITRE XI

A Jérusalem

Cette ville le hait, et il le sait.

Bien qu'elle vive en grande partie du tourisme religieux, Jérusalem est une cité close, frileuse, refermée sur elle-même. Les grandes routes commerciales passent le long de la côte ou à l'est du Jourdain. La Judée, alentour, est plutôt pauvre. Le grand commerce « et le trafic qui s'y mêle », comme le dit Flavius Josèphe, sont donc ignorés : les contacts avec l'extérieur se trouvent limités d'autant. Les métiers liés au commerce sont méprisés et, pour des raisons religieuses, certaines importations (denrées de luxe d'origine païenne, divers produits agricoles) sont interdites ou réduites[1].

Les services administratifs de l'Etat ont été, pour la plupart, délocalisés depuis l'occupation romaine, installés à Césarée.

Demeure le Temple, et c'est beaucoup, et c'est énorme. Le Temple est le plus grand employeur de la ville. Les artisans de la ville basse, potiers, foulons, tisserands, tailleurs de pierres, ne travaillent que pour les notables et la caste sacerdotale de la ville haute : ils les envient, ils les jalousent, ils n'ont que l'espoir de finir dans la terre qui rongera leurs chairs et non dans les riches sarcophages qu'ils creusent et décorent pour les puissants dans des blocs d'une seule pièce. Mais si cette caste n'existait pas, ils n'auraient même pas l'espoir de manger, eux et leur famille, le lendemain. Si le Temple n'existait pas, les petits commerçants et artisans qui vendent des souvenirs aux pèlerins ou qui les arnaquent ne seraient pas mieux lotis. Si le Temple n'existait pas, tous ses salariés, ses gardiens, ses lévites, seraient au chômage. Ils ne pourraient que se joindre aux mendiants, aux estropiés et aux aveugles qui rôdent à l'entour du superbe bâtiment construit par Hérode et partir, interminable colonne, chercher ailleurs de quoi subsister.

De vives tensions sociales déchirent Jérusalem. Mais Jérusalem fait bloc autour du Temple, parce que le Temple est la seule raison de vivre des plus religieux, le seul moyen de vivre pour tous.

Quiconque s'en prend au Temple, tente de réduire son influence, est donc l'ennemi de Jérusalem, de tous les habitants de Jérusalem.

Ainsi les esséniens viennent peu dans la capitale.

Ainsi les opposants déclarés au pouvoir romain, quelques clandestins exceptés, préfèrent courir la campagne.

Ainsi Jésus.

Les quatre évangélistes ne s'accordent guère sur ses déplacements à travers la Galilée et la Judée ; à les suivre à la lettre, on tracerait des itinéraires différents : cela ne les intéresse guère, de toute évidence ; ce qui les passionne, c'est ce qu'il a dit et ce qu'il a fait. Ils divergent surtout sur ses passages à Jérusalem. Matthieu et Marc notamment donnent le sentiment qu'il n'y est allé qu'une fois, pour mourir. Jean, lui, fait état de cinq séjours à Jérusalem.

La plupart des spécialistes inclinent à lui faire davantage confiance sur ce point. Matthieu et Luc, en effet, citent des propos de Jésus qui sous-entendent plusieurs passages dans la capitale : « Jérusalem, Jérusalem, toi qui tues les prophètes et lapides ceux qui te sont envoyés, que de fois j'ai voulu rassembler tes enfants [2]... » Luc, en outre, répète à plusieurs reprises, comme un refrain, que Jésus « montait à Jérusalem », sans jamais l'y faire arriver avant l'épisode dit des Rameaux.

Certains spécialistes ont certes supposé que Jean avait intercalé tout au long de son texte des scènes différentes d'un seul séjour à Jérusalem. Mais il donne des dates et des détails précis sur ces passages. Par exemple sur l'un d'eux, très intéressant, qui coïncide avec la fête des Tentes, ou *Soukkot*, célébrée dans la semaine qui commence le 15 *tichri* (septembre-octobre).

Soukkot, on l'a dit, est une des trois fêtes de pèlerinage, pour lesquelles les juifs montaient à Jérusalem. Ils construisaient des cabanes ou installaient des tentes afin de commémorer l'errance du peuple hébreu dans le désert entre le départ d'Egypte et le retour sur la Terre promise. Et comme cette célébration suivait la fin des récoltes, c'était une véritable fête, très joyeuse, sauf si moissons et vendanges avaient été calamiteuses.

La fête fut, cette fois, quelque peu troublée.

Jésus, explique Jean[3], ne voulait pas se rendre en Judée dont les habitants « cherchaient à le faire périr ». Ses frères (voir ci-dessus, p. 67), qui ne pouvaient l'ignorer, l'y poussèrent pourtant. Décidément, les relations de Jésus avec sa famille ne sont pas simples, et Marie n'apparaît pas dans cet épisode. « On n'agit pas en cachette quand on veut s'affirmer », disent les frères, comme s'ils soupçonnaient Jésus de couardise, voulaient le pousser à la faute ou, dans la meilleure des hypothèses, espéraient qu'il manifesterait enfin sa puissance.

Réponse classique : ce n'est pas le moment. Jésus adopte toujours cette attitude quand on le met au défi, quand on lui demande des signes. Il use de sa liberté. Mais après leur départ, il se rend quand même à Jérusalem. En secret. Il dispose dans la ville, de toute évidence, d'une sorte de réseau de soutien.

Dès son arrivée, il apprend qu'on s'intéresse beaucoup à lui. Les Galiléens, venus pour la fête, sont nombreux et bavards. Les Judéens, qui ont eu moins d'occasions de le voir et de l'entendre, les interrogent. Que dit-il ? Qui est-il vraiment ? Viendra-t-il ? Tout cela murmuré : « Personne ne parlait ouvertement à cause de la crainte qu'on avait des juifs » (puisqu'on est à Jérusalem, il faut sans doute entendre par ce mot « autorités juives » et même « adversaires »).

Alors il se montre. Il n'a pas tellement le choix : son mouvement est en crise. Peu de temps auparavant, au lendemain de l'épisode de la multiplication des pains, il a prêché dans la synagogue de Capharnaüm, dressée au milieu des maisons de basalte grâce à une souscription à laquelle avaient participé Hérode Antipas[4] et même le centurion de la garnison romaine[5]. D'ordinaire, Jésus était plutôt bien accueilli dans cette ville. Mais là, il a fait scandale avec des propos du type : « Je suis le pain vivant descendu du ciel, qui mangera ce pain vivra à jamais[6]. » Des affirmations inacceptables pour la plupart de ses auditeurs. Du coup, beaucoup de ses disciples, on l'a vu (voir ci-dessus, p. 136) l'ont quitté. Une crise extrême. A tel point que Jésus a demandé à ses plus proches, les Douze, s'ils voulaient en faire autant. La réponse de Pierre est connue : « Seigneur, à qui irions-nous ? Tu as les paroles de la vie éternelle[7]. »

Ils ne sont donc qu'un petit reste. A mesure que Jésus précise qui il est et le sens de sa mission, son audience s'amenuise. Il lui faut donc parler encore et encore, à tous risques, pour expliquer et convaincre. C'est pourquoi il se rend au Temple. Dans la gueule du loup peut-être. Mais quoi ? C'est là que sont les pèlerins. C'est là que bat le cœur d'Israël.

Il se rend au Temple et il enseigne, sans se lasser. Il impressionne d'abord ses auditeurs : comment ce Nazaréen, alors qu'il est entendu que les Galiléens sont plutôt riches mais surtout rustres, peut-il se montrer si savant ? D'ailleurs, à ce qu'on sait, il n'a été le disciple d'aucun *rabbi*. Où a-t-il appris tout cela ? Réponse : c'est Dieu qui me le fait dire.

Cette réponse est encore supportable : les prophètes aussi parlent au nom de Dieu. Tant qu'il ne se prétend pas le Fils de Dieu, il n'y a pas de scandale. Quand même, la foule s'interroge. Ceux qui l'écoutent ne savent plus très bien où ils en sont. Il prétend parler au nom de Dieu, mais il a transgressé le sabbat ; drôle de prophète ! Ne serait-ce pas plutôt un démon qui l'inspire ? Certains le présentent comme *Machiah*, un mot qui sera traduit en grec par *Kristos* et qui signifie littéralement « Oint », « Consacré » (au figuré : « le Messie », « le Sauveur »). Mais c'est impossible aux yeux de la plupart puisqu'il vient de Nazareth ; or, « le Christ, quand il viendra, personne ne saura d'où il est [8] ».

Ainsi vont les palabres. Et bientôt les auditeurs s'étonnent. Bizarre, bizarre, les « chefs » le laissent libre de prêcher. C'est peut-être qu'ils ont reconnu en lui le Christ.

Les « chefs », bientôt informés par leurs indicateurs de cet argument qui semble faire mouche, emporter l'adhésion de la foule, décident vite de mettre le holà. Ils envoient leurs policiers. Lesquels ne se pressent pas d'intervenir. On ne sait jamais avec un personnage de ce genre. Et si ceux qui l'entourent prenaient son parti ? Ce métier présente parfois de réels dangers. Les policiers, prudents, commencent par écouter ce Galiléen sur lequel courent tant de rumeurs, guettent peut-être l'occasion, une parole vraiment scandaleuse qui justifierait leur intervention aux yeux de la foule. Et ils se laissent séduire.

C'est le dernier jour de la fête, et c'est toujours autour de Jésus le même tohu-bohu. Il s'époumone : « Si quelqu'un a soif, qu'il vienne à moi et qu'il boive. » La soif, ses auditeurs connaissent. Le symbole de l'eau, ils connaissent aussi : les rabbins de la synagogue ne cessent de répéter, de sabbat en sabbat, qu'elle symbolise l'Esprit qui viendra à la fin des temps.

Les propos de Jésus ne peuvent donc faire l'unanimité, bien au contraire. Les policiers pourraient en profiter, se saisir de ce semeur de troubles, expliquer même qu'ils n'agissent ainsi que pour le bien de tous, pour éviter l'intervention des Romains, toujours tendus et sur leurs gardes au moment des fêtes, c'est bien connu. Mais non. Ils préfèrent se retirer. Et se font sévèrement sermonner par leurs patrons. Dans le style : bande d'ignares, si vous connaissiez la Loi, vous ne vous seriez pas laissé embobiner, et la foule non plus ! « Cette foule qui ne connaît pas la Loi, ce sont des maudits. » Voilà. L'éternelle distinction surgit entre ceux qui savent, ou qui croient savoir, parce qu'ils ont lu les livres et entendu les maîtres, qui sont murés dans leur connaissance et qui méprisent, qui maudissent même ici, et ceux qui n'ont pas la science infuse mais dont les oreilles et les yeux sont prêts à s'ouvrir.

La voix d'un juste pourtant s'élève. Celle de Nicodème, que nous avons déjà rencontré. Puisqu'ils invoquent la Loi, il leur rappelle que la Loi, « notre Loi », doit être respectée d'abord par ceux qui s'en prévalent : or, la Loi interdit que l'on juge un homme sans l'entendre. Mais Nicodème est suspect : on ira jusqu'à le traiter de « Galiléen », lui, un notable pourtant, l'une des grandes fortunes de Jérusalem. Les autres lui répondent donc qu'il ferait mieux de scruter l'Ecriture : il s'apercevrait que la Galilée ne fournit pas de prophète. Ces hommes préfèrent les textes et les concepts aux faits. Les idées leur cachent la vérité, comme toujours.

Mais cette fois, ils ne décident rien. Ils se séparent.

Sans doute pensent-ils que si les policiers ont été séduits, la foule doit l'être aussi et qu'une arrestation ferait trop de bruit. Chacun attend son heure. Elle ne tardera plus.

Trois mois plus tard, si l'on s'en tient à l'Evangile de Jean, Jésus est de nouveau à Jérusalem, pour la fête de la Dédicace. Elle commémore la nouvelle consécration (en 164 avant J.-C.) de l'autel du sanctuaire qui avait été profané trois ans plus tôt. C'est l'hiver. Jésus va et vient sous le portique de Salomon, une galerie située sur le côté est du Temple, qui présente l'avantage d'être protégée du vent par une muraille. Les apôtres, plus tard, se tiendront souvent en ce lieu. Mais là, ce sont des ennemis qui interpellent Jésus. Ils l'entourent, menaçants : finissons-en avec ces mystères, « si tu es le Christ, dis-le-nous ouvertement [9] ». Jésus : « Je vous l'ai dit, et vous ne croyez pas (...) Moi et le Père, nous sommes un. » Voilà le blasphème. C'en est trop. Ils ramassent des pierres pour le lapider. Ils hésitent encore, le temps pour Jésus de faire allusion à un psaume[10] dans lequel Dieu s'adresse à des juges, qu'Il malmène (« Jusqu'à quand jugerez-vous de travers en favorisant les coupables »), mais ajoute : « Je le déclare, vous êtes des dieux (c'est la seule phrase que Jésus cite), vous êtes tous des fils du Très-Haut, pourtant vous mourrez comme des hommes. » Autrement dit, si ces juges nommés par Dieu et qui ne sont pas brillants peuvent être considérés comme des dieux, pourquoi « celui que le Père a sanctifié et envoyé dans le monde » serait-il accusé de blasphème lorsqu'il se prétend Fils de Dieu ? Jésus a décidément de la repartie. Cet argument porte. Au moins quelques secondes. Le temps pour lui d'échapper à ces violents.

Il s'en va vers un lieu qu'il connaît bien et qu'il aime bien : au-delà du Jourdain, « où Jean baptisait ». C'est là qu'il a commencé ce qu'on appelle sa « vie publique ». Son mouvement, de ce côté, est encore solide et son audience forte. On l'entoure, on l'écoute. Dernier répit. Mais bref répit : à ce moment, en effet, on vient le chercher de la part de Marthe et Marie pour guérir Lazare (voir ci-dessus, p. 139). Lazare que l'on dit en train de mourir à Béthanie, à quelques kilomètres de Jérusalem, en Judée. Et ce qui va se passer alors contribuera à l'exaspération des ennemis de Jésus.

Ils vont tenir une réunion décisive. L'autorité suprême du Temple, le Sanhédrin, une sorte de Sénat et de Haute Cour de justice, est présidé par le grand prêtre mais surveillé de près par les Romains : le grand prêtre de l'époque, Joseph Caïphe, appartenait, certes, à la famille de son prédécesseur, Anne (celui-ci était son beau-père), mais il devait aussi sa charge à la faveur de l'occupant. Caïphe, cette fois, réunit seulement, semble-t-il, une partie du Sanhédrin, qui comptait au total soixante-dix membres, les gens les plus sûrs, les groupes de la majorité, comme on le dirait aujourd'hui dans un parlement.

C'est un fin politique, ce Caïphe. La preuve : il gardera sa charge dix-neuf années durant (onze selon Renan, seul à donner ce chiffre). Un exploit en tout cas. En effet, depuis l'arrivée des Romains, la charge de grand prêtre est devenue amovible. Il sait donc leur plaire. Il ménage aussi Anne, son vieux beau-père, chef de la tribu, qui en a beaucoup vu, qui sait tout des traditions mais aussi des turpitudes et des magouilles des hommes, auxquelles il participe à l'occasion et dont l'influence reste grande bien qu'il n'occupe plus de fonction officielle. Caïphe a amassé beaucoup d'argent et habite, dans la ville haute, une superbe demeure de marbre blanc, de bois précieux et de stucs, où l'eau chante dans les vasques et les oiseaux dans les arbres des vastes cours. C'est peut-être là qu'il réunit ses affidés.

Le raisonnement de Caïphe est simple : la fête de la Pâque approche, avec ses foules de pèlerins qui ont le don de rendre si nerveux les Romains ; on pouvait espérer que Jésus, cet agitateur, trop heureux de l'avoir échappé belle lors de la fête de la Dédicace, serait resté dans sa Galilée, au bord du Jourdain ; et voilà que cette affaire Lazare l'a ramené dans les parages ; on peut donc tout craindre ; c'est l'autorité du Temple qui est en jeu, l'intérêt national aussi ; il faut donc régler cette affaire au plus tôt, avant la Pâque si possible, afin d'éviter des troubles qui entraîneraient des représailles romaines.

Il n'y va pas de main morte, Caïphe : « Vous ne comprenez rien, dit-il, vous ne réfléchissez même pas que votre avantage est qu'un seul homme meure pour le peuple et que la nation ne périsse pas tout entière. » On l'approuve. D'autant qu'on lui reconnaît comme grand prêtre un certain don de prophétie[11]. La Loi, c'est vrai, dispose que tout accusé doit être entendu avant d'être jugé. Mais puisqu'il y va de l'intérêt de la nation... La raison d'Etat a toujours prévalu sur la Loi et la justice. La raison d'Eglise aussi, parfois.

Voilà. Le Temple a décidé de faire mourir Jésus. Et Lazare du même coup, dit Jean, car c'est un témoin gênant.

Jésus, prévenu (il a aussi ses informateurs), s'écarte aussitôt. Il ne recherche pas la mort. Il fera ce qu'il doit faire, à tous risques, mais il ne recherche pas la mort. A en croire Jean (les trois autres évangélistes n'en disent pas un mot, pas plus qu'ils n'évoquent cette réunion dans la belle demeure de Caïphe), il se retire avec ses disciples à Ephraïm, un petit trou proche du désert et de la Samarie, au nord-est de Jérusalem.

Ses disciples sont peut-être ravigotés par les événements de Béthanie, mais il faut imaginer la lassitude de tous ces hommes. Voilà des mois qu'ils errent en Galilée, plus rarement en Judée, d'une bourgade à l'autre, parfois reçus avec égards, parfois rejetés, entourés d'une foule enthousiaste et émerveillée ou harcelés par des groupes hostiles, toujours espionnés par les agents des pouvoirs.

Qu'elle est longue et dure la route ! Passe encore lorsqu'ils la suivent chez eux, en Galilée. Même Judas, le seul qui ne soit pas du pays, apprécie les ombrages des noyers sous lesquels se faufilent les chemins, les mosaïques de prairies et de fleurs coupées de haies de figuiers et de ronces, la paix des grands vallons où paressent chèvres et moutons. Il y a, bien sûr, toujours un cousin ici, un frère là, une femme ailleurs, pour leur annoncer qu'un enfant est malade, que leur père donne des signes de fatigue, et même qu'il ne va pas bien du tout, que leurs bras et leur tête et leur cœur manquent cruellement à la maison – et ça durera long-temps encore cette histoire ? Et ils le suivront jusqu'où et jusques à quand ce *rabbi* Jésus ? Et mérite-t-il vrai-ment leur absence ? Certains ne disaient-ils pas dans le village que c'était un truqueur, un conteur de fables, un dérangé qui se prenait pour un prophète ? Et ces André, Pierre, Philippe devaient se justifier, expliquer, promettre – mais oui, je reviendrai pour la moisson ; et si père va plus mal, faites-moi signe, je ferai un saut bien sûr, pour quelques jours au moins. Les tracas et les soucis ne manquaient donc pas, mais on était quand même chez soi, en Galilée, et plutôt bien reçu, tout compte fait.

Mais la Samarie ! Ne parlez pas de la Samarie. Un pays de poussière, de chardons et de soleil, qu'il faut traverser au pas de charge. La terre des ennemis héré-ditaires, qui ont osé ériger sur leur mont Garizim un temple rival de celui de Jérusalem, rival de celui du vrai Dieu, un temple que les juifs, heureusement, ont depuis longtemps détruit. Ils ont la haine au cœur, ces Samaritains, et les autres le leur rendent bien. Ils se traitent les uns les autres de renégats, de traîtres à la *Tora*, et mêlent à l'occasion les pierres aux insultes. La plupart des juifs évitent de passer par là, les Galiléens font même un grand détour pour éviter la Samarie quand ils se rendent en pèlerinage à Jérusalem. Mais Jésus, pour on ne sait quelle raison, a choisi un jour de traverser ce pays d'infidèles et a osé demander à boire à une paysanne qui venait chercher l'eau d'un vieux puits. Les rabbins assurent pourtant que l'eau des Samaritains est plus impure que le sang d'un porc. Tout le monde sait cela, les Samaritains comme les juifs. La femme fut stupéfaite, d'abord. Cela commençait mal. Et puis il lui a expliqué, comme il le faisait aux autres, qu'il était lui-même l'eau vive. Et comme elle lui rappelait tout ce qui les séparait – « nos pères ont adoré sur cette montagne (le mont Garizim, rond et chevelu), tandis que vous autres, vous dites que c'est à Jérusalem qu'il faut adorer » –, il lui a annoncé les temps nouveaux : « L'heure est venue où l'on n'adorera plus ni sur cette montagne ni à Jérusalem (...) mais où les vrais adorateurs adoreront le Père dans l'esprit et la vérité [12]. » Elle a eu ainsi la révélation de sa mission universelle. Elle s'est laissé convaincre bien plus vite que d'autres. Une femme de peu pourtant, qui avait eu cinq maris et vivait avec un amant. Le dialogue s'est bien terminé, en fin de compte. C'était quelqu'un, cette bonne femme, elle savait se faire entendre, elle a même réussi à entraîner les gens de son village ; ils sont venus écouter Jésus, lui ont apporté des petites laitues, des galettes chaudes, de la confiture à la violette. C'était comme toujours, comme en Galilée, comme en Judée, les mêmes questions, les mêmes débats : Qui es-tu ? Comment est-il, ton royaume ? Et où se trouve-t-il ? Voilà pour la Samarie. Un bon souvenir, quand même, mais un seul bon souvenir. Pour le reste, des routes brûlantes, des gosiers en feu, les insultes des bergers, des âniers poussant leurs montures surchargées, et même des enfants.

La Judée enfin. A peine mieux, sinon pis. Les brigands terrés dans les grottes qui bordent les routes menant à Jérusalem. Le mépris de tous ces gens pour les Galiléens. Et bientôt la haine de beaucoup pour Jésus et ses compagnons. A Jérusalem, des espions tout autour du Temple. Partout des visages butés, des provocateurs, des ergoteurs, des tricheurs qui déforment et travestissent le moindre propos, si bien qu'il faut toujours rester sur ses gardes, veiller aussi à la sécurité de Jésus, quand il se mêle à la foule hostile : un mauvais coup est si vite donné. Lui-même, si patient d'ordinaire, en viendra à traiter ces hommes et ces femmes d'engeance « incrédule et pervertie [13] ». Il est épuisé, ils n'en peuvent plus, alors qu'approche l'épreuve suprême.

Ce n'est pas encore tout à fait *Pessah*, la fête du Passage, du départ des juifs d'Egypte, qui est aussi la fête des azymes (des pains sans levain, car ils étaient si pressés de quitter le pays de Pharaon qu'ils ne prirent pas le temps de faire lever la pâte), qui est la fête du printemps également, car elle marque le début de la moisson de l'orge ; ce n'est pas encore *Pessah*, donc, et pourtant, il y a déjà foule à Jérusalem. Des juifs venus de partout, de toute la Palestine mais aussi d'Alexandrie ou de Syrie. Des « craignant Dieu », c'est-à-dire des non-juifs, pas encore circoncis, mais que séduit la foi dans le Dieu unique. Et puis des touristes, comme il en viendra plus tard à Fatima, Lourdes ou Rome, intéressés à se mêler à ces foules, curieux d'assister à ces cérémonies. Dans cette masse, pas mal de Grecs, dont quelques-uns ont entendu parler de Jésus, voudraient bien le rencontrer et s'adresseront pour cela à Philippe, l'un de ses compagnons, parce qu'il porte un nom grec et habite à Bethsaïde, ville frontière et commerçante où l'on doit parler leur langue. Et puis, bien sûr, comme toujours, des Galiléens et des Judéens de la campagne.

Ils se demandent, les premiers surtout, si Jésus va venir. Les foules ont parfois de l'instinct, une sorte de flair qui leur fait pressentir l'événement, l'important, l'orage. Et il va venir. Il ne veut plus, il ne peut plus écarter la confrontation décisive.

Il ne tient pourtant pas à se faire remarquer. A en croire Matthieu, Marc et Luc, il envoie d'abord deux émissaires : allez au village d'en face et vous trouverez un ânon attaché sur lequel personne ne s'est encore assis, détachez-le et amenez-le-moi. Deux interprétations sont possibles. La première : c'est le comportement d'un homme qui s'appuie sur un réseau, comme un résistant, un clandestin qui sait qu'à l'entrée de la ville on lui a préparé une voiture. La seconde concerne l'âne. Ce malheureux animal est souvent considéré, de nos jours, comme un imbécile parce qu'il sait ce qu'il veut et ne veut pas. Mais dans les temps anciens, il était la monture des dieux : en Inde, en Chine, en Mésopotamie [14]. Un des plus vieux textes de la Bible, le Cantique de Déborah [15], s'adresse aux « commandants d'Israël » en ces termes : « Bénissez le Seigneur, vous qui montez les ânesses blanches, vous qui siégez sur des tapis ! » Le cheval est devenu la plus belle conquête de l'homme bien longtemps avant l'ère chrétienne mais l'âne a longtemps gardé, si l'on ose dire, de beaux restes. Au temps de Jésus, on loue encore sa prudence et sa résistance. Matthieu, en outre, toujours soucieux de convaincre les juifs que ce qui s'est passé était conforme aux Ecritures, ajoute, aussitôt après : « Or, ceci arriva pour que fût accompli ce qui fut dit par le prophète : "Dites à la fille de Sion : Voici que ton roi vient à toi ; doux et monté sur une ânesse et sur un ânon, petit d'une bête de somme" [16]. » Jean fait la même citation, abrégée, mais, à le lire, Jésus a trouvé l'ânon par hasard et l'a pris pour monture alors que, déjà, des groupes se pressaient autour de lui en l'acclamant [17].

Ces groupes sont sans doute moins nombreux qu'on ne l'imagine d'ordinaire. Jérusalem ne compte que vingt ou vingt-cinq mille habitants. Quelques centaines de personnes rassemblées un moment dans ses ruelles étroites donnent vite le sentiment d'une foule. Flavius Josèphe dit bien que deux cent cinquante mille moutons sont immolés chaque année pour la Pâque, mais il doit compter large, comme aujourd'hui les organisateurs de manifestations : à le suivre, on estimerait ainsi à deux millions le nombre des pèlerins rassemblés dans la ville et alentour, ce qui est bien peu crédible. En outre, si les supporters de Jésus, ce jour-là, avaient été très nombreux, la garnison romaine, renforcée pour l'occasion et sur les dents, serait aussitôt intervenue. Ses officiers le savent, d'expérience : de telles manifestations doivent être étouffées dans l'œuf. D'ailleurs, si Matthieu parle de « foules » et Luc de « multitude des disciples », Matthieu et Marc ajoutent qu'il s'agit de « ceux qui le précédaient et ceux qui le suivaient ». Pas une masse, donc. Mais ils se font remarquer. Ce sont de vrais militants du mouvement de Jésus, surtout des Galiléens, sûrement pas des habitants de Jérusalem : Jean souligne qu'il s'agit de la foule « venue à la fête ». Ainsi peut s'expliquer une contradiction apparente dans ces récits : bien des gens se demandent comment la même foule qui acclame Jésus ce jour-là dira quelques jours plus tard à Pilate qu'il le fasse tuer. Réponse : ce ne sont probablement pas les mêmes. Les Galiléens (et aussi, à en croire Jean, les amis de Lazare, les habitants de Béthanie) tiennent les premiers rôles dans l'épisode dit des Rameaux ; ceux-ci reviennent aux habitants de Jérusalem (et aux Romains) dans la condamnation et la crucifixion.

Les Rameaux posent, eux aussi, un problème. Seul Jean parle de palmes : or, Jérusalem, à l'époque, n'avait pas de palmiers, et ses habitants devaient en faire venir de l'extérieur pour la fête des Tentes, *Soukkot*, car la liturgie de cette fête prescrivait leur usage [18]. Les autres Evangiles indiquent que les admirateurs de Jésus étendirent leurs manteaux sur le chemin qu'il devait prendre, ce qui était une pratique courante pour honorer un grand personnage. Mais Matthieu se borne à dire qu'ils coupaient des branches aux arbres, sans plus de précisions, et Marc qu'ils « coupaient de la verdure dans les champs ».

L'utilisation des palmes confirmerait l'existence, à

Jérusalem, d'un réseau ou d'un groupe qui les aurait commandées à l'avance et la manifestation n'aurait donc rien de spontané. D'autant que pour les juifs les palmes ont un sens politique : lorsque le grand prêtre Simon, « stratège et chef des juifs », libère la citadelle de Jérusalem, au IIe siècle avant notre ère, il y entre « avec des acclamations et des palmes, au son des lyres et des cymbales, des cithares, des hymnes et des chants, car un grand ennemi avait été extirpé d'Israël[19] ». Les palmes pourraient donc être considérées, de même que l'ânon, comme un signe messianique : celui qu'on fête, c'est le libérateur, qui va chasser l'occupant et établir sa royauté.

Les quatre récits évangéliques ajoutent que la foule entonne le *Hosanna* qui accompagne toujours le pèlerin se rendant au Temple, suivi, comme de coutume dans ces circonstances, d'un « Béni soit celui qui vient au nom du Seigneur », qui est un verset d'un psaume de fête[20]. Si l'on s'en tient là, on peut considérer comme Jean-François Six[21] que « Jésus est tout simplement intégré à une procession de pèlerinage dont il est le chef ; et on arrivait devant le Temple ; un prêtre bénissait tout le cortège en la personne de son chef (...). Le parcours a été bref et le cortège réduit n'a pas dû inquiéter la garnison romaine ».

Mais Jean, une fois encore, va plus loin. A l'en croire, les enthousiastes qui entourent Jésus crient : « *Hosanna !* Béni soit celui qui vient au nom du Seigneur *et le roi d'Israël*[22] » (c'est moi, bien sûr, qui souligne). Ce que confirme Luc. Et ce qui paraît logique si ces gens portaient des palmes. Mais on pense aussitôt à l'épisode de la multiplication des pains : à ce moment, une « foule nombreuse » avait voulu, selon Jean mais non les trois autres, faire de Jésus un roi, après un grand miracle ; cette fois, il fait allusion très clairement à un autre grand miracle, la résurrection de Lazare, et indique que la foule y a vu le même signe, en a tiré la même conclusion. Lui, le théologien, insiste ici sur le sens politique de ce qui va suivre. Car l'on va beaucoup parler du royaume dans les jours qui viennent. L'ambiguïté du titre de roi va dominer les

185

débats entre Jésus, ses proches et ses adversaires. Pilate va demander à Jésus s'il est le roi des juifs et le qualifiera ainsi sur la croix.

Ce jour-là, quelques pharisiens, selon Luc, les grands prêtres (c'est-à-dire surtout la famille d'Anne) et les scribes, selon Matthieu, se bornent à demander à Jésus de calmer ceux qui l'entourent. Il les écarte, paisible et ferme : « Si eux se taisent, les pierres crieront. » Ils concluent qu'il n'y a décidément rien à attendre de lui (« Alors, écrit Jean, les pharisiens se dirent entre eux : "Vous voyez bien que vous n'arrivez à rien" [23] ») et doivent penser que Caïphe avait décidément raison de suggérer de le tuer pour le bien de la nation tout entière. Car les Romains, qui n'ont pas bougé ce jour-là, pourraient bien intervenir si ce Jésus continuait d'agiter les foules.

Or, les jours suivants, les incidents vont se multiplier. Jésus va affronter directement le Temple et affirmer plus clairement que jamais son identité.

CHAPITRE XII

Contre le Temple

Sur le parvis des Gentils (les païens, les *goïm*), gigantesque esplanade à l'entrée du Temple, c'est toujours la même cohue bigarrée, les mêmes marées de foules aux voiles colorés, aux turbans rouges, aux châles rituels blancs. La même rumeur aussi, lourde, puissante, où se mêlent imprécations, prières, palabres, cantiques et cris des bêtes amenées pour le sacrifice. Les voix stridentes des changeurs proposent la monnaie du Temple, avec laquelle les pèlerins paieront, « pour le rachat de leur âme », l'impôt dû à la caste sacerdotale : toute autre monnaie, grecque, romaine, est impure, souillerait l'espace sacré. Plus loin, les lévites tiennent boutique de sel, pain, encens et huile pour les offrandes. Des queues se forment ailleurs devant les étals où se vendent les sceaux, sceau de l'agneau, sceau du bélier, sceau du chevreau, qui permettront d'acheter les bêtes du sacrifice.

L'argent passe de main en main, tinte, tombe presque toujours dans l'escarcelle des prêtres : ils contrôlent pratiquement tout le commerce du lieu, quand ils ne l'exercent pas directement. Telle famille sacerdotale a le monopole du commerce des parfums, telle autre celui des « pains de proposition » (qui doivent être offerts par douze, le nombre des tribus d'Israël, disposés sur une table de marbre en deux rangées d'égale longueur, et servent ensuite à la nourriture des prêtres). Comme il se doit, la famille d'Anne et de Caïphe, les grands prêtres, se taille dans ces affaires la part du lion.

La plupart des pèlerins le savent, et Jésus n'en ignore rien. Cette cacophonie et cette foire lui sont familières depuis que Marie et Joseph l'ont mené, adolescent, au Temple. Il s'en était sûrement étonné alors, amusé peut-être. Depuis, chaque fois qu'il revient à Jérusalem, il enrage.

Pour tous les juifs, s'il existe un endroit où rencontrer Dieu, c'est celui-là. Yahvé est à la fois présent et absent. D'ailleurs, on ne trouve dans le Temple et aux abords aucune image de Lui, ce qui surprend toujours les païens, accoutumés à adorer des dieux sous forme d'hommes et de bêtes. Yahvé est si grand, si autre qu'Il ne peut être représenté, enfermé nulle part, même dans le Saint des Saints, au cœur du Temple. Mais s'il existe un lieu de rendez-vous avec le Divin, c'est là ; s'il existe un lieu où il est donc indispensable de distinguer le sacré du profane, le pur de l'impur, c'est celui-là.

Jésus, cette fois, attaque. Allez, dehors ! Que l'on ne souille pas le Temple, qu'on en finisse avec ce commerce, qu'on cesse de s'enrichir grâce à la piété d'un peuple fervent mais qui se sent grugé ! Il veut débarrasser ce lieu des marchands et peu importe – au contraire – s'ils sont prêtres ou lévites.

L'évangéliste Jean, le théologien qui se fait à l'occasion journaliste, raconte qu'ayant fait un fouet de cordes, Jésus bouscula ceux qui vendaient bœufs, brebis et colombes, « il les chassa tous du Temple, et les brebis et les bœufs, et il renversa la monnaie des changeurs, et il retourna les tables, et il dit à ceux qui vendaient les colombes : "Enlevez cela d'ici. Ne faites plus de la maison de mon père une maison de commerce"[1]. »

Que cet incident, rapporté aussi par les trois autres évangélistes, se soit réellement produit est admis pratiquement par tous les spécialistes. Mais ce récit pose plusieurs questions.

D'abord, sa date exacte : Jean place son « reportage » parmi les premiers chapitres de son Evangile, aussitôt après le miracle de Cana, alors que les trois autres le situent après l'entrée spectaculaire à Jérusalem, l'épisode dit des Rameaux. La plupart des historiens penchent pour cette dernière date : si Jésus s'était attaqué aussi directement au Temple dès le début de sa prédication, il n'eût sans doute pas pu poursuivre celle-ci longtemps, et encore moins revenir plusieurs fois à Jérusalem sans s'attirer de graves ennuis[2].

Si Jean a placé cette scène en cet endroit c'est parce qu'elle constitue comme un résumé de l'histoire de Jésus : celui-ci ne veut pas seulement purifier le Temple d'Israël, où Dieu a voulu habiter au milieu de son peuple, mais encore annoncer que la vraie demeure du Père, le vrai Temple, c'est lui. Ce que signifie en effet la suite du récit. On y voit des « juifs » – traduisons « Judéens » ou, plus restrictif, « pharisiens et gens du Temple » – demander à Jésus ce qui lui permet d'agir ainsi. Réponse : « Détruisez ce sanctuaire et en trois jours je le relèverai. » Les « juifs » : « Il a fallu quarante-six ans pour bâtir ce sanctuaire et toi, en trois jours, tu le relèveras ? »

Notons en passant que la construction de ce Temple ayant été entreprise par Hérode le Grand, le père d'Hérode Antipas, en 20-19 avant notre ère, cette scène se situerait donc en 27-28 et, si l'on admet que Jésus est né aux alentours de – 6, il aurait trente-trois ou trente-quatre ans.

Mais revenons à l'étonnement des « juifs ». On les comprendrait à moins : reconstruire ce Temple, redresser ces colonnes grecques, remettre en place ces énormes pierres, en trois jours ? Même dans un monde où le merveilleux ne surprend guère, voilà qui est difficile à admettre. Ils concluront que Jésus est vraiment dérangé, hâbleur, inquiétant. L'évangéliste Jean, lui, ajoute : « Mais lui parlait du sanctuaire de son corps. Aussi, quand il ressuscita d'entre les morts, ses disciples se rappelèrent qu'il avait dit cela et ils crurent à l'Ecriture et à la parole qu'il avait dite[3]. »

C'est clair : une fois de plus, encore une, voici un récit écrit par quelqu'un qui connaissait la suite et voulait en donner un résumé. Jean, qui décidément aime beaucoup les préfaces, en a ainsi ajouté une autre après son très célèbre prologue (« Au commencement était le Verbe... ») et le récit de Cana. A se demander d'ailleurs si tout son texte n'est pas qu'une longue introduction au récit de la Passion et de la résurrection. Mais cette scène-ci, à la différence de celle de Cana, attestée par les trois autres Evangiles, paraît historiquement plus solide. Ce qui soulève d'autres questions.

En premier lieu, son importance réelle. Si l'on s'en tient à la lettre des Evangiles, Jésus est seul aux prises avec les marchands et le bétail qu'il chasse. Les disciples sont présents, puisqu'ils l'entendront ensuite discuter avec les « juifs ». Mais ils sont présents comme témoins inactifs ou peureux. On ne dit rien non plus des réactions de la foule, et le lecteur doit se demander pourquoi ni la police du Temple ni les Romains, qui surveillent tout du haut de la toute proche tour Antonia, ne jugent pas nécessaire d'intervenir, ce qu'ils pourraient faire sans commettre de sacrilège puisque ce remue-ménage a pour cadre le parvis des Gentils.

L'exégète anglais S. G. F. Brandon, qui tient à souligner les liens du mouvement de Jésus avec celui des zélotes [4], n'a pas tort de remarquer qu'aucun homme, « si dynamique fût-il, n'aurait pu réussir, sans aucune aide, comme il (Jésus) est censé l'avoir fait, à chasser de leur maison de commerce toute une compagnie de marchands occupés avec leurs clients (...). Il y a là une impossibilité matérielle indubitable ». D'où cette hypothèse : « Peut-être est-ce avec l'appui de nombre de ses partisans surexcités que Jésus a pu mener à bien son entreprise ; et sans doute aussi n'alla-t-elle pas sans recours à la violence et au pillage. » On imagine très bien, en effet, les pèlerins se précipitant pour récupérer les pièces tombées des étals des changeurs ou des pupitres des marchands de sceaux. Mais une telle pagaille aurait, inévitablement, entraîné des interventions policières. Notre auteur y a pensé et relève que Marc, un peu plus loin [5], Luc également [6], quand ils montrent Pilate invitant la foule à choisir entre Jésus et Barabbas, disent que celui-ci avait été « arrêté avec les émeutiers qui avaient commis un meurtre dans la sédition ». Conclusion de S. G. F. Brandon : « Nous pouvons donc nous demander à juste titre si cette vigoureuse initiative de Jésus dans le Temple (...) n'était pas une affaire bien plus grave que les Evangiles ne le laissent supposer[7]. »

Brandon, on l'a dit, défend dans son livre une thèse : Jésus aurait été très lié aux zélotes et les Evangiles gomment cet aspect afin de souligner les raisons religieuses, et non politiques, de sa mise à mort. Son explication de l'affaire du Temple est dans la logique de cette thèse, mais rien ne vient la corroborer, d'autant que les zélotes sont, semble-t-il, apparus plus tard. On doit se demander, au contraire, pourquoi Jésus n'aurait pas été arrêté à la suite de ces troubles comme « Barabbas et les autres "émeutiers" ». Réponse du même Brandon : « Peut-être les disciples de Jésus lui apportèrent-ils un appui considérable, au point que la police du Temple n'osa pas intervenir ou fut refoulée[8]. » Autrement dit, cet appui « considérable » aurait fait battre la police en retraite et sauvé ainsi Jésus, mais non Barabbas et les autres. Il est difficile de le croire et l'on peut se demander pourquoi aucun des textes n'en aurait fait mention.

Conclusion de ce petit débat : il paraît probable que l'affaire du Temple n'ait été qu'un incident limité, qui passa inaperçu de la plupart. Sauf des indicateurs de la caste sacerdotale, qui suivaient Jésus comme son ombre. Et dont les patrons durent conclure que ce n'était qu'un début, qu'il importait de mettre un terme à cette agitation avant qu'elle ne se développe et qu'ils avaient eu bien raison de décider sa mise à mort. Il importait de ne plus tarder.

Une autre question concerne le lieu où s'est déroulé l'incident : le parvis des Gentils, auquel avaient accès les païens, était bien situé dans le Temple mais avant la barrière, la clôture qui séparait le pur de l'impur. On ne peut donc voir dans l'intervention de Jésus un geste de purification puisque ce n'était pas le sanctuaire lui-même qui était profané par le commerce des changeurs et des marchands : après tout, il fallait bien qu'en un lieu quelconque l'impur soit séparé du pur, les pièces impures des Romains et des Grecs remplacées par la monnaie du Temple, un lieu aussi où les animaux garantis « sans tache » puissent être achetés [9]. Le parvis des Gentils jouait ce rôle, comme un sas de décompression dans un sous-marin. Un autre spécialiste anglais, E.-P. Sanders [10], conclut que si Jésus s'en est pris pourtant aux commerçants du lieu, c'est qu'il ne voulait pas « purifier » les pratiques du Temple mais s'attaquer directement à celui-ci et aux rites des sacrifices.

L'hypothèse d'une telle attaque frontale contre le Temple paraît bien dans la logique de l'enseignement de Jésus. Il faut cependant noter, à l'opposé, que d'autres également souhaitaient purifier le parvis des Gentils, qu'une telle volonté ne leur paraissait donc pas illogique. D'ailleurs, quelques années plus tard, des mesures furent prises pour éloigner le commerce des offrandes de l'enceinte du Temple [11].

Le débat est d'importance. Si l'on conclut, comme on le fait généralement, que Jésus voulait seulement purifier le Temple, cela signifie qu'il ne mettait pas en cause celui-ci. Si l'on admet la thèse d'une attaque frontale, on comprend mieux l'extrême tension des jours suivants. Or, plusieurs Evangiles attribuent à Jésus des prophéties sur la destruction, la fin du Temple. Par exemple : « Tu vois ces grandes constructions. Il ne restera pas pierre sur pierre, tout sera détruit [12]. » La plupart des historiens estiment que, derrière les paroles rapportées par les évangélistes, où se sont glissés des rajouts, des déformations, il y a un propos réel tenu par Jésus sur la destruction du Temple [13]. C'est ce qu'il annonce en bousculant les tables : il ne s'agit pas de purifier mais de remplacer. Jésus veut signifier à tous que le lieu du rendez-vous avec Dieu n'est plus le Temple, mais lui ; et ce sera, pour les autorités juives, la raison religieuse, officielle, de sa condamnation. Mais, du même coup, il se heurte à la puissance politique de l'aristocratie sacerdotale, il s'en prend aussi à sa puissance financière ; ce sera la raison inavouée de sa condamnation. Et la population juive, surtout celle de Jérusalem, attachée au Temple et à ses rites, l'abandonnera.

L'hypothèse de l'attaque frontale paraît d'autant plus probable que – Jean excepté – les évangélistes situent après cet incident des gestes ou des propos de Jésus qui vont tous dans le sens de la rupture : le miracle du figuier desséché (voir ci-dessus, p. 124), la parabole des vignerons assassins, celle des invités à la noce qui se dérobent, les malédictions des scribes et des pharisiens, l'annonce de catastrophes pour Jérusalem, ce constat enfin : « L'heure est venue : voici qu'est livré le Fils de l'homme [14]. »

Chacun de ces jours-là, des pèlerins affluent dans Jérusalem. Et chaque matin, Jésus apparaît dans le Temple. Des groupes le repèrent, accourent, l'entourent. Des prêtres, des pharisiens, des agents du Temple se glissent parmi eux. Pour discuter, ergoter, tenter de l'amener à la faute. Or, il ne prend plus aucune précaution de langage. Il les admoneste, violent : « Jean, leur dit-il, est venu à vous dans la voie de la justice, et vous n'avez pas cru en lui ; les publicains, eux, et les prostituées ont cru en lui [15]. »

Ou bien il leur raconte l'histoire de ce propriétaire qui plante une vigne, la clôt, y bâtit une tour, avant de la louer à des vignerons et de partir en voyage. Au moment des vendanges, il envoie ses serviteurs réclamer sa part : mais les vignerons battent l'un, en tuent un autre, en lapident un troisième. Il leur adresse d'autres messagers, plus nombreux : les vignerons recommencent. Il finit par envoyer son fils en supposant que lui, au moins, sera respecté. Ils lui infligent le même sort. Conclusion : le maître de la vigne la louera désormais à d'autres vignerons qui lui en livreront les fruits en leur temps. Et Jésus de citer les Ecritures :

La pierre qu'avaient rejetée les bâtisseurs,
C'est elle qui est devenue pierre de faîte ;
C'est là l'œuvre du Seigneur
Et elle est admirable à nos yeux [16].

Puis il explique, selon Matthieu : « Le Royaume de Dieu vous sera retiré pour être confié à un peuple qui lui fera produire ses fruits [17]. »

On ne saurait être plus clair. Voilà Israël dessaisi de son mandat, de sa mission.

Ses auditeurs, les gens du Temple surtout, le comprennent bien. Ils connaissent un texte d'Isaïe qui fait aussi allusion à la tour et au pressoir, mais dont la vigne ne produit que de mauvais raisins. « La vigne du Seigneur le tout-puissant, conclut ce texte, c'est la maison d'Israël (...). Il en attendait le droit, et c'est l'injustice. Il en attendait la justice et il ne trouve que les cris des malheureux [18]. » Mais Jésus (qui fait aussi allusion, semble-t-il, à des troubles qui auraient éclaté chez les paysans) va beaucoup plus loin qu'Isaïe. Il se présente comme Fils de Dieu. Et annonce à l'autorité du Temple que c'est fini : elle ne sera plus la pierre d'angle.

Il recommence avec l'histoire du festin de noce organisé par un roi dont les invités se dérobent. Ce souverain ne se décourage pas pour autant : la fête aura bien lieu. Il envoie ses serviteurs convier ceux qu'ils rencontrent sur les chemins, « les mauvais comme les bons ». La porte est grande ouverte à tous. Certes, quand chacun a reçu l'invitation, quand les convives ont pris le temps de s'installer, le roi, patient jusque-là, fait jeter à la porte l'un d'eux, qui n'a pas respecté les règles, qui n'a pas revêtu la traditionnelle tenue de noce [19]... Certains auteurs ont vu là un problème : comment les autres vagabonds et clochards auraient-ils pu se procurer cette tenue ? On peut répondre que le roi, dans sa bonté, avait prévu d'en fournir à chacun. De toute manière, l'essentiel du propos est clair : le royaume n'est pas ouvert seulement à Israël, qui a refusé d'y entrer, mais à tous ceux qui acceptent ses commandements. Et la tension ne cesse de croître.

Jésus va la faire monter d'un cran. Les scribes, note-t-il, disent que le Christ est le fils de David. C'est impossible puisque David lui-même l'appelle Seigneur. « Si donc David l'appelle Seigneur, comment est-il son fils [20] ? » Conclusion : le Christ est proche de David, certes, mais il le dépasse car il possède l'autorité de Dieu. Voilà qui scandalise bien sûr les pharisiens et l'aristocratie du Temple. Mais cette affirmation déçoit, par ailleurs, ceux qui croyaient encore trouver en Jésus un chef politique : le Messie, qui chassera l'occupant, établira sa royauté, doit être le fils de David... A ce moment, Jésus perd encore une partie de ses alliés possibles.

Il avait refusé d'être appelé Messie, craignant la confusion politique, sachant bien que ses auditeurs attendaient un Messie nationaliste et militaire. Mais ceux-ci pouvaient penser que c'était par prudence, pour cacher son jeu avant le moment de la confrontation décisive. Or, ce moment approche, le peuple le sait, le peuple le sent, et Jésus refuse encore ce titre. Ils ne comprennent plus.

Lui est déjà au-delà. Il met en garde ses compagnons : ils seront persécutés à cause de lui. Enfin, il prévient : « Elle est venue l'heure où le Fils de l'homme va être glorifié [21]. »

Cette expression, « Fils de l'homme », que les évangélistes utilisent quatre-vingt-douze fois et mettent quatre-vingt-dix fois dans la bouche de Jésus, a donné bien du fil à retordre aux spécialistes [22].

Pour la quasi-totalité d'entre eux, toutes les mentions du « Fils de l'homme » ne correspondent pas à des propos réellement tenus par Jésus. Aux yeux de la majorité, ne sont authentiques que celles qui concernent son avenir, sa glorification, son élévation à la droite de Dieu.

Les juifs qui écoutaient Jésus, les plus savants en tout cas, connaissaient ce terme. Il est utilisé dans la Bible de deux manières :

– Il désigne l'homme comme distinct de Dieu. Celui-ci par exemple s'adresse à Ezéchiel et à Daniel en les appelant « Fils d'homme » ou « Fils de l'homme » [23].

– Dans d'autres textes, cette expression revêt un

tout autre sens. Le même Daniel[24] parle d'un « Fils d'homme » servi par « les gens de tous peuples, nations et langues », dont « la souveraineté est une souveraineté éternelle qui ne passera pas ». Il ne s'agit pourtant pas d'une incarnation de Yahvé : il n'y en a guère dans l'Ancien Testament ; le Messie attendu n'est qu'une sorte de délégué de Dieu.

Que peut-on conclure sur ce point ? Il semble que le titre de « Fils de l'homme » souligne à la fois deux appartenances de Jésus : d'une part il possède la puissance ; de l'autre il est rejeté, il va être torturé et crucifié. Il participe à la fois de la condition humaine et de la condition divine. Le théologien protestant Günther Bornkamm estime, avec d'autres, « probable que le Jésus historique ne s'est pas (...) appliqué à lui-même le titre de "Fils de l'homme" mais que, pour la communauté palestinienne la plus ancienne, à laquelle nous devons la transmission des paroles du Seigneur, ce titre exprimerait mieux que tous les autres l'essentiel de la foi[25] ». Dès lors, ne l'eût-il utilisé que deux fois, elle le lui aurait fait répéter quatre-vingt-dix fois. Mais sur ce sujet il n'y a guère unanimité chez les historiens.

En ces derniers jours, Jésus et ses compagnons vivent dans la fièvre. La nuit, ils sont à Béthanie ou sur le mont des Oliviers ; le jour, Jésus, inlassable, revient au Temple, annonce la Parole et dit à ses adversaires leurs quatre vérités.

Les disciples ne comprennent pas toujours. Ils lui font confiance, c'est clair. Ils s'interrogent peut-être sur sa stratégie. Ils sont quelque peu choqués, sans doute, par son agressivité à l'égard du Temple. Comme la plupart des juifs, ils en veulent à l'aristocratie cléricale. Mais ils ont été élevés dans le respect religieux de la Loi. Et ils voient bien que, s'en prenant au Temple, Jésus met aussi en cause la Loi. Il agit, certes, au nom de Yahvé. Mais s'il se trompait ? Bien d'autres, parce qu'ils ont fini par le penser, ont déjà quitté Jésus. Eux sont restés ; il est possible pourtant, probable même, que quelques-uns aient douté, aient été tentés de l'abandonner. Le cœur brisé peut-être. Mais l'abandonner. En finir avec cette vie de semi-clandestins, d'errants, de traqués. Retrouver femmes, enfants, frères, sœurs.

Ils sont restés. Incertains peut-être. Car il est aussi déroutant que séduisant. Comme ce soir, parmi ces jours-là, où ils ont trouvé refuge dans une maison amie : des repos, des répits, éclairent parfois ces temps d'errance et de fatigue. Il y avait là Lazare et ses sœurs. Une des femmes, une « pécheresse » selon Marc et Matthieu, Marie à en croire Jean, a versé sur la tête ou les pieds de Jésus, qu'elle a ensuite essuyés avec sa chevelure – ils ne sont pas d'accord sur ce point non plus –, un flacon de nard, un parfum précieux, une huile parfumée provenant d'une plante de l'Himalaya[26]. Un geste surprenant. D'autant qu'une femme ne pouvait, par décence, dénouer sa chevelure en public[27].

L'un des Douze proteste. Judas. L'homme qui tient les comptes. Voilà beaucoup d'argent gaspillé : trois cents deniers et peut-être plus ; à peu près le salaire annuel d'un ouvrier agricole. Quelques-uns grognent, à en croire Marc. Mais Judas est le seul à s'opposer ouvertement. Pourquoi ne pas avoir vendu ce parfum pour en donner le prix aux pauvres ? Jean ajoute : « Il dit cela, non qu'il eût souci des pauvres, mais parce qu'il était voleur et que, tenant la bourse, il emportait ce qu'on y mettait. » Bizarre : s'il avait déjà mis la main dans la caisse, une caisse qui ne devait pas être toujours bien remplie, les autres ne s'en seraient jamais aperçus ? On a un peu le sentiment, ici, que Jean (qui est le seul à parler ainsi) a voulu charger un peu plus Judas après coup, expliquer peut-être pourquoi il allait ensuite livrer Jésus : par appât du gain. Il est vrai que même Jean, un peu plus tôt, après le sermon de Capharnaüm qui a provoqué une grave crise dans le mouvement de Jésus (voir ci-dessus, p. 136), a déjà qualifié Judas de « démon »[28]. Et un peu plus tard, il notera, sans souci évident de la contradiction, que « Satan entra en lui » pendant la Cène [29].

Jésus, moins sévère que Jean, a bien vu que Judas n'était pas seul à renâcler. Car il répond à tous ; il leur dit « vous » : « Les pauvres vous les avez pour toujours avec vous, mais moi vous ne m'avez pas pour toujours. » Ce qui ne signifie pas que ce défenseur attitré des pauvres se soit soudain résigné à ce qu'il y en ait toujours, mais que ses compagnons devront toujours en porter le souci tandis que lui, Jésus, va bientôt les quitter.

Le propos, à en croire Matthieu, Marc et Luc, ne convainquit pas Judas. A la fin du récit de cette scène, ils indiquent que le trésorier du mouvement alla voir les gens du Temple pour leur livrer Jésus.

Etait-il vraiment nécessaire qu'on le leur livrât, alors qu'il apparaissait chaque jour dans le Temple ou aux alentours ? Une seule réponse possible : son arrestation en public risquait de provoquer des troubles. Il fallait donc se saisir de lui discrètement. Or, après avoir parlé, il disparaissait parmi les pèlerins dont certains probablement l'aidaient, ainsi que son réseau de sympathisants à Jérusalem, à échapper aux agents du Temple lancés derrière lui. On imagine Jésus et les siens se faufilant parmi les groupes, courant dans les ruelles, traversant les cours, sautant sur les terrasses, haletants, traqués, se dispersant pour ne pas attirer l'attention, se donnant rendez-vous pour le soir dans une maison amie, sous une tente du mont des Oliviers, où la nuit, comme toutes les nuits, Jésus se cacherait. Jean indique d'ailleurs que « les grands prêtres et les pharisiens avaient donné des ordres : si quelqu'un savait où il était, il devait l'indiquer afin qu'on le saisît [30] ». Judas, bien sûr, savait jour après jour où Jésus décidait de chercher refuge.

Judas. Voilà un personnage qui aura suscité bien des interrogations et des hypothèses, une littérature d'une abondance extrême, tant demeurent mystérieuses sa personnalité et ses raisons.

Il faut, bien entendu, écarter l'idée d'une prédestination. Elle n'a guère de sens aux yeux de l'historien.

Et pas beaucoup plus à ceux du théologien : l'idée qu'il fallait bien un traître pour livrer Jésus et que Dieu avait attribué ce rôle à Judas, idée parfois défendue, ne correspond guère à l'enseignement de Jésus et de l'Ancien Testament sur la liberté dont Dieu fait don à chaque personne.

On a aussi supposé que Judas était un agent du Temple, une sorte d'espion envoyé auprès de Jésus dès que celui-ci avait commencé à se faire connaître et qui aurait réussi à « infiltrer » son mouvement, comme on le dit aujourd'hui dans la police politique. C'est une hypothèse séduisante. Mais rien ne la corrobore. Et elle ne permet pas de comprendre pourquoi, n'ayant fait que son devoir et ayant reçu de ses chefs, outre une prime, les félicitations qui convenaient, il se serait ensuite pendu. A moins que la conséquence de son geste, la mort de Jésus livré à l'occupant romain, ne l'ait surpris, choqué et meurtri. Mais il ne s'agit là encore que d'un échafaudage d'hypothèses.

On a pensé enfin qu'il agissait par avarice : trente sicles d'argent (et non trente deniers) ne sont pas vraiment une mince somme ; elle équivaut à cent vingt deniers, le prix habituel d'un esclave. Mais comme on vient de le voir à propos du parfum, c'est seulement quatre mois de salaire d'un ouvrier agricole. Une prime qui ne justifie pas de trahir un personnage de l'importance de Jésus. Si Judas puisait dans la caisse, comme l'en accuse l'Evangile de Jean, il avait sûrement eu l'occasion de s'en mettre plus dans les poches.

En réalité, l'allusion à ces trente sicles d'argent n'est là que par référence à une prophétie de Zacharie, que nous avons déjà rencontré et auquel les évangélistes ont souvent eu recours car il avait été prodigue en allusions au Messie attendu. Dans l'un de ses textes, assez compliqué, des « trafiquants » qui s'intéressent à un troupeau paient trente sicles d'argent à un berger, et le Seigneur dit à celui-ci : « Jette-le au fondeur ce joli prix auquel je fus estimé par eux [31]. » Bref, il est difficile de prétendre que ce soit l'appât du gain qui a fait agir Judas.

Une autre explication a obtenu un plus grand crédit.

Elle se fonde sur le nom que lui donne l'Evangile :
« Judas Iscariote ». Cet « Iscariote », a-t-on dit, pourrait correspondre à « sicaire ». Les Romains appelaient « sicaires », sans faire la moindre différence, les
brigands et les résistants. D'où deux hypothèses. La
première : Judas, résistant, est déçu par Jésus qu'il
espérait voir prendre la tête d'une insurrection libéra-
trice ; il veut l'y contraindre, l'obliger à franchir le
Rubicon. Il pense que la menace d'une arrestation
imminente le poussera à décréter le recours aux
armes. Deuxième hypothèse : Judas, résistant déçu,
constatant que Jésus, non violent, entraîne le peuple
vers une voie sans issue, pense qu'il est préférable de
l'écarter, fût-ce en le trahissant[32]. Tout cela est très
ingénieux, mais les liens de Judas avec des résistants
et ses sentiments sur le sujet ne sont guère prouvés.
Surtout, les sicaires ne se manifestèrent vraiment,
selon Flavius Josèphe, qu'après l'année 50.

En revanche, Jean précise par deux fois que Judas
est le fils d'un certain Simon Iscariote[33], lequel portait
donc ce nom bien avant qu'il soit question des sicaires.
Iscariote pourrait simplement signifier « homme de
Kérioth », un petit village situé au-delà d'Hébron.

Alors ?

Renan donne peut-être une partie de l'explication
lorsqu'il écrit : « On aime (...) croire à quelque sentiment de jalousie, à quelque dissension intestine. La
haine particulière contre Judas qu'on remarque dans
l'Evangile attribué à Jean confirme cette hypothèse[34]. » Il fait allusion, bien sûr, à l'accusation de
vol. D'autres commentateurs ont observé que l'harmonie n'était pas parfaite à l'intérieur de la communauté
des apôtres. Or, Judas était le seul Judéen de ce
groupe.

Daniel-Rops approche peut-être, lui aussi, de la
vérité lorsqu'il se demande : « Ne serait-ce pas l'amour
qui aurait été le vrai mobile, un amour, non pas rayon-
nant, désintéressé, comme celui de Pierre et des dix
autres, mais une de ces passions exclusives, qui jettent
aux pires extrémités ceux que la jalousie dévore,
amour proche de la haine et qui, d'un coup, peut se

transformer en elle, mais qui se retrouve, à l'heure où le pire est accompli, dans la douleur sans bornes et le désespoir[35] ? »

On peut ajouter que Judas, comme ses compagnons, croyait dur comme fer à l'avènement du royaume terrestre de Jésus. Les Actes des apôtres racontent même que ceux-ci, partageant un repas avec Jésus après sa mort et sa résurrection, lui demandèrent encore : « Seigneur, est-ce maintenant le temps où tu vas restaurer la royauté en Israël ? » Alors, écrit le P. Xavier Léon-Dufour, « Judas a pu penser, comme les autres disciples, que le Royaume allait s'établir par un événement foudroyant. Avec une logique radicale, alors que Jésus persiste à s'abstenir de toute intervention spectaculaire, il passe à l'acte, pour hâter les temps : livrant son Maître aux autorités du Temple, ne l'introduisait-il pas dans la forteresse de ses adversaires comme jadis Samson dans le temple des philistins ? Yahweh, dans sa puissance, procède alors à un coup d'éclat pour libérer son messie et l'imposer. Or, le stratagème échoue : rien de tel ne se produit et Jésus est condamné à mort[36] ».

Demeure l'explication fondamentale et mystérieuse : le mal qui gît au cœur de l'homme.

Jésus, qui le sait, ne maudit pas Judas. Il le plaint : « Malheureux, cet homme-là par qui le fils de l'homme est livré[37]. »

CHAPITRE XIII

La Cène

C'est encore la fête, la dernière fête. Chacun le sait ou le devine : quand on a échappé à mille dangers et que l'on doit en courir d'autres dans la minute, quand on a galopé à travers chemins et ruelles, toujours aux aguets, en alerte, contraint de regarder à droite, à gauche, derrière, pour dépister un possible poursuivant, pour dénicher un guetteur, débusquer un espion, lorsque l'on reprend souffle, enfin, lorsque l'on se retrouve tous, heureux de se compter, de vérifier qu'il n'en manque pas un, et surtout pas le *rabbi*, le Maître, l'unique, celui pour qui l'on a tout abandonné et tout risqué, celui dont les autres veulent avoir la peau, alors soulagement, détente, joie, orgueil, affection, amitié forment un somptueux bouquet de bonheur dont on est pressé de savourer les parfums tant on les pressent volatils.

Les juifs aiment la table et la fête. Le repas permet la rencontre, la communion des convives en Yahvé, qui est la source de toute vie [1]. De nombreux récits de l'Ancien Testament commencent ou finissent par des repas. De nombreux récits évangéliques aussi. Jésus – « le glouton et l'ivrogne », comme l'appelaient certains – ne dédaignait pas la bonne chère et le bon vin. Ce repas-là, en outre, est tout éclairé par la lumière de la plus belle fête, Pâque. Le repas de Pâque, le *Seder*, que les chrétiens appelleront la « Cène », est même le moment essentiel de cette célébration [2].

Ils se sentent épiés, pourtant, ils savent que le danger rôde, que les gens du Temple peuvent surgir, soudain. Ils ont dû se cacher pour arriver dans cette grande pièce ou sur cette terrasse[3] que leur a trouvée un membre du réseau et où ils n'ont jamais mis les pieds. Jésus a envoyé Pierre et Jean en avant-garde, depuis le mont des Oliviers sans doute : « Allez à la ville. En entrant vous rencontrerez un homme portant une cruche d'eau. Suivez-le dans la maison où il pénétrera[4]. » Le système mis en place par le réseau a bien fonctionné : ils étaient attendus, ils ont préparé le repas.

Le repas pascal comprend d'ordinaire le pain sans levain et le vin, bien sûr, le raifort, les herbes amères, le persil que l'on trempe dans le vinaigre ou l'eau salée et qui représentent l'amertume des jours passés en exil, loin de la Terre promise, un œuf dur, un mélange de fruits et de noix pilées, un tibia d'agneau plus ou moins garni de viande. Mais aucun texte évangélique n'évoque à propos de ce repas-là l'agneau pascal ; si bien que d'interminables débats ont opposé les spécialistes : ce dernier dîner de Jésus avec ses compagnons était-il vraiment pascal ? Nous y reviendrons.

Les convives sont allongés sur des banquettes, comme le veut le rituel, car il s'agit de montrer que depuis la sortie d'Egypte le peuple élu est libre. Ils sont seuls : aucune mention n'est faite de domestiques, ni du maître de maison, ni de Lazare et de ses sœurs, habituels compagnons de ces jours-là. Ils sont seuls, mais s'ils respectent la coutume du repas pascal, du *Seder*, une place est restée libre et un couvert posé, ceux du prophète Elie qui a annoncé le Messie : le passé est ainsi toujours mêlé au présent. On pourrait presque dire qu'il n'y a ni passé, ni présent, ni futur ; ou plutôt qu'ils se rejoignent. « Ainsi, écrit Robert Aron, chaque instant fugitif possède, pour le juif, la saveur de l'éternité[5]. »

Jean (et lui seul) situe au milieu de ce repas une scène qui va les stupéfier. Jésus, en effet, se lève, quitte sa place de président de table et ôte tous ses vêtements, se met nu avant de se ceindre d'un linge, en fait un pagne, la tenue des juifs lorsqu'ils étaient au travail, esclaves, en Egypte. Et il commence à laver les pieds de ses voisins.

La purification des pieds n'était pas un rite exceptionnel. Les prêtres y étaient même tenus, car ils devaient fouler nu-pieds les endroits du Temple où ils avaient seuls le droit de pénétrer, ce qui provoquait chez eux, l'hiver, quelques ennuis de santé... L'on trouvait aussi des bassins destinés au lavement des pieds à l'entrée de leurs demeures, tant ces membres étaient l'objet d'un soin religieux exigeant[6]. Mais le rite du lavement des pieds ne leur était pas exclusif : on le pratiquait dans tout le Moyen-Orient pour honorer un hôte. Seulement voilà, il était confié à un inférieur, à un domestique. Laver les pieds, c'était reconnaître son infériorité : la femme le faisait pour son mari, les enfants pour leur père.

Il n'est guère surprenant que Pierre, qui n'a jamais sa langue dans sa poche et que les Evangiles présentent souvent comme le porte-parole du groupe, se mette à protester : « Comment ? Toi, Seigneur, tu me laves les pieds, à moi ? » Jésus : « Tu comprendras plus tard. » La réponse ne calme pas l'apôtre : « Non, tu ne me laveras pas les pieds. Jamais de la vie ! »[7].

Jésus donne alors deux réponses, deux explications. La première, à Pierre : « Si tu refuses, tu n'auras pas de part avec moi. » Autrement dit : nous serons séparés. Alors Pierre, dans l'allégresse de ce repas, enthousiaste, répond que s'il s'agit de cela, il veut bien se faire laver aussi les mains et la tête par-dessus le marché. Jésus le calme : celui qui a pris un bain n'a pas besoin de se laver. Le problème n'est pas là.

Seconde réponse, à tous, après que Jésus, ayant terminé, a repris sa place à table : « Vous m'appelez Maître et Seigneur (...) et je le suis en effet. Si moi, le Seigneur et le Maître, je vous ai lavé les pieds, vous devez aussi vous laver les pieds les uns aux autres. »

La plupart des spécialistes pensent que ces deux réponses n'ont pas la même origine. Mais elles ne se contredisent pas. Jésus, qui ne peut plus nourrir de doutes sur son sort, fixe les règles de la petite communauté qui restera : chacun de ses compagnons devra s'estimer serviteur du groupe, sans en tirer gloire pour autant car, dit-il encore, « le serviteur n'est pas plus grand que son seigneur, ni l'envoyé plus grand que celui qui l'a envoyé ». Ce qui peut avoir deux sens : « Ne vous gonflez pas d'orgueil », ou encore : « Ne nourrissez pas d'illusions, ce qui va m'arriver vous arrivera à vous aussi »[8].

Ils se sont remis à discuter, à manger, à rire peut-être, en se racontant comment ils ont dupé tel policier du Temple qui croyait les avoir reconnus, échappé à tel autre qui les poursuivait. Quelques-uns, sans doute, s'interrogent encore sur ce geste qu'il a eu de leur laver les pieds... mais – bah ! –, il les a souvent déroutés, ils ont appris à attendre que se dévoile le sens de ce qu'il a fait et ce qu'il a dit.

Bientôt les rires cessent, les conversations s'éteignent. Car survient le drame, la rupture avec Judas. Déjà, en leur lavant les pieds, Jésus avait cru nécessaire de préciser qu'ils n'étaient pas « tous purs ». Et là, soudain, revenu à sa place, rhabillé, il attaque : « L'un de vous me trahira[9]. »

Or, ils ne paraissent ni stupéfaits ni scandalisés. C'est dire quelles sont leurs craintes que les rires cachaient mal, quelle est en réalité leur détresse profonde, combien ils sont peu sûrs d'eux-mêmes. Car la plupart osent l'interroger : « Est-ce moi ? » Ils s'observent aussi : serait-ce celui-ci, celui-là ? Leur reviennent en mémoire des gestes, des mots, des soupirs même qui pouvaient laisser supposer chez leur voisin ou chez cet autre, tiens, qui paraît à présent désemparé, quelque découragement, la lassitude, le désir d'en finir. Ils se tournent vers Jésus, qui en a trop dit ou pas assez à leur gré. Mais qui, dit Jean, est « troublé en esprit », un terme que cet évangéliste a déjà utilisé deux fois : Jésus a été de la même manière « troublé en esprit » en voyant Marie pleurer sur son frère Lazare, puis, après l'épisode des Rameaux, quand les Grecs l'ont interrogé et qu'il a laissé prévoir sa fin prochaine, ajoutant : « Père, sauve-moi de cette heure [10] ! » Ce qui, dans ces deux cas, le trouble, le bouleverse, l'effraie, c'est de frôler la mort. La mort de l'ami. Sa propre mort aussi. Sa mort qui a le visage de l'un de ceux-là qu'il a appris à aimer d'un amour tout particulier et qui l'ont suivi, fidèles, malgré injures et moqueries, doutes et coups. Sa mort.

Le malaise est extrême, pesant, palpable, presque solide. C'en est trop pour Pierre. Il fait signe à l'un des disciples, « celui que Jésus aimait », dit Jean, Jean l'évangéliste, qui fait apparaître ici cet apôtre pour la première fois mais sans le nommer [11]. Celui-là est le mieux placé pour interroger Jésus : il est installé à sa droite, sur une de ces banquettes obliques qui entourent la table recouverte d'une nappe blanche où sont posés les mets rituels ; il lui suffit de pencher la tête vers l'arrière pour interroger dans un murmure : « Qui est-ce ? » Jésus : « Celui à qui je vais donner une bouchée que je trempe. »

C'est honorer quelqu'un que de lui offrir une bouchée de pain, un morceau pris dans un plat. Par ce geste, Jésus, encore effrayé l'instant d'avant, manifeste son acceptation – ou peut-être son amitié et son estime, dans une ultime tentative pour sauver Judas ? Celui-ci a-t-il un geste de recul quand lui est tendu le pain ? Jésus est-il décidé à en finir ? Il brusque le mouvement : « Ce que tu as à faire, fais-le vite. » Les autres ont bien vu et entendu, mais rien compris. Afin de les excuser, Jean croit devoir expliquer que, pour eux, cette injonction de Jésus se rapporte à un achat d'aliment que leur intendant devrait effectuer ou à une aumône qu'il devrait porter d'urgence à un pauvre. Une justification qui suscite quelques doutes. D'ordinaire, c'est Marc qui traite les disciples avec quelque mépris. Ici, c'est Jean qui les fait passer pour des sots... Comment des hommes rompus au danger, aux ruses, à la méfiance, et à qui l'on vient d'annoncer la présence d'un traître parmi eux laisseraient-ils sortir qui que ce soit sans demander d'explication ? Peut-être sont-ils trop abattus ? Ou bien, n'ayant pas entendu la réponse de Jésus à son voisin, font-ils confiance à leur *rabbi* : s'il a dit à Judas de sortir, il sait ce qu'il fait.

Mais « le disciple que Jésus aimait » sait très bien, lui, ce qui est en cause : s'il ne bouge pas, c'est pour calquer son attitude sur celle du Maître, accepter comme celui-ci accepte, et quoi qu'il lui en coûte. Toutes ces explications peuvent être admises. Elles sont plus solides, en tout cas, que la maladroite justification donnée par l'Evangile de Jean.

Et voilà Judas qui sort ; il quitte – premier d'une longue lignée – la communauté à laquelle Jésus vient de fixer ses règles.

« C'était la nuit », dit Jean. Les ténèbres. « Et la lumière luit dans les ténèbres et les ténèbres ne l'ont pas saisie », lit-on dans les toutes premières lignes de son Evangile [12]. La lumière est vie, l'absence de lumière est mort. Pour l'Ancien Testament, « ténèbres » et « néant » sont synonymes. Dans les premières lignes de l'Evangile de Jean, la Création est décrite comme la victoire progressive de la lumière sur les ténèbres. Mais il y a des hommes pour préférer les ténèbres à la lumière.

Troisième acte de cet exceptionnel repas : le partage du pain et du vin, ce que les chrétiens appellent l'institution de l'eucharistie. Bizarrement, Jean n'en dit pas un mot. Ce qui a provoqué bien des hypothèses, peu satisfaisantes [13]. Tout au plus peut-on noter le parallélisme entre le : « Faites ceci en mémoire de moi », que, selon l'apôtre Paul, dira Jésus en partageant le pain et le vin, et le : « C'est un exemple que je vous ai donné pour que (...) vous le fassiez, vous aussi », prononcé après le lavement des pieds. Il faut rappeler en outre le très long discours que Jésus tient aux juifs à Capharnaüm après la multiplication des pains, discours qui provoquera l'incompréhension et le départ de beaucoup : « Je suis le pain vivant descendu du ciel. Qui mangera ce pain vivra à jamais. Et même le pain que je donnerai, c'est ma chair pour la vie du monde (...). Qui mange ma chair et boit mon sang a la vie éternelle et je le ressusciterai au dernier jour (...). Qui mange ma chair et boit mon sang demeure en moi et moi en lui [14]. » Des propos rapportés par Jean seul et presque plus explicites que ceux de Jésus à la Cène.

Judas sorti ou non (selon Luc, il est encore là), alors que le repas tire à sa fin, Jésus prend donc du pain, prie, le bénit, le rompt et le donne à ses compagnons [15]. Mangez, dit-il, ceci est mon corps livré pour vous. Puis il fait de même avec la coupe de vin : ceci est la coupe de mon sang, le sang de la nouvelle Alliance qui sera répandu pour vous. Matthieu, seul, toujours un peu moralisateur, ajoute que le sang sera répandu « en rémission des péchés ». Jésus enfin annonce qu'il ne boira plus du « produit de la vigne » jusqu'au jour où « le Royaume de Dieu sera venu ».

Il faut souligner l'extrême brièveté de ce récit, d'où l'Eglise catholique fera naître le sacrement essentiel : quelques lignes, sans plus de commentaires, chez Matthieu, Marc et Luc. L'apôtre Paul est plus précis et plus disert. Dans sa première Lettre aux Corinthiens, il leur frotte les oreilles parce que les repas, lors de leurs réunions, n'ont rien de fraternel : « l'un a faim et l'autre est ivre ». Puis il revient au récit de la Cène, en donne une version qui correspond à celles de Matthieu et de Luc, et c'est lui qui ajoute, par deux fois : « Faites ceci en mémoire de moi », puis : « Chaque fois que vous mangerez ce pain et que vous boirez cette coupe, vous annoncerez la mort du Seigneur (...). Quiconque mange le pain ou boit la coupe du Seigneur indignement se rendra coupable à l'égard du corps et du sang du Seigneur » [16].

Saint Paul a-t-il donc joué un rôle important dans l'institution de l'eucharistie ? Le peu de place laissé à cette scène dans les textes évangéliques le fait soupçonner. Et il est possible qu'à l'instant même les propos de Jésus n'aient pas impressionné à l'extrême ses compagnons, partagés entre la solennité du repas et les préoccupations de sécurité, aiguisées par l'annonce de la trahison. Le geste de Jésus, en outre, n'était pas tout à fait neuf pour eux. Il reprenait une tradition juive, bien connue notamment des rabbins : le repas d'alliance. Le *Talmud* en effet prescrit de fractionner le pain (en le séparant, on suggère l'autonomie de chacun) et d'en donner les morceaux aux convives (qui reçoivent ainsi à la fois le gage d'autonomie et la nourriture qui les unit). Ce geste est suivi de « la bénédiction rendant grâces à Dieu et aux sages d'Israël qui perpétuent et consolident le lien de la *Tora* entre les générations ; entre celui qui donne le pain et ceux qui le reçoivent, entre le Maître et les disciples[17] ». Manger, c'est à la fois affirmer son autonomie et se relier à ceux qui vous ont d'abord nourri, qui vous ont donné les moyens de devenir autonome. Le repas relie le présent au passé.

Le geste de Jésus n'a pas surpris les autres convives dans la mesure où il s'inscrivait dans cette tradition. Mais il est possible aussi que ses propos aient rappelé à quelques-uns ceux qu'il avait tenus à Capharnaüm, provoquant la crise que l'on sait.

Il est probable enfin que les rites adoptés par les premières communautés chrétiennes après son départ aient eu quelque influence sur la rédaction des textes évangéliques. Les Actes des apôtres font très vite mention, parmi ces rites, de la fraction du pain. Aussitôt après le récit de la Pentecôte, où l'on voit les apôtres prêcher à des gens de toute sorte (dont certains se moquent en disant : « Ils sont pleins de vin doux », mais dont trois mille environ se font aussitôt baptiser), le texte dit de ces nouveaux adeptes : « Ils se montraient assidus à l'enseignement des apôtres, fidèles à la communion fraternelle, à la fraction du pain et aux prières[18]. » Cette fraction du pain, si vite adoptée, instituée, semble avoir été accomplie suivant des rites divers.

Quant aux paroles exactes du Christ, la plupart des spécialistes pensent, à la suite de longues démonstrations sur la traduction de l'araméen en grec, qu'elles ont été : « Ceci est ma chair », plutôt que : « Ceci est mon corps »[19]. Jésus à Capharnaüm avait bien parlé, déjà, de sa « chair » et de son « sang », lesquels servent de sceau à l'Alliance renouvelée[20] entre Dieu et les hommes, histoire d'amour mouvementée et toujours recommencée dont la Bible est le récit.

Un dernier point a suscité de multiples débats : la date de ce repas. En effet, Jean indique qu'il a lieu « avant la Pâque », et quand Judas sort dans la nuit, ses compagnons pensent que c'est peut-être pour acheter les aliments nécessaires à la fête. Or, pour les trois autres évangélistes, c'est du repas pascal lui-même, du soir de la Pâque donc, qu'il s'agit.

Plusieurs indices semblent corroborer cette dernière hypothèse. Par exemple, le fait de tremper des morceaux de nourriture dans la sauce ; la *Haggada* (instructions sur les rites) pascale dit en effet en substance : « Tous les autres soirs nous ne trempons pas... même une fois, mais ce soir-là, deux fois. »

En revanche, il est très peu vraisemblable que le procès et l'exécution de Jésus aient pu être organisés pendant la Pâque : le travail sous toutes ses formes était interdit à ce moment, y compris une réunion du Sanhédrin, la Haute Cour de justice. Aucun des textes, en outre, ne fait mention de l'agneau et du pain azyme, les deux principaux plats d'un repas pascal.

Pour résoudre la contradiction, on a suggéré que Jésus n'aurait pas observé le calendrier officiel, lunaire, mais un calendrier essénien, solaire, selon lequel la Pâque serait fixée le mardi soir. Il aurait donc célébré la Pâque des esséniens le mardi soir et aurait été crucifié la veille de la Pâque (officielle). Une hypothèse ingénieuse[21] mais qui suppose de profondes affinités entre Jésus et les esséniens, ce qui ne fut pas le cas. Elle signifierait, en outre, que Jésus ait été arrêté deux jours avant sa crucifixion, ce qui est en contradiction avec les quatre Evangiles.

La quasi-totalité des historiens inclinent à penser que la Cène ne fut pas un repas pascal, mais précéda de peu la Pâque. Si Matthieu, Marc et Luc ont quelque peu modifié le calendrier, pris des libertés avec les dates, c'est sans doute pour souligner que Jésus était le nouvel agneau pascal, offert dans l'eucharistie en nourriture à tous. Jean, lui, qui ignore l'eucharistie dans le récit de la Cène, fait coïncider – avec raison selon les historiens – la mort de Jésus avec le moment où l'on commençait à tuer les agneaux qui allaient être mangés le soir, lorsque la première étoile marquerait le début de la fête pascale.

Si l'on suit la majorité des spécialistes et l'Evangile de Jean, Jésus est donc mort le « jour de la préparation » de la Pâque, c'est-à-dire le 14 du mois de *nisan* (mars-avril). La tradition juive [22] semble le confirmer. Or, selon Marc et Jean [23], Jésus est mort un vendredi. A l'époque de Pilate, personnage capital que nous allons bientôt rencontrer, deux vendredis correspondent à un 14 du mois de *nisan* : en l'an 30 et en l'an 33. Jésus serait donc mort le 3 avril 33, à l'approche de la quarantaine, ou le 7 avril 30, à trente-six ans environ. La plupart des spécialistes optent pour cette dernière date.

Nous sommes donc arrivés au soir de la Cène – le 6 avril 30, selon la plus forte probabilité. Le repas terminé, Jésus annonce sa mort : « Mes petits enfants, je ne vais pas plus longtemps être avec vous. » Il leur répète la règle fondamentale de leur petite communauté : « Vous aimer les uns les autres comme je vous ai aimés. » Et comme Pierre s'inquiète – « Que se passe-t-il ? Où vas-tu ? (...) Pourquoi ne puis-je pas te suivre à présent ? Je donnerais ma vie pour toi » –, il s'attire la réponse si connue : « En vérité, je te le dis, le coq ne chantera pas que tu ne m'aies renié trois fois [24]. »

Voici un coq, soit dit en passant, dont l'intervention sera souvent présentée ensuite comme miraculeuse alors qu'il s'agit d'une précision de temps : c'est à l'aube, bien sûr, que chantent les coqs ; Jésus sait que son arrestation est imminente et tels qu'il connaît ses compagnons, tels qu'il les a vus depuis des jours balancer entre effroi et fanfaronnade, il sait aussi, très bien, qu'ils vont le lâcher ; Judas, le premier, n'est-il pas déjà sorti ? Un Judéen pourtant, qui avait pris tous les risques pour le suivre et qui inspirait une telle confiance qu'il lui avait donné en garde leurs quatre sous...

Jésus poursuit son discours d'adieu. Il est sans illusions sur eux mais il leur fait confiance. Qu'ils lui fassent confiance aussi : il doit ouvrir la route, passer le premier ; il reviendra ensuite les chercher, il leur aura fait place dans la maison de son Père ; il sait sa mort toute proche mais manifeste une confiance totale en Dieu ; d'ailleurs son Père et lui ne font qu'un.

Alors Philippe, exprimant une attente que tant de femmes et d'hommes reprendront durant tant de siècles : « Montre-nous le Père et cela nous suffit. » Ce serait si simple, en effet...

La réponse fonde le christianisme : « Qui m'a vu a vu le Père. » Autrement dit, Dieu est cet homme qui vient avec eux de traîner par les routes et les chemins, acclamé, adulé parfois, et à d'autres moments moqué, méprisé, hué, presque lapidé, humilié, cet homme qui va souffrir jusqu'à la mort. Voilà Dieu. Et Jésus insiste : « Moi je suis dans le Père et le Père est en moi. » Puis : « Je ne vous laisserai pas orphelins (...). Je vous laisse ma paix (...). Que votre cœur ne se trouble ni s'effraie ! » Et enfin : « Levez-vous ! Partons d'ici ! »[25].

Lui, pour mourir. Eux, d'abord, pour dormir.

CHAPITRE XIV

Les procès

Ils sont partis. Voici venu le temps de la grande épreuve. La pire peut-être : celle de Gethsémani, l'agonie de Jésus.

Ils sont partis après avoir chanté le *Hallel*, l'action de grâces qui clôt le repas. Ils ont traversé les bas quartiers de Jérusalem, jusqu'au Cédron, un ruisseau la plupart du temps à sec qui se donne en avril des allures de torrent, charrie quelques jours des eaux sales et boueuses. La nuit n'est pas tout à fait tombée encore ; vers l'ouest s'effacent les rougeurs du ciel, à l'est la lune diffuse une pâle clarté ; elle éclairera bientôt toute cette nuit ; c'est le moment de la pleine lune, le 14 du mois de *nisan*.

Jésus ne leur a pas caché qu'ils partaient pour une sorte de combat. Jusqu'à présent, leur a-t-il dit, quand je vous ai envoyés en mission sans argent ni provisions, vous n'avez jamais manqué de rien ; c'est fini ; il faut prendre vos précautions. Et même : celui qui n'a pas de glaive, qu'il vende son manteau pour en acheter un. Ils lui ont fait remarquer qu'ils en avaient deux. Alors lui : « C'est assez[1]. »

Cette histoire de glaives a suscité, elle aussi, de très longs débats. Elle paraît en contradiction avec la thèse suivant laquelle Jésus est décidé à s'offrir en sacrifice pour effacer les péchés du monde. Certains ont voulu n'y voir qu'une métaphore, une façon de parler qui n'implique pas d'action concrète. Ainsi le P. M.-E. Boismard : « La mention du glaive à acheter doit probablement se comprendre au sens métaphorique : le cou-

rage d'engager la lutte contre les puissances du mal[2]. »
Mais on verra Pierre, plus loin, tirer l'épée. Et la bande
chargée d'arrêter Jésus sera munie d'armes, elle aussi.
« Ce qui laisse entendre, écrit l'Anglais S.G.F. Brandon (lequel veut toujours souligner les liens du mouvement de Jésus avec les zélotes), que Judas l'avait
prévenu (le grand prêtre) que les disciples étaient
munis d'armes et qu'il fallait s'attendre de leur part à
une vraie résistance[3]. »

A l'inverse, quand, lors de l'arrestation, Pierre voudra engager le combat, Jésus l'interrompra d'un « ça
suffit[4] » qui répondra au « c'est assez » de la mention
des deux épées.

Il est permis de supposer que Jésus ait été tenté de
se défendre en luttant avec des armes : il connaîtra
d'autres tentations à Gethsémani.

Gethsemani, *gethsamanei* ou *gethsemanei* signifient
en araméen[5] « moulin à huile » ou « pressoir » pour
les olives. Un petit domaine couvert d'oliviers et clos
d'une murette de pierres sèches, situé sur la route de
Béthanie, mais aussi de Bethphagé, où Jésus avait ses
habitudes.

Ils sont las, un peu tourneboulés, émus surtout par
la scène à laquelle ils viennent de participer, bousculés
par tous les jours d'épreuve qu'ils viennent de vivre.
Jésus en laisse une partie au repos : « Asseyez-vous
là » – dans une grotte, selon certaines traditions –,
poursuit sa route avec Pierre, Jacques et Jean, puis
fait halte à nouveau : « Mon âme est triste à en mourir !
Restez ici et veillez. » C'est le temps de l'épreuve. Il
s'éloigne, d'environ « un jet de pierre » – ce qui n'est
pas considérable – et ayant fléchi le genou, commence
à prier. Eux vont s'endormir. Lui entre dans une nuit
de souffrance et de combat[6].

Il faut ici signaler que les récits d'épreuves initiati-
ques, où le héros doit affronter la douleur, simplement
lutter contre le sommeil parfois, ce qui est un signe de
force spirituelle, sont assez fréquents dans l'imaginaire des peuples primitifs ou dans des textes de l'époque. En outre, un chiffre revient toujours dans le récit
évangélique et ceux qui vont suivre : les acteurs de

cette nuit, nous l'avons vu, sont répartis en trois lieux, Jésus est accompagné dans un premier temps par trois compagnons, il va dire trois prières, aller trois fois secouer les apôtres endormis, Pierre le reniera trois fois, Jésus passera devant trois séries de juges, trois croix seront érigées au Calvaire et enfin il ressuscitera au troisième jour. On peut y trouver un écho de nombreux récits mythologiques dont les héros sont soumis à trois épreuves avant d'être reconnus et glorifiés[7]. On peut y voir aussi une allusion à la Trinité. Mais il faut admettre que ce récit correspond à ce que les spécialistes appellent un « genre littéraire », celui de « l'épreuve ». Ainsi, le célèbre combat de Jacob avec l'ange, qui « se roula avec lui dans la poussière jusqu'au lever de l'aurore », le cogna si brutalement que « la courbe du fémur » se déboîta, et conclut par : « On ne t'appellera plus Jacob mais Israël (ce qui signifie probablement "Que Dieu se montre fort !") car tu as lutté avec Dieu et avec les hommes et tu l'as emporté[8]. » De même, Elie s'enfuit dans le désert, désespéré : « Les fils d'Israël ont abandonné ton Alliance, dit-il à Dieu, ils ont démoli tes autels et tué tes prophètes par l'épée ; je suis resté moi seul et l'on cherche à m'enlever la vie. » Comme Jésus, Elie avait choisi la solitude, laissant son serviteur sur le chemin. Mais Elie désirait la mort, et c'est un ange qui, loin de lui faire mordre la poussière, le réconforta[9]. Dans tous les cas, le personnage principal surmonte l'épreuve, va vers sa mission et son destin.

L'appartenance à ce genre littéraire, le fait que la prière de Jésus n'ait pas eu de témoin – ses trois compagnons, d'ailleurs écartés, s'étant endormis – ont suscité des doutes. Mais avant de quitter Pierre, Jacques et Jean, il ne leur a pas caché son angoisse et son effroi – lui, si assuré d'ordinaire – en citant un passage du psaume 42 : « Mon âme est triste à en mourir. » Or, ce psaume est un long gémissement de la créature persuadée d'être abandonnée – « Pourquoi m'as-tu oublié, pourquoi dois-je marcher, assombri sous l'oppression de l'ennemi, tandis que sont broyés mes os...[10] » – et enfin rassurée. En outre, il les a plusieurs fois réveillés ; il est donc permis de supposer qu'il leur a alors révélé, tout comme il leur avait cité le psaume 42, les affres qu'il subissait, les prières qu'il adressait à Dieu – « Tout T'est possible : que ce calice s'éloigne de moi » – et son acceptation finale : « Que Ta volonté soit faite, non la mienne. »

Dans plusieurs textes bibliques, le calice, ou la coupe, figure le destin que l'homme reçoit de la main de Dieu. Les deux phrases, celle du refus (« Que ce calice s'éloigne de moi ») et celle de l'acceptation, expriment donc qu'il y a confrontation, rencontre de deux volontés qui ne sont pas obligatoirement les mêmes. C'est un récit de tentation, mais dans lequel le diable n'intervient pas. Jusqu'à présent, Jésus a toujours été en accord total avec Dieu, parlant en son nom, finissant par se dire son Fils et assurant que quiconque le voyait voyait son Père. Et voilà non une opposition puisqu'il y a confiance totale – « Tout T'est possible », « Que Ta volonté soit faite » – mais une interrogation, un débat, un combat intérieur : « agonie » signifie « combat ».

Ce qui écarte (faut-il le souligner encore ?) la vision d'un Jésus marchant volontairement à la mort pour racheter les péchés des autres (une image familière au judaïsme de l'époque et que l'Eglise catholique développera beaucoup ensuite). La mort, il ne l'a pas souhaitée. Il en a ignoré longtemps le jour et l'heure.

Le combat qu'il va mener ce soir-là – combat douloureux qui montre bien que les Evangiles ne sont pas de simples apologies de Jésus – est solitaire.

Ses compagnons, braves bougres pourtant, dorment. A vue humaine, sa mission a échoué : les foules s'écartent de lui dès qu'il veut leur annoncer l'essentiel ; elles n'ont pas compris le sens de sa mission ; elles n'attendent de lui que miracles, magie, démonstrations de puissance ou prise de pouvoir. Il n'a plus le choix qu'entre la fuite et la mort. Surtout, il pressent, ou il sait, que l'on va tenter de le faire condamner officiellement pour des raisons politiques, comme agitateur, imposteur prétendant à la royauté, que l'on va tenter de passer sous silence les raisons religieuses de sa condamnation. C'est pourquoi, à en croire les Evangiles (mais il se peut que certains propos aient été ajoutés par la suite), durant tous les interrogatoires que lui feront subir juifs et Romains, il va lutter pour garder à sa mort son véritable sens, pour qu'on ne lui enlève pas, outre la vie que Marie lui a donnée, son identité. Il le répétera avec force : « Ma royauté n'est pas de ce monde [11]. » « Désormais, vous verrez le Fils de l'homme siéger à la droite du Tout-Puissant et venir sur les nuées du ciel [12]. » « Tu es donc le Fils de Dieu ? – Vous dites bien, je le suis [13]. » Au cours de ces allées et venues de prisonnier, torturé, entre juifs et Romains, il ne cherchera pas à sauver sa tête, il tentera d'aller jusqu'au bout de sa mission, d'éviter le truquage du procès, de se faire reconnaître. La mort est une violence qu'il subit, mais il va transformer sa Passion en action.

Là, pourtant, dans la nuit de ce jardin planté d'oliviers tordus, il n'est pas assuré d'y parvenir, pas certain de pouvoir s'expliquer, s'affirmer. Il peut craindre la mort anonyme, l'exécution sommaire, sans procès et sans phrases. Il est désarmé, tout à fait dépouillé. Or, comme l'écrit le P. Jacques Guillet [14], « s'il affirme dans cet état qu'il est le Fils de Dieu, c'est donc qu'entre Dieu et lui subsiste, inaccessible, invulnérable, un lien que nulle déception ne peut rompre, une intimité que nul ne peut forcer, une fidélité indestructible. Etre le Fils de Dieu, ce n'est pas, comme le veut Satan, comme l'imaginent les hommes, pouvoir compter sur les prodiges, être à l'abri du mal, s'imposer aux cœurs par la violence ; c'est n'attendre sa force que de la volonté du Père ; c'est quand tout lui crie que Dieu l'abandonne, pouvoir comme un enfant remettre son âme entre ses mains ».

Voilà ce que suggèrent les quelques lignes consacrées par Marc, Matthieu et Luc à cette agonie de Gethsémani. Les historiens, bien entendu, se sont interrogés à son sujet. Un rationaliste comme Guignebert, par exemple, s'est demandé « qui aurait pu voir et entendre, puis raconter, alors que la scène n'a que des témoins endormis [15] ». Mais c'est pour ajouter que les évangélistes n'avaient guère intérêt – du moins de son point de vue – à décrire une telle scène et qu'ils n'en auraient pas eu l'idée « si les disciples n'avaient pas le souvenir de l'état de trouble, d'anxiété, qu'elle cherche à exprimer ».

Cet état de trouble est si fort, à en croire le texte de Luc, que « sa sueur devint comme des gouttes de sang tombant à terre ». Un phénomène connu sous le nom d'hématidrose et dû au passage d'hémoglobine, la matière colorée du sang, dans la sueur[16]. Son caractère extraordinaire, « merveilleux », a frappé beaucoup d'esprits mais ne pose pas de problèmes particuliers aux historiens. Il est le signe, très rare, d'une extrême angoisse.

Jésus l'a surmontée quand, pour la troisième fois, il réveille ses compagnons : « Levez-vous ! Il est proche celui qui me livre. » Une troupe – une « foule », disent les évangélistes, toujours assez prompts, comme Flavius Josèphe et d'autres, à exagérer l'importance des rassemblements dans ce monde peu peuplé – entre dans le petit domaine de Gethsémani.

Ici se pose un problème capital. Qui vient arrêter Jésus ? Les évangélistes (sauf Luc) soulignent que ce sont des envoyés des grands prêtres et ajoutent, Jean, des pharisiens, les autres, les Anciens et les scribes. Bref, des agents de la caste sacerdotale, de l'aristocratie du Temple. Ce qui paraît dans la logique des événements. D'ailleurs, prêtres, scribes et Anciens sont responsables du maintien de l'ordre devant les Romains, aussi bien dans la ville que dans le sanctuaire. Ils ont donc envoyé la police du Temple, composée pour l'essentiel de lévites[17].

L'Evangile de Jean, lui, parle aussi d'une « cohorte », donc d'une troupe romaine importante : six cents hommes, commandée par un officier de rang élevé, un tribun. Un tel bataillon pour arrêter un homme qu'entourent seulement une dizaine de partisans ! Voilà qui paraît aussi douteux que la présence des pharisiens à ce moment. D'autant que Jean ne dit pas pourquoi et comment Pilate aurait confié ces légionnaires aux juifs.

Il est vrai, à l'inverse, que les Romains devaient être au courant des troubles, même limités, survenus depuis l'entrée de Jésus à Jérusalem. Ils sont généralement bien informés : on le voit dans les Actes des apôtres quand, Paul ayant été pris à partie par des juifs (notamment parce qu'il a introduit, croit-on, un Grec dans le Temple...), une cohorte menée par son tribun intervient aussitôt ; mais à ce tribun des indicateurs, des Orientaux un peu portés à l'exagération, ont dit : « Tout Jérusalem est sens dessus dessous. » Ce qui explique l'importance de la troupe [18].

Il est vrai aussi que les Romains, au moment de l'arrestation de Jésus, devaient être sur les dents, comme d'ordinaire lors de la Pâque, d'autant que des troubles venaient de se produire, au cours desquels, on l'a vu, Barabbas avait été arrêté « avec les émeutiers qui avaient commis un meurtre dans la sédition [19] ». Bref, une intervention romaine, dès ce moment, n'est pas invraisemblable. On peut même supposer que les légionnaires de garde, ayant remarqué le passage des hommes du Temple, porteurs de lanternes et de torches selon le même Jean, soient venus s'informer. Mais pas en si grand nombre.

Il ne s'agit pas d'une discussion secondaire sur un minuscule point d'histoire. Cette question ouvre en effet le grand débat, que nous retrouverons et dont les répercussions furent multiples et graves, sur les responsables de la condamnation et de la mort de Jésus : les juifs ? Les Romains, et par eux toutes les nations ?

Les voilà donc. Judas s'approche de Jésus, se penche pour l'embrasser. Qu'un disciple baise la main de son maître est habituel. En outre, le baiser de paix est d'usage courant lors d'une rencontre en Orient. Mais Judas, précisent les évangélistes, a donné ce signe de reconnaissance à ceux qui l'accompagnent : « Celui que je baiserai, c'est lui. » Ce qui confirme que Jésus est encore peu connu à Jérusalem, que les événements des jours précédents n'ont pas déplacé des foules ni gravement perturbé l'ordre public.

Les compagnons de Jésus esquissent alors un début de résistance. L'un d'eux, Pierre selon le texte de Jean, coupe même l'oreille d'un serviteur du grand prêtre nommé Malchus, nom très répandu à l'époque. Mais Jésus met rapidement un terme à ces velléités de lutte. Il n'est pas question de déclencher une émeute. Non parce qu'ils sont inférieurs en nombre, mais parce qu'il ne souhaite évidemment pas prendre le pouvoir. Et si ses compagnons alors l'abandonnent, ce n'est pas seulement par peur, pas seulement parce qu'ils ont le sentiment que leur mouvement, leur organisation, va s'effriter, éclater, se dissoudre, c'est aussi sans doute parce que le malentendu s'est prolongé jusque-là : ils attendaient une intervention divine en faveur de Jésus, ils attendaient que celui-ci passe à l'action. Et puis, rien. Si ce malentendu a réellement existé, et la suite des événements le laisse supposer, alors Pierre et les autres – peut-on oser l'écrire ? – ne sont pas tellement éloignés de Judas.

Parmi ceux qui se sauvent alors figure, selon Marc, un anonyme sur lequel on s'est beaucoup interrogé : « Un jeune le suivait aussi, vêtu d'un drap sur son corps nu, ils l'arrêtent. Mais, lâchant le drap, il s'enfuit nu[20]. » Certains ont pensé qu'il s'agissait de Lazare, allant jusqu'à imaginer que celui-ci aurait été un des Douze, connu sous un autre nom[21]. Rien ne confirme cette hypothèse. On peut très bien supposer que l'arrestation de Jésus ait eu d'autres témoins que les forces dites de l'ordre. On peut surtout voir dans l'insistance de Marc à signaler ce détail un symbole. A plusieurs reprises, les évangélistes indiquent que des malades, la femme qui souffrait d'hémorragies par exemple, ont été guéris en touchant simplement le manteau de Jésus. Le vêtement est signe de puissance, la nudité de pauvreté absolue, d'impuissance. Le même Marc d'ailleurs signale qu'au matin de la résurrection, quand trois femmes vont au tombeau pour embaumer le corps de Jésus, elles y trouvent un « jeune homme », anonyme également, qui les informe de l'événement miraculeux. Et il précise qu'il est vêtu d'une robe blanche[22]. Luc, lui, parle de deux hommes, les autres évoquent des anges, mais ils insistent tous sur leur vêtement, « blanc comme neige », « éblouissant » ou simplement « blanc »[23].

Voilà Jésus aux mains de la caste sacerdotale. On pourrait presque dire du clan puisqu'on le mène d'abord non chez le grand prêtre en titre, Caïphe, mais, dit Jean (peu contesté sur ce point), chez Anne, ou Anan (les orthographes varient beaucoup), un personnage qu'en d'autres temps et sous d'autres cieux on surnommerait peut-être « le Parrain ». Il ne jouit pas d'une excellente réputation, cet Anne, c'est le moins que l'on puisse dire. Son image n'est pas aussi blanche que la fine tunique dont il se vêt, que le turban traversé de fils d'or dont il se couvre.

Il n'est plus le grand prêtre qui pénètre dans le Saint des Saints, mais il a conservé ce titre. Bien des gens importants de la caste sacerdotale le portent, même s'ils n'exercent pas de fonction déterminée dans le Temple[24], et Anne peut s'en prévaloir plus que beaucoup d'autres. Il a été *le* grand prêtre de longues années, s'accommodant du vieil Hérode et des Romains, échappant à leurs ruses, tissant ses réseaux et parvenant, quand les Romains finirent par se débarrasser de lui, à transmettre sa charge à ses fils ou à son gendre Caïphe.

Aucune raison juridique ne justifie que l'on présente Jésus à Anne. Veut-on honorer celui-ci en lui amenant ce Galiléen avant de le faire comparaître devant le Sanhédrin ? A-t-il lui-même souhaité rencontrer ce personnage qu'on lui présente comme si dangereux ? L'Evangile de Jean (assez bien informé, semble-t-il, des procès qui vont suivre) ne permet pas de répondre à ces questions. Quoi qu'il en soit, ce passage chez Anne montre que les comploteurs réunis chez Caïphe, qui ont depuis des jours décidé la mort de Jésus (voir ci-dessus, p. 179), ne s'embarrassent pas outre mesure du respect des règles et des formes.

Jésus ne manque pas de le souligner. « Pourquoi m'interroges-tu ? » demande-t-il à Anne. Si celui-ci

221

voulait seulement connaître son enseignement, il pouvait questionner ceux qui l'ont entendu prêcher : « C'est en public que j'ai parlé au monde. Toujours j'ai enseigné à la synagogue et dans le Temple où tous les juifs se réunissent ; et je n'ai rien dit en cachette[25]. » Pour le reste, Jésus récuse l'autorité du vieil homme : « Pourquoi m'interroges-tu ? » Si bien qu'un policier du Temple, outré, le gifle. Nouvelle entorse aux règles : il est strictement interdit de frapper un inculpé. Les gardiens de Jésus ne s'en priveront pas, après qu'on leur aura laissé le prisonnier[26]. Jésus est déjà condamné.

C'est ce que pense, aussi, le dernier des disciples qui ait suivi Jésus, Pierre. Il est arrivé jusqu'à la demeure du grand prêtre Anne. Il est même entré dans la cour grâce, précise Jean, à un « autre disciple (qui) était connu du grand prêtre ». Il s'agissait, pensent quelques auteurs, de Nicodème : membre du Sanhédrin, il était de son devoir de faire comparaître tout témoin dans le procès qui allait s'ouvrir ; il lui était donc possible de faire pénétrer dans la demeure d'Anne, proche de celle de Caïphe, qui il voulait[27]. Il paraît certain en tout cas que le mouvement de Jésus ait disposé de sympathies, ou au moins d'un informateur, au sein du Sanhédrin. C'est ainsi que Pierre put passer là une partie de la nuit, au milieu des policiers et du petit personnel, avant d'être reconnu, de nier par trois fois et de fuir en pleurant.

Le coq a chanté. L'aube est venue. Jésus est emmené chez Caïphe. Voici l'heure du jugement. Mais qui va juger Jésus ? Cette fois encore, il semble bien que les formes ne seront pas respectées. Luc, Matthieu et Marc indiquent que Jésus a été emmené au Sanhédrin, Haute Cour de justice de soixante et onze membres, qui avait possédé bien des pouvoirs avant l'occupation romaine et qui ne gardait que le droit – considérable, certes, chez les juifs – de juger en matière religieuse. L'Evangile de Jean, lui, ne fait aucune mention du Sanhédrin. Et bien des spécialistes doutent que celui-ci ait tenu, à cette occasion, une session plénière et régulière. Pour plusieurs raisons : le procès devait se tenir non chez le grand prêtre mais dans l'enceinte du Temple (exactement dans la « chambre de la pierre taillée ») ; il fallait surseoir à l'exécution d'une condamnation par le Sanhédrin pendant vingt-quatre heures au moins, ce qui ne fut pas le cas ; les droits de la défense auraient dû être respectés, ce qui ne le fut pas non plus ; Jésus n'a pas été enterré dans l'un des deux endroits prévus par le Sanhédrin pour les condamnés à mort. Si les pharisiens, dont certains étaient membres du Sanhédrin, avaient participé à la réunion chez Caïphe, ces rigoureux auraient sans doute exigé l'application stricte de ces règles. Comme ils le firent en l'an 62, quand le grand prêtre sadducéen Ananias convoqua le Sanhédrin sans les en avertir, afin de condamner Jacques, frère de Jésus, et quelques autres chrétiens : ayant démontré que la session était illégale puisqu'ils en avaient été exclus, ils obtinrent que le grand prêtre soit suspendu de ses fonctions[28]. Les pharisiens ne sont d'ailleurs jamais cités par Marc, Matthieu et Luc lors des procès de Jésus. On peut cependant se demander pourquoi, s'ils n'ont pas été convoqués par Caïphe, ils n'ont pas protesté, comme le feraient en 62 leurs successeurs.

Il est difficile de conclure. Un point demeure clair : ceux qui ont envoyé Jésus à Pilate en le déclarant coupable, ceux qui ont mené le jeu étaient les mêmes qui avaient déjà décidé sa mort, ceux que l'on appellerait dans un parlement le (ou les) groupe(s) de la majorité : dans ce cas, les sadducéens, avec la complicité peut-être de quelques pharisiens, la passivité en tout cas de la plupart. Le P. François Refoulé explique : « Les Evangiles ont eu tendance à reporter toute la responsabilité de la mort de Jésus sur les pharisiens – sans doute parce que, à l'époque de leur rédaction, après 70, les sadducéens avaient disparu et que les pharisiens étaient devenus hostiles aux disciples de Jésus. Pourtant, les sadducéens ont dû être en fait les véritables ennemis de Jésus. Ils étaient du reste les plus nombreux à siéger au Sanhédrin[29]. » Or, pour porter une condamnation, la présence de vingt-trois juges (sur un total de soixante et onze) était suffisante.

Voici Jésus devant ceux qui ont déjà juré sa perte. Ils l'interrogent, pour la forme, font venir des témoins. La règle impose de trouver au moins deux témoignages concordants[30]. Ils finissent par en dénicher deux qui répètent ses propos sur la ruine du Temple. Jésus se tait. Il répondra, en revanche, et de manière positive, quand Caïphe, solennel, lui demandera s'il est le Fils de Dieu, le Christ, le Fils du « Béni » (les Evangiles utilisent les trois expressions). Il ajoutera : « Vous allez voir le Fils de l'homme assis à la droite de la Puissance venir avec les nuées du ciel. » Ce qui a un sens précis : pour ceux qui l'écoutent, Israël devrait recevoir de Dieu, un jour, le pouvoir de juger toutes les nations. Jésus leur dit que c'est lui, il se place donc au-dessus du peuple élu.

Voilà un double blasphème. Mais pour amener Jésus chez Pilate, un motif politique serait préférable. Dans ce monde où le religieux et le politique sont si étroitement liés, forment parfois les deux faces d'une même réalité, il est facile de déduire des réponses positives de Jésus une prétention à être le Messie. Et cela concerne les Romains. Directement[31].

Pourquoi les sadducéens ont-ils voulu faire condamner Jésus par les Romains ? La réponse le plus communément admise est que les juifs n'avaient plus le *jus gladii*, le droit de condamner à mort. Selon Flavius Josèphe, c'est en l'an 6 que ce droit leur avait été retiré. Ce qui est confirmé, entre autres, par une *baraïta* – une formule juridique – du *Talmud*[32].

C'est, en tout cas, une bonne astuce politique que de présenter Jésus au procurateur romain venu à Jérusalem pour la Pâque, un gage de bonne volonté donné aux occupants. Comme l'a dit Caïphe : « Mieux vaut qu'un homme meure pour le peuple et que la nation entière ne périsse pas. » Caïphe se comporte en somme comme certains gouvernants collaborateurs au temps de l'occupation de l'Europe par les nazis : il donne des gages, fût-ce au prix du déshonneur ; ce qui lui importe, c'est de sauver le corps de la nation, dût-elle y perdre son âme. Il n'ignore pas, certes, que livrer un juif aux Romains lui sera reproché par ses compatriotes, mais celui-ci est galiléen, son mouvement connaît des crises successives, la manifestation de sympathie qu'il a déclenchée en entrant dans Jérusalem n'a pas eu de suites, les vendeurs et les changeurs ont repris place dans le Temple, tout est rentré dans l'ordre, les risques sont limités.

Pilate. Voilà un homme dont la tradition chrétienne, inspirée par les évangélistes, a donné une fausse image : celle d'un personnage plutôt mollasson, incertain et hésitant, désireux de sauver Jésus, mais ne souhaitant guère affronter les juifs qui souhaitaient sa mort. Or, le procurateur Pontius, ancien officier de cavalerie, surnommé Pilatus, selon certains parce qu'il avait été décoré d'un *pilum* (javelot d'honneur), était tout le contraire : un intransigeant, antisémite, dur et têtu. Le philosophe juif Philon d'Alexandrie cite une lettre du roi juif Agrippa Ier à l'empereur romain Caligula (qui régna de 37 à 41), lettre probablement rédigée par Philon lui-même au nom du souverain et qui accusait Pilate – peut-être avec excès mais quand même... – de fraude, violence, vol, tortures, offenses, exécutions sans jugement et « cruautés constantes et intolérables [33] ».

Depuis qu'en 63 avant notre ère la Palestine était entrée dans l'empire des Romains, ceux-ci avaient appliqué des politiques diverses, hésitant entre centralisation et décentralisation, administration directe et indirecte. A l'époque de Jésus, ils avaient placé à la tête de l'administration et des légions locales un procurateur aux pouvoirs assez limités, même s'il les cumulait avec ceux de préfet [34] : il dépendait du légat de Syrie et surtout des légions que celui-ci pouvait lui envoyer en renfort en cas d'insurrection ; les autorités juives avaient en outre latitude d'en appeler à l'empereur de Rome contre le procurateur, et il arrivait que celui-là leur donnât raison contre celui-ci. Pilate lui-même fut démis de ses fonctions par le gouverneur de Syrie à la suite d'une insurrection armée des Samaritains.

Les Romains se montraient d'ordinaire respectueux des rites religieux des peuples qu'ils soumettaient. Mais ils tentaient de les assimiler. Rome, écrit Robert Aron, « adopte les dieux étrangers, elle les gratifie du même genre de protectorat qu'elle impose aux populations : sur les autels demeurés autochtones, elle fait verser des libations latinisées. Ce sont des dieux "satellites"[35] ». Dans les débuts de l'occupation romaine, la religion juive avait pu être pratiquée très librement. Les occupants exploitaient le pays, notamment par la fiscalité (les soulèvements commençaient la plupart du temps par des refus de payer l'impôt), mais ils respectaient la sensibilité religieuse des juifs. Lorsque des légionnaires commettaient des profanations ou des actes portant offense au judaïsme, ils étaient mutés, voire punis de mort. Les légions romaines en manœuvres évitaient la Judée pour ne pas y déployer les étendards portant les portraits des empereurs divinisés.

Les Romains, et la plupart des peuples de leur empire, méprisaient pourtant les juifs. Dans une page tristement célèbre, leur historien Tacite qualifiera, à peu près un siècle plus tard, le peuple d'Israël de « race abominable » et de « méprise des dieux »[36]. Aux yeux des Romains, des Grecs et de leurs voisins, qui adorent des dizaines de divinités, les juifs sont en effet des athées. Avec leur sabbat et leurs rites de purification, ils se distinguent beaucoup trop des autres nations antiques. Et déjà, on lance une accusation qui resurgira sous des formes diverses au long des siècles : le complot juif. Un notable d'Alexandrie, directeur d'un gymnase (fonction considérable dans la cité antique sous influence grecque), nommé Sidorros, intente un procès au roi juif Agrippa Ier devant l'empereur Claude car, dit-il, les juifs « s'efforcent de précipiter le monde entier dans un état de trouble » et conspirent contre la paix romaine. Agrippa Ier aura bien du mal à se défendre de cette accusation.

Pilate partage peu ou prou ces sentiments. Il a été nommé en Palestine par Séjan, bras droit de l'empereur Tibère et antisémite notoire. Il va faire du zèle. Ses prédécesseurs s'étaient abstenus d'envoyer en garnison à Jérusalem des troupes portant des enseignes ornées de symboles sacrés et considérées comme objets de culte. Lui ne s'en prive pas mais, se croyant rusé, les fait entrer de nuit dans la ville. Les juifs, bien sûr, s'en aperçoivent vite. Ils marchent jusqu'à Césarée, y restent six jours en une manifestation non violente, une sorte de *sit-in* devant son palais, jusqu'à ce qu'il cède. D'autres incidents les opposent. Un jour, Pilate, soucieux de pourvoir aux énormes besoins en eau de Jérusalem quand les pèlerins y affluent, décide de construire un aqueduc. Pour le financer, il puise directement dans le trésor du Temple, ce qui provoque des troubles graves[37]. L'Evangile de Luc fait allusion à la mort de pèlerins galiléens « dont Pilate avait mêlé le sang à celui de leurs victimes[38] », ces victimes étant des animaux sacrifiés.

Tel est l'homme que va affronter Jésus, épuisé par une nuit d'interrogatoires, de coups et de tortures. La police du Temple et les émissaires du grand prêtre l'ont traîné jusqu'au prétoire, le lieu où le préteur (un magistrat dont la fonction est remplie, sous l'empire, par le gouverneur de la province) rend ses arrêts et qui correspond souvent à sa résidence. Ils ne veulent pas y pénétrer, de crainte de se souiller : sa résidence « païenne » est à leurs yeux un lieu impur et la Pâque est proche. C'est donc lui qui sort, qui va vers eux, fort mécontent sans doute d'être dérangé. Sa courte tenue de cuir et ses bottines laissent les jambes à peu près nues, il a agrafé une pèlerine à l'épaule. Il les écoute. Ils accusent Jésus, comme prévu, de se prétendre roi des juifs, ajoutant, pour faire bon poids, qu'il prêche la révolte et empêche les bons citoyens de payer l'impôt[39].

Selon Jean, le plus prolixe et toujours le mieux renseigné sur cette affaire, toujours prêt aussi à en rajouter un peu pour faire de la théologie, le Romain fait alors entrer Jésus au prétoire, ce qui ne gêne guère ses accusateurs : peu importe que celui-ci se « souille » puisqu'il est déjà condamné.

Pilate : « Tu es le roi des juifs ? »

Jésus : « Dis-tu cela de toi-même ou d'autres te l'ont-ils dit de moi ? »

Pilate : « Est-ce que je suis juif ? »

Ce n'est pas son affaire, cette histoire ne l'amuse pas, si proche de la Pâque, alors que tant de pèlerins, donc tant d'émeutiers en puissance, sont rassemblés dans la ville. Mais voilà : « Ta nation et les grands prêtres t'ont livré à moi. Alors, qu'as-tu fait ?[40] »

Une fois encore, Jésus saute sur l'occasion d'expliquer qui il est vraiment, cherche à éviter que ne soit dénaturé le sens de sa mort, si mort il doit y avoir : « Ma Royauté n'est pas de ce monde. Si ma Royauté était de ce monde, mes gardes auraient combattu pour que je ne sois pas livré aux juifs. » Que ce soit clair : il récuse l'accusation politique portée contre lui. Et un peu plus tard : « Je suis venu dans le monde pour cela : rendre témoignage à la vérité. Quiconque est de la vérité entend ma voix. » Voilà le sens de sa mission : il n'est pas venu pour s'offrir en sacrifice, mais afin de dire qui est Dieu en vérité.

Pilate : « Qu'est-ce que la vérité ? » Parole d'un sceptique, peut-être. Mais aussi d'un Romain, pour qui la vérité n'est que le réel, le matériel et qui connaît suffisamment les Grecs pour en avoir assez de leurs éternelles discussions théoriques sur le sujet. Autant dire qu'à ses yeux la vérité n'existe pas. Et cette histoire ne le passionne décidément guère. Il va s'en débarrasser.

Il se trouve qu'Hérode Antipas, dont Jésus, Galiléen, est le sujet, est venu lui aussi à Jérusalem pour la Pâque. Pilate ne l'aime pas. Peut-être (car, selon une thèse minoritaire, cette affaire est postérieure à l'exécution de Jésus) à cause d'une histoire de boucliers portant le nom de l'empereur, déifié, que le procurateur avait fait poser aux murs de la ville ; ce qui avait déplu aux juifs, aux côtés desquels Hérode s'était rangé ; et Pilate avait dû capituler. Envoyer Jésus à Hérode, c'est se décharger d'une histoire ennuyeuse et en même temps lui tendre un piège.

Voilà Jésus chez Hérode. Il passe de main en main, jouet de toutes les cruautés, conscientes ou inconscientes, victime de toutes les haines, de tous les calculs, de toutes les bêtises. Hérode Antipas, qui est hanté encore par le souvenir de l'assassinat de Jean le Baptiseur – au point d'avoir cru que celui-ci est ressuscité en Jésus –, désire depuis longtemps voir celui-ci. Il ne se dérobe pas. Il va enfin pouvoir l'interroger. Mais Jésus, lassé ou méprisant, ne lui répond pas. Les envoyés de la caste sacerdotale vocifèrent. Alors le roitelet de Galilée, qui ne manque pas de sens politique, rend la politesse à Pilate en lui renvoyant Jésus. Coup double : il montre au procurateur en quel respect il tient son pouvoir et il donne satisfaction aux accusateurs de Jésus. Ce qui ne lui coûte pas cher : ce Jésus paraît inoffensif, isolé, voire un peu ridicule. Les gardes, d'ailleurs, pour le ridiculiser un peu plus, le couvrent d'un manteau écarlate, font de lui un roi de Carnaval.

Le triste va-et-vient continue. Voici Jésus de nouveau chez Pilate. Lequel détient déjà dans la forteresse Antonia au moins trois prisonniers, enchaînés, parmi lesquels Barabbas, ce rebelle qui vient d'être arrêté lors d'une émeute violente. Une coutume (indiquée par les évangélistes, mais dont l'existence n'est pas vraiment assurée) veut que chaque année, pour la Pâque, le procurateur romain accorde sa grâce, et la liberté, à un prisonnier juif [41].

Ce jour-là des groupes de juifs viennent justement demander à Pilate la libération de ce Barabbas, peut-être considéré, depuis cette émeute, comme une sorte de héros ou comme une victime innocente de la répression romaine. Que ces gens se soient rassemblés dans ce but, et non à cause du procès de Jésus, c'est ce qu'on peut déduire de l'Evangile de Marc : « A chaque fête, il leur relâchait un prisonnier, celui qu'ils demandaient. Or, il y avait en prison le nommé Barabbas, arrêté avec les émeutiers qui avaient commis un meurtre dans la sédition. La foule étant montée se mit à demander la grâce accoutumée [42] ».

Cette foule semble donc ignorer, en se groupant, qu'elle aura à choisir entre Barabbas et Jésus. Elle vient demander à Pilate de relâcher Barabbas, ou l'un de ses compagnons. Pilate, qui souhaite probablement leur crucifixion, mais qui n'est pas pressé de la voir accomplir, qui veut attendre pour procéder à l'exécution la fin des fêtes et le départ des pèlerins, trouve en Jésus une excellente occasion de satisfaire la foule en libérant un juif, tout en gardant les enchaînés de la forteresse Antonia, qu'il juge bien plus dangereux.

Selon Matthieu, il donne donc le choix aux gens qui se pressent là entre Jésus et Barabbas. Mais Marc et Luc (Jean ne faisant aucune allusion à l'épisode Barabbas) indiquent que Pilate propose simplement de relâcher celui qu'il appelle, par dérision, « le roi des juifs ». C'est alors que ses interlocuteurs, poussés par les grands prêtres, les sadducéens, le clan Anne-Caïphe, demandent (comme ils l'avaient prévu, selon Marc) de libérer plutôt Barabbas. Les sadducéens jouent bien : en poussant à la libération de Barabbas, ils se concilient, au moins pour un temps, une foule qui les déteste et aux yeux de laquelle ce personnage fait figure de héros ou de victime innocente ; et du même coup, ils empêchent Pilate de se débarrasser de Jésus, ils l'obligent à se prononcer sur son cas.

Ce cruel n'hésitera pas. Quand « les grands prêtres et les gardes » (seuls, selon Jean), la foule excitée par eux (selon les trois autres textes) demandent la crucifixion de Jésus, il le leur abandonne, il laisse faire. Peu lui importe la vie de ce juif. D'autant que le clan d'Anne revient à la charge. En invoquant, dit Jean, la Loi : « Nous avons une Loi et selon la Loi il doit mourir, parce qu'il s'est fait Fils de Dieu. » Puis en passant au chantage : « Si tu relâches cet homme, tu n'es pas ami de César (l'empereur). Quiconque se fait roi s'oppose à César. » Voilà un argument politique auquel Pilate est sensible. Certes, les juifs comptent parmi les plus indisciplinés de tous les peuples de l'empire. Mais ils ne sont jamais les derniers à se plaindre à Rome de ce qu'ont fait, chez eux, les préfets ou les procurateurs qui les gouvernent. Méfiance. Ces gens-là sont bien capables de lui attirer des ennuis. Tant pis. Que meure ce Jésus puisqu'ils le veulent. Barabbas, il le retrouvera bien un jour : il suffit, après sa libération, de le faire suivre par quelque indicateur.

(Si l'on met en doute la coutume qui faisait obligation au procurateur de libérer un prisonnier pour la Pâque, il est possible de donner une autre version de cet épisode : Barabbas aurait été relâché à peu près à la même époque où Jésus était condamné et exécuté ; l'Evangile de Marc, en effet, dit qu'il avait été « arrêté avec les émeutiers qui avaient commis un meurtre dans la sédition », ce qui peut laisser supposer qu'il n'y ait pas directement participé ; les évangélistes, plus tard, auraient mis en concordance les deux faits : Jésus, tout à fait innocent, est condamné ; l'autre, peut-être innocent mais probablement coupable, est libéré ; ainsi se trouvait démontrée l'injustice du sort fait à Jésus.)

Les criards, à en croire les Evangiles, ont demandé une crucifixion. C'est une exécution à la romaine : les juifs, d'ordinaire, lapident. Le procurateur, qui en a assez de toute cette histoire, laisse donc Jésus entre les mains de ses légionnaires. Marc et Matthieu placent ici une scène d'outrages, que Luc et Jean situent au contraire lors de la comparution devant Hérode. Il est impossible de trancher. Mais l'épisode est certainement vrai, tant il est habituel.

Les autres peuples tournaient volontiers en dérision l'attente d'un Messie par les juifs. Le philosophe Philon d'Alexandrie raconte que lors de la visite d'Agrippa Ier, roi des juifs, dans cette ville, quelques années après la mort de Jésus, les habitants se saisirent d'un malade mental nommé Karabas : ils le couronnèrent de roseaux, le vêtirent de paille, lui firent une escorte de jeunes gens portant des bâtons en manière de lances et le saluèrent en criant : « *Marin !* » (forme araméenne de *Maran*, qui signifie « Seigneur »)[43]. Il existe d'autres cas de ce genre.

Jésus, disent les Evangiles, fut ainsi couronné d'épines. Il portait un manteau écarlate. On lui avait mis un roseau dans la main en guise de sceptre, et les soldats faisaient mine de s'agenouiller devant lui en criant : « Salut, roi des juifs ! » Il était épuisé, presque à bout de vie déjà puisque Pilate l'avait fait flageller. Or, la flagellation était un terrifiant supplice, exécuté avec des *flagra*, des chaînettes de fer terminées par des osselets et des boules de plomb. Elles ne déchiraient pas seulement la peau, mais les chairs, et il arrivait qu'on en mourût [44].

C'est donc un demi-cadavre que l'on va pousser, traîner, jusqu'au lieu de l'exécution.

Qui est, en définitive, responsable de cette condamnation ? La caste sacerdotale, certes. Mais pas seulement. Les Evangiles, du moins les textes dont nous disposons, ont été écrits à une époque où les premières communautés chrétiennes se heurtaient à l'opposition des juifs, qui les considéraient comme hérétiques. Ces communautés entendaient aussi convertir les autres peuples et, si elles voulaient prendre pied dans d'autres pays, elles devaient éviter de se heurter au pouvoir impérial. Pour ces deux raisons, les textes tendent à rejeter le poids de la faute sur les juifs et à excuser les Romains. Le portrait d'un Ponce Pilate incertain et hésitant que tracent les Evangiles est ainsi, on l'a vu, contredit par d'autres sources, non chrétiennes.

L'idée se développera en outre dans ces communautés que le rejet du Messie par le peuple d'Israël correspond à la volonté de Dieu [45] et elles verront dans la ruine de Jérusalem, en 70, une sorte de punition contre un peuple responsable de la mort de Jésus et qui ne veut pas s'ouvrir à son message. Cette tendance anti-juive, est, il est vrai, parfois tempérée : ainsi Pierre, parlant à des juifs de Jérusalem, leur dit : « Frères, je sais que c'est par ignorance que vous avez agi, ainsi d'ailleurs que vos chefs [46]. » De même Luc et Jean distinguent parmi les juifs, lors de la comparution devant Pilate, les chefs responsables et le peuple.

La plupart des spécialistes aujourd'hui insistent sur la responsabilité de Pilate. Leur opinion peut être résumée par ce texte du P. Xavier Léon-Dufour : « Sur le plan juridique, une étude littéraire minutieuse ne laisse subsister aucun doute : la condamnation et l'exécution de Jésus doivent être imputées à Pilate. Or ce procès fut injuste et Jésus était manifestement innocent du crime allégué contre lui. Moralement parlant, Pilate est donc objectivement coupable : il ne devait pas céder à la pression des autorités juives, et cela même s'il jugeait cet homme dangereux. Pilate est donc injuste, par lâcheté ou négligence. Toutefois, la culpabilité essentielle retombe sur Caïphe et sa clique de grands prêtres, car ce sont eux qui ont remis Jésus à Pilate [47]. »

Résumons. A la question : Qui est responsable de la condamnation de Jésus ? on peut répondre : Tous les acteurs de ce drame, et au premier chef le clan d'Anne ainsi que Pilate.

CHAPITRE XV

Mort et résurrection

Il se traîne par les étroites venelles, les ruelles bordées d'échoppes, envahies de pèlerins et d'habitants de la ville affairés aux derniers préparatifs de la fête. La rumeur a rôdé ; les curieux, les forcenés aussi, des compatissants et des fidèles au cœur brisé sont accourus : on va crucifier le Galiléen.

Il se fraie un chemin dans cette petite foule, ployant sous la poutre qu'il porte, éclaboussé parfois, au détour d'une voie, par le soleil qui sèche et brûle le sang de ses plaies. Des soldats vont devant – « Place, place ! » – et jouent un peu du bâton pour écarter les badauds, les railleurs et les apitoyés[1].

Il tombe. Alors le centurion qui mène le défilé et qui devra tout à l'heure constater la mort, dresser l'acte d'état civil, se saisit d'un pèlerin arrivé de la campagne, un certain Simon, originaire de Cyrène, en Afrique du Nord, dans l'actuelle Libye, une ville où les juifs sont nombreux. Exiger des pèlerins juifs un service humiliant – et celui-ci en est un ! –, les Romains aiment ça[2]. Le centurion est sans doute pressé d'en finir, d'échapper à cette foule aux réactions imprévisibles, d'arriver au plus tôt au Golgotha, une butte rocheuse couverte de jardins et de tombeaux, aux portes de la ville, dont les Romains ont fait le lieu des exécutions[3].

Ce supplice de la croix, que la caste sacerdotale a suggéré à Pilate, ce sont les Romains qui en ont généralisé l'usage. D'autres l'avaient inventé, les Perses peut-être. L'empire en a fait la peine réservée aux révoltés ayant raté leur coup, à condition qu'ils ne fussent pas citoyens romains : elle eût été trop infamante pour eux. Au siècle précédant celui de Jésus, six mille esclaves parmi ceux qui s'étaient révoltés sous les ordres de Spartacus et avaient plusieurs fois vaincu les légions romaines furent ainsi crucifiés, formant une immense haie de douleur et d'opprobre sur la route de Capoue à Rome.

La mort par crucifixion était atroce, le plus terrible et le plus cruel des châtiments, dit Cicéron [4]. On plantait un pieu dans le sol et quand le supplicié arrivait, portant une autre pièce de bois, le *patibulum*, on la fixait avec lui sur le pieu, pour former le plus souvent un T. Les condamnés étaient d'ordinaire attachés avec des cordes. Mais on utilisait aussi des clous. On a retrouvé près de Jérusalem les ossements d'un homme crucifié à l'époque de Jésus dont les pieds, posés l'un sur l'autre, étaient attachés au bois (au pieu, car il n'exista pas de support pour les pieds avant le IIIe siècle) d'un seul clou [5].

La victime était ainsi maintenue au bord de la suffocation, tentait de reprendre souffle en s'appuyant sur les pieds – ce qui la blessait un peu plus – ou sur une sorte de sellette inclinée qui soutenait un peu les fesses et en même temps les coupait, la *sedula*. Elle mourait, non en raison des hémorragies causées par les clous plantés dans les avant-bras et les pieds, mais d'étouffement et d'épuisement. Et si elle survivait trop longtemps, les Romains lui brisaient les tibias, ce qui lui interdisait définitivement de prendre appui sur les pieds.

Sur le pieu auquel on allait attacher Jésus, Pilate avait fait apposer une plaquette de bois portant le motif de la condamnation, le *titulus*, comme il était de règle. Elle était, précise Jean, rédigée « en hébreu, en latin et en grec » et portait ces mots, par dérision : « Jésus de Nazareth Roi des Juifs », en latin : « *Iesu Nazarenus Rex Iudeorum* », INRI. Les grands prêtres n'avaient pas apprécié, semble-t-il, et tenté auprès du procurateur une démarche de plus, lui demandant de faire inscrire plutôt : « Il a dit : "Je suis le roi des juifs." » Mais l'autre, lassé et pas mécontent d'insister sur la raison politique de la condamnation – à bon entendeur, salut –, heureux d'humilier ce peuple aussi, se borna à répondre : « Ce qui est écrit est écrit. » Les Romains ont toujours aimé les phrases en forme de sentence.

Voilà que Jésus arrive au Golgotha, tiré, traîné, « porté » selon Marc[6], comme si l'aide de Simon de Cyrène n'avait pas suffi, épuisé donc, à bout. On lui offre à boire, du vin mêlé de myrrhe[7]. C'était la coutume, et elle avait pour but d'engourdir le condamné et d'atténuer ses souffrances. Jésus trempe seulement ses lèvres dans le vase et refuse de boire. « Il préféra quitter la vie dans la parfaite clarté de son esprit[8] », écrit Renan.

Les soldats, alors, le déshabillent. C'est une autre coutume romaine : il s'agit d'humilier une dernière fois celui qui va mourir. Ses menues dépouilles (les *pannicularia*) sont données en prime aux exécuteurs[9].

Ils le crucifient.

Aucun des quatre textes, ici, ne fournit le moindre détail. Ils se limitent à ces mots : « Ils le crucifièrent. » Comme si le scandale de ce supplice infamant coupait la parole à ceux qui ont transmis l'histoire, retenait la main de ceux qui l'ont écrite.

Ils le crucifient. Il n'est pas seul à l'être. Deux « brigands », selon Marc et Matthieu, deux « malfaiteurs », pour Luc, deux anonymes non précisément qualifiés, pour Jean, sont suppliciés avec lui. Beaucoup ont tendance à voir en eux, aujourd'hui, des révoltés, des compagnons de Barabbas peut-être, des condamnés politiques en tout cas. L'un d'eux trouve la force de joindre ses injures à celles de la foule. L'autre, au contraire, selon le seul Luc, se rallie à lui, le reconnaît pour ce qu'il est vraiment. L'épisode est contesté, mais chargé d'espérance. Luc présente ainsi tout le récit de la Passion comme un combat où Jésus marque des points et dont il sort, en fin de compte, victorieux [10].

Les croix, contrairement à ce que l'on pense d'ordinaire, sont assez basses. Elles émergent à peine d'une foule disparate où se mêlent badauds et adversaires acharnés, pèlerins arrivant de la côte (le Golgotha est au bord de la route qui y mène) et une poignée de fidèles. Des femmes seulement semblent avoir eu ce courage. Aucun des textes ne cite un seul disciple. Sauf Jean, lequel indique la présence de « celui que Jésus aimait » et de Marie, mère de Jésus. La présence de celle-ci au pied de la croix est ignorée par les trois autres, ce qui pose question, surtout si l'on songe à ce que Luc et Matthieu ont écrit à son propos dans les Evangiles de l'enfance. Cependant, les Actes des apô-tres[11], dont l'essentiel du texte, pense-t-on, est du même auteur que l'Evangile de Luc, signalent la pré-sence de Marie et des frères de Jésus parmi ceux qui, dès l'annonce de la résurrection, se réunissent pour prier avec les principaux disciples...

Au pied des croix, d'autres crient. Des injures le plus souvent. Nées de la haine chez les uns, de la déception chez les autres : de ce que Jésus a dit, ils ont conclu qu'il allait établir un royaume terrestre, régner sur un monde parfait. Et le voilà agonisant, affaissé comme une loque, impuissant, presque anéanti. Alors renaît le même défi – puisque tu es si fort, montre-le en te sortant de là –, le même contresens sur le message que Jésus a voulu propager.

Les légionnaires romains ont un truc, une recette de grognards pour résister aux fortes chaleurs et aux soifs torturantes. Ils boivent de la *posca*, de l'eau aci-dulée au vinaigre. Ils doivent toujours en avoir sur eux : c'est le règlement. Ils ont pitié de ce mourant. L'un d'eux en imbibe une éponge, l'enfile sur un roseau et la porte ainsi jusqu'aux lèvres desséchées et sanguinolentes de cette victime au visage tuméfié.

Le soleil est au plus haut.

Jésus, avant ou après avoir pris quelques gouttes de cette *posca*, a crié : « *Eloï, Eloï, lama sabachtani ?* » C'est de l'araméen et ce cri signifie : « Mon Dieu, mon Dieu, pourquoi m'as-Tu abandonné ? » Cri de dé-tresse ? Les commentateurs chrétiens soulignent tous qu'il s'agit du premier verset du psaume XXII, un texte qui commence en effet comme un appel au secours :

Mais moi, je suis un ver et non plus un homme,
Impuni par les gens, rejeté par le peuple.
Tous ceux qui me voient me raillent ;
Ils ricanent et hochent la tête :
« Tourne-toi vers le Seigneur !
Qu'Il le libère, qu'Il le délivre
Puisqu'Il l'aime ! » [12].

Mais le psaume se poursuit par la louange de Dieu, qui a répondu à cette supplication :

Tu m'as répondu !
Je veux redire ton nom à mes frères
Et Te louer en pleine assemblée :
Vous qui craignez le Seigneur, louez-Le !
Vous tous, race de Jacob, glorifiez-Le !
Vous tous, race d'Israël, redoutez-Le !
Il n'a pas rejeté ni réprouvé un malheureux dans la
                                        misère ;
Il ne lui a pas caché sa face ;
Il a écouté quand il criait vers Lui [13].

On doit noter la similitude, la correspondance entre les propos de dérision tenus par les juifs, selon les Evangiles, et une partie de ce psaume : « Qu'Il le libère, qu'Il le délivre puisqu'Il l'aime ! » De toute évidence, les auteurs des textes du Nouveau Testament ont voulu démontrer que tout se passait conformément à ce qu'avait prévu l'Ancien. Il est difficile de considérer ce cri de Jésus comme un fait historique, même si Marc et Matthieu ont signalé un détail qui, comme le disent certains spécialistes, « fait réel » : entendant cet « *Eloï, Eloï* », des badauds qui, probablement, ne comprenaient pas l'araméen se sont demandé si le supplicié appelait le prophète Elie.

L'après-midi s'avance. Voilà bientôt six heures que Jésus a été accroché à la croix [14]. Au Temple commencent les cérémonies de préparation à la fête. On va égorger les agneaux pour le repas pascal.

Au Golgotha, c'est la fin. « Tout est achevé », crie Jésus. A l'exception de Luc, toujours préoccupé de montrer la Passion comme une victoire, les évangélistes ne mettent dans la bouche de Jésus aucune formule de louange de Dieu. Comme pour signifier qu'il était homme au point de mourir dans l'angoisse et les plus grands tourments.

Jésus meurt.

« La lumière est venue dans le monde et les hommes ont préféré les ténèbres à la lumière [15]. »

Jésus meurt.

Pour les juifs les mieux disposés à son égard, c'est une preuve supplémentaire, s'il en fallait une, qu'il n'est pas Dieu. Dans le dialogue entre Justin, philosophe chrétien qui sera martyrisé, et le juif Tryphon, dialogue écrit vers le milieu du IIe siècle [16], ce dernier dit au chrétien : « Il y a quelque chose d'incroyable à vouloir démontrer que Dieu a enduré d'être engendré et de se faire homme. » Et aussi : « Vous mettez votre espoir en un homme crucifié. » Les premiers chrétiens, d'ailleurs, tous juifs, étaient embarrassés par cette crucifixion, signe de malédiction divine.

Jésus meurt et le centurion qui a présidé à l'exécution s'écrie, suivant une version : « Vraiment, cet homme était Fils de Dieu ! » Suivant une autre : « Vraiment, cet homme était juste ! » Ce qui ne doit pas être interprété, semble-t-il, comme l'annonce d'une conversion soudaine : dans le monde du centurion, influencé par la culture grecque, « Fils de Dieu » était une expression familière pour désigner un grand homme, un héros humain [17]. Mais il est possible aussi que l'évangéliste soit lui-même l'auteur de ce propos, qu'il l'ait ajouté dans le but d'exprimer sa propre foi.

Jésus meurt et, selon Marc, le voile du Temple se déchire. Matthieu ajoute que la terre tremble, que des rochers se fendent, des tombeaux s'ouvrent d'où sortent de nombreux « saints endormis », soudain ressuscités, qui se manifestent à des habitants de Jérusalem. Il ne s'agit évidemment pas de faits historiques. Le voile du Temple (qui séparait le lieu saint, où les prêtres brûlaient régulièrement de l'encens, du Saint des

Saints, où seul le grand prêtre pénétrait une fois l'an) ne s'est pas déchiré ; pas plus que la terre n'a tremblé, et ainsi de suite. Nous sommes en présence de ce que les spécialistes appellent un théologoumène (voir ci-dessus, p. 35). Ce qui concerne le voile du Temple signifie que désormais la foi n'a plus pour centre le Temple, mais le Christ (il faut noter d'ailleurs que les premiers juifs chrétiens continuèrent dans un premier temps d'aller au Temple ; le texte de Marc est postérieur à cette pratique). Ce qu'ajoute Matthieu va plus loin. Tous les événements qu'il évoque se réfèrent à des textes des Ecritures qui annoncent la fin du monde actuel et l'avènement d'un monde nouveau [18], que la résurrection, pour lui, va inaugurer [19].

Jésus meurt et, selon Jean, les légionnaires brisent les jambes des deux hommes qui ont été suppliciés avec lui, afin de hâter leur mort et d'en terminer au plus vite ; Jean ajoute qu'ils s'en abstiennent pour Jésus, mais lui percent le côté, d'où sortent « du sang et de l'eau ». Le coup de lance n'était pas réglementaire et l'on n'en saisit pas bien le sens, puisque les soldats avaient déjà constaté la mort de Jésus. Sans doute s'agit-il pour l'évangéliste, une fois encore, de démontrer que tout était prévu par les Ecritures : « Ils verront celui qu'ils ont transpercé [20]. » Quant aux jambes, que les mêmes soldats s'obstinent à briser, il faut souligner avec Jean-Paul Roux [21], auteur de travaux d'érudition sur les religions orientales, que de nombreuses légendes primitives mettaient en scène des hommes, voire des animaux, ressuscités pourvu que leurs os soient intacts, non brisés. « Une immense fraction de l'humanité, écrit J.-P. Roux, pressentait qu'un dieu-agneau mourrait, auquel on ne briserait pas les os, et ressusciterait. »

Jean, qui explique que les soldats n'ont pas brisé les jambes de Jésus pour la simple raison qu'il était déjà mort, Jean, qui insiste (mais il est probable que cette phrase soit un ajout postérieur) – « et celui qui a vu a rendu témoignage, et véridique est son témoignage, et celui-là sait qu'il dit vrai, afin que vous croyiez, vous aussi [22] » –, Jean ajoute aussitôt : « Car cela est arrivé afin que fût accomplie l'Ecriture : "On ne lui brisera pas un os"[23]. » Il s'agit toujours de démontrer que tout était prévu.

Sauf la croix.

Alors intervient un notable juif, membre du Sanhédrin, originaire d'Arimathie (au nord-ouest de Jérusalem), assez riche pour posséder un jardin et un tombeau (ce qui était rare) aux portes de la ville et sympathisant du mouvement de Jésus[24]. Il demande à Pilate d'enlever le corps pour éviter qu'il ne soit jeté dans la fosse commune des condamnés à mort (Marc écrit qu'il « entra » chez Pilate, ce qui serait une transgression de la Loi juive, interdisant, sous peine de souillure, de fouler le sol d'une maison « païenne »).

Cette intervention de Joseph d'Arimathie suit de très près la mort puisque le centurion n'a pas encore eu le temps de donner son rapport à Pilate, lequel le fait appeler pour qu'il lui confirme que c'est fini. Puis, pour une fois magnanime, il accorde la faveur demandée.

Nicodème va aider Joseph d'Arimathie : c'est l'heure des notables, des gens pourvus de relations, capables de se faire entendre de la plus haute autorité du pays. Les compagnons habituels de Jésus, paysans, pêcheurs, percepteur, sont réduits au silence et sans doute au désespoir. Seules assisteront à la mise au tombeau quelques femmes, toujours fidèles et courageuses (mais aucun texte ne signale expressément Marie, la mère de Jésus).

Nicodème a amené de la myrrhe et de l'aloès, « environ cent livres » selon Jean (la livre romaine équivalait à trois cent vingt-sept grammes). La myrrhe, gomme-résine, combinée avec l'aloès[25], servait aux embaumements, lesquels étaient réservés à la classe aristocratique. Ayant embaumé le corps du supplicié, Nicodème et Joseph l'enveloppent dans un linceul ou une tunique de lin. Il existe un débat de traducteurs à ce sujet[26]. Si l'on conclut que c'est d'une tunique de lin qu'il s'agit, les textes évangéliques peuvent avoir voulu suggérer que – le grand prêtre portant une tunique de lin – Jésus est le nouveau grand prêtre.

Plus tard, selon Matthieu, une nouvelle délégation de la caste sacerdotale (à laquelle il joint cette fois les pharisiens) alla trouver Pilate pour lui demander de placer des gardes auprès du tombeau, de crainte que les disciples de Jésus ne dérobent le corps afin de prouver qu'il était ressuscité, comme il l'avait annoncé. Pilate, sans doute excédé par toutes ces histoires, le leur accorda.

Cet épisode ne peut se situer au moment indiqué. Une démarche chez Pilate « le lendemain qui est après la Préparation, donc le jour du sabbat, est impensable », écrit Gilles Becquet[27]. Deux interprétations sont possibles. Ou bien la démarche a été effectuée à un autre moment, mais on voit mal où celui-ci se situerait, la mise au tombeau – dont cette délégation était informée, à en croire ce texte – n'ayant pu se faire qu'à la dernière minute avant le sabbat. Ou bien il s'agit pour Matthieu de réfuter à l'avance les objections contre l'annonce de la résurrection. C'est de loin le plus probable. Il s'agit pour lui de montrer que le corps, bien gardé, n'a pu être volé.

Matthieu se montre en effet le moins prolixe des quatre sur les apparitions de Jésus. Mais il raconte que les sentinelles de garde auprès du tombeau, ayant constaté – après un tremblement de terre – que la pierre qui le fermait était « roulée », ayant aussi vu apparaître « l'ange du Seigneur », en firent rapport aux grands prêtres (ce qui paraît surprenant pour des légionnaires romains). Ceux-ci leur ordonnèrent – bakchich à l'appui – d'affirmer que les disciples de Jésus avaient enlevé le corps. Avec cette assurance : si l'affaire venait aux oreilles de Pilate, eux, les grands prêtres, se chargeraient de « l'amadouer » pour éviter tout ennui aux soldats ainsi passés du camp de leurs chefs à celui de la caste sacerdotale. « Les soldats, ayant pris l'argent, exécutèrent la consigne, poursuit Matthieu, et cette histoire s'est colportée parmi les juifs jusqu'à ce jour. »

Il s'agit donc bien pour lui de répondre aux rumeurs

et de convaincre les sceptiques, d'argumenter contre ceux qui ne peuvent croire à l'incroyable : la résurrection.

C'est l'aube. Marie-Madeleine n'y tient plus. Elle ne pouvait pas bouger pendant la fête, le sabbat. Ce qu'a fait tout au long de ces longues heures cette fidèle entre les fidèles, jeune femme du village de Magdala que sept mauvais esprits – sept – avaient harcelée avant qu'elle ne rencontrât Jésus, ce qu'elle a pensé, ce qu'elle a cru tout au long de ce sabbat, nul ne saurait le dire. Sans doute a-t-elle conclu qu'une fois encore la mort a le dernier mot et qu'elle est la seule issue à la vie puisque ce matin-là, alors que le soleil s'élève à peine au-dessus des monts de l'est, commence tout juste à projeter des rousseurs sur la ville, elle se précipite vers le tombeau de Jésus. Sans espoir d'assister à quelque incroyable événement : simplement, avec les autres femmes qui ont suivi de bout en bout la marche de Jésus vers la mort, elle a préparé des parfums et des aromates, peut-être parce qu'elle juge que l'embaumement du cadavre a été trop précipité, incomplet, peut-être parce qu'une coutume veut que le troisième jour[28] on rende visite aux morts pour leur offrir des aromates.

Elle n'espère rien. Elles n'espèrent rien, ces fidèles. Et voilà qu'elles trouvent la pierre roulée, que des personnages vêtus de blanc – comme le jeune homme de Gethsémani – leur disent que ce Jésus dont elles cherchent le corps ne se trouve pas là, pour la simple et claire raison qu'il est vivant. Dans la version de Jean, les blancs messagers n'ont même pas le temps d'annoncer à Marie-Madeleine que Jésus est ressuscité. A peine leur a-t-elle dit : « Ils ont enlevé mon Seigneur et je ne sais où ils l'ont mis » – elle n'imagine pas un instant qu'il vive encore – qu'elle regarde en arrière, voit un personnage qu'elle prend pour le jardinier, qu'elle soupçonne même d'avoir contribué à l'enlèvement du corps et qui se fait enfin reconnaître. C'est lui, Jésus. Et il la charge de mission : qu'elle prévienne les autres. Ce qu'elle s'empresse de faire, ravie, épanouie, libérée [29]. Toute bonne nouvelle provoque une traînée de joie – on voit, dans ces récits, les uns annoncer aux autres : « Il est vivant », dans une chaîne de vie qui fait symétrie à la chaîne de mort des procès où les puissants se passaient Jésus de main en main.

« Il est vivant. »

Cette affirmation va bouleverser l'histoire du monde. Pourtant, elle est incroyable pour bien des femmes et des hommes, même parmi les admirateurs de Jésus et de son message.

Cette affirmation, que peuvent en dire les historiens ? Aucun ne soutient, péremptoire, que Jésus est ressuscité. Aucun non plus, du moins parmi les gens sérieux, ne peut affirmer qu'il ne l'est pas.

L'étude des textes, pourtant, l'analyse du contexte aussi permettent d'apporter au moins quelques fragments de réponse, quelques clartés.

Un premier point doit être mentionné : l'idée de résurrection était assez familière aux juifs. Pour eux, le retour de prophètes comme Elie ou Moïse n'aurait rien eu de surprenant [30]. Hérode Antipas, on l'a vu, a cru un moment que Jésus n'était autre que Jean-Baptiste revenu du séjour des morts [31]. Et quand Marc, Matthieu ou Luc racontent les résurrections de la fille de Jaïre ou du fils de la veuve de Naïm, ils ne semblent pas les juger plus prodigieuses que les autres miracles. De même Jean, quand il fait le récit de la résurrection de Lazare. Il est vrai que, dans ces cas, il ne s'agit que de survie, de prolongation de la vie. Alors que, pour Jésus, il ne s'agit pas de réanimation après un arrêt des fonctions vitales, mais de vie nouvelle, autre [32]. Luc, parfois, préfère appeler Jésus le « vivant » plutôt que le « ressuscité ».

Ce premier point souligné, entrons dans le débat. A l'appui de leur affirmation de la résurrection de Jésus, les auteurs du Nouveau Testament apportent un fait – le tombeau vide – et des témoignages.

Les textes évangéliques racontent de manières diverses et quelque peu contradictoires la découverte du tombeau vide. Des contradictions qui, pour certains spécialistes, « sont un puissant indice de la réalité des faits [33] ». Des gens qui auraient, pour fortifier la foi des premières communautés chrétiennes, monté de toutes pièces cette histoire se seraient arrangés, pensent ces spécialistes, pour en coordonner les récits. Mais on peut aussi plaider que ces contradictions sont gênantes.

Deux de ces textes, cependant, ont davantage retenu l'attention : celui de Jean et celui de Luc. Comme on le sait, les Evangiles ont eu des rédactions successives (voir ci-dessous, p. 259). Or, les versets de Jean et de Luc relatifs au tombeau vide [34] sont considérés par la majorité des critiques comme très anciens, archaïques, proches de l'époque des faits [35], alors que le récit de Marc est postérieur [36]. Mais il existe d'autres textes anciens qui n'évoquent à aucun moment le tombeau vide : ceux de Paul, qui sont proches de l'époque des faits, eux aussi.

Une autre indication intéressante est fournie par le récit de Jean. Il montre Pierre et le disciple « que Jésus aimait » arrivant au tombeau après avoir été informés par Marie-Madeleine. Une scène qui « sent le réel », dont certains détails n'ont pas été relatés, d'évidence, pour démontrer quoi que ce soit : on y voit ainsi Pierre distancé par l'autre qui, arrivé le premier au tombeau, hésite à entrer et attend son aîné. Celui-ci, pénétrant dans le trou du rocher, y trouve « les bandelettes gisantes et le linge qui était sur sa tête, non pas gisant avec les bandelettes, mais roulé à part, dans un endroit [37] ». On peut discerner dans cette précision, par comparaison avec la résurrection de Lazare, un symbole : ce dernier était sorti du tombeau encore entouré des linges qui avaient servi à l'ensevelir ; Jésus, lui, est vraiment passé dans un autre monde, libéré, délié. Mais on peut aussi y trouver un indice historique : si les compagnons de Jésus, ou d'autres, étaient venus précipitamment enlever son corps, ils n'eussent pas pris le temps de défaire les linges qui le couvraient.

La plupart des spécialistes aujourd'hui concluent que le tombeau était vraiment vide. On voit mal d'ailleurs comment Pierre et ses compagnons auraient pu, ensuite, annoncer la résurrection à Jérusalem si les habitants de la ville avaient été en mesure de rétorquer : mais enfin, c'est impossible, le cadavre est encore là, dans le tombeau de Joseph d'Arimathie ! Les mêmes spécialistes admettent que le tombeau vide ne constitue pas une preuve : la lecture du texte de Matthieu (voir ci-dessus, p. 242) montre bien qu'était répandue, dans la ville, une version suivant laquelle les disciples avaient enlevé le cadavre. Autre hypothèse : Marie-Madeleine, qui n'aurait assisté que de loin à l'inhumation, aurait pu se tromper de tombeau. Deux ensevelissements auraient pu avoir lieu : l'un provisoire, dès la mort de Jésus, parce qu'il fallait en terminer rapidement avant les fêtes, et l'autre définitif, ailleurs, dès la fin du sabbat.

Le tombeau vide peut donc être considéré seulement comme une pièce intéressante du dossier.

Il s'est même trouvé des croyants pour pousser ce paradoxe : la découverte des ossements de Jésus, disent-ils, ne les empêcherait pas de croire à la résurrection, car on ne peut définir le corps par la seule matière ; il est aussi et d'abord capacité de communication avec autrui et avec l'univers ; il peut exister un « corps spirituel », auquel Paul fait d'ailleurs allusion : « Nous ressuscitons avec un corps spirituel[38]. » Mais on quitte ici le domaine de l'histoire pour celui de la philosophie et de la théologie.

Examinons à présent les témoignages sur la résurrection. Comme les récits de la découverte du tombeau vide par Marie-Madeleine, ils sont contradictoires : Matthieu et Marc situent les apparitions de la Pâque en Galilée, Luc et Jean à Jérusalem. Cela ne suffit pas à les disqualifier, mais pose question, si l'on essaie d'établir une chronologie : les compagnons de Jésus ne pouvaient se trouver à la même époque dans deux régions éloignées de quatre jours de marche[39].

Les récits d'apparitions, en outre, ont toujours la même structure, en trois temps. Le premier, c'est l'arrivée, le surgissement de Jésus là où on ne l'attendait pas (même si les portes sont fermées) et qui n'est pas reconnu d'emblée. Deuxième temps : la reconnaissance. Jésus donne aux femmes ou à ses compagnons des signes, presque des mots de passe, qui prouvent son identité, qui montrent aussi qu'il n'est pas un fantôme (il offre à Thomas l'incrédule de le toucher ou mange du poisson grillé avec eux). Troisième temps : il les charge de mission en leur promettant l'aide de l'Esprit Saint.

Il s'agit donc d'un genre littéraire. Ce qui pose également question, mais ne permet pas de conclure à la non-existence des apparitions : les rédacteurs de ces textes souhaitaient, on le sait, démontrer et non relater à la manière d'un historien ou d'un journaliste d'aujourd'hui. L'exemple de l'Evangile attribué à Luc est à cet égard significatif : il situe toutes les apparitions à Jérusalem ou dans les environs (Emmaüs) le même jour ; or les Actes des apôtres, qui sont sans doute du même auteur, affirment que Jésus « pendant quarante jours leur était apparu (aux disciples) et les avait entretenus du Royaume de Dieu [40] ». Ce chiffre quarante est suspect, dans la mesure où il est symbole de plénitude, mais le passage d'un à quarante montre bien que ces auteurs-là se soucient peu de certains détails : ce qui importe pour eux, c'est de souligner que Jésus est apparu à ses compagnons. Et il faut remarquer que, pour une fois, ils ne font guère allusion aux Ecritures afin de démontrer que tout était prévu. Comme s'ils avaient été bousculés par l'imprévu, justement.

Il existe un autre témoin, qui ne figurait pas parmi les compagnons de Jésus, lui : c'est Paul. Son texte est le plus ancien de tous, le plus proche des faits, on l'a dit. Il s'agit de la première lettre aux chrétiens de Corinthe. On peut la dater avec une certaine précision, grâce à une inscription grecque découverte à Delphes, qui reproduit une autre lettre, adressée à cette même ville par l'empereur Claude. La lettre de Claude fut écrite, les archéologues ont pu l'établir, en avril ou en mai 52, et elle mentionne la présence en Grèce du proconsul Gallion, frère du philosophe Sénèque, devant lequel Paul comparut[41]. Le premier séjour de Paul à Corinthe se situerait donc à cette époque, et il aurait rencontré Gallion entre juillet et octobre 51[42]. Que disait-il alors aux Corinthiens ? Il le rappelle dans sa lettre : « Je vous ai donc transmis tout d'abord ce que j'avais moi-même reçu, à savoir que le Christ est mort pour nos péchés selon les Ecritures, qu'il a été mis au tombeau, qu'il est ressuscité le troisième jour selon les Ecritures, qu'il est apparu à Céphas, puis aux Douze. Ensuite, il est apparu à plus de cinq cents frères à la fois – la plupart d'entre eux vivent encore et quelques-uns sont morts ; ensuite il est apparu à Jacques, puis à tous les apôtres. Et en tout dernier lieu, il m'est apparu à moi aussi comme l'avorton[43]. »

Laissons de côté ce que Paul a, comme il dit, « reçu » concernant « la mort pour nos péchés », qui correspond plus à ce que croyaient les premiers chrétiens qu'aux paroles de Jésus. L'intéressant, pour le problème qui nous est posé, est ailleurs : voilà un homme qui témoigne d'événements survenus moins de vingt ans plus tôt et qui ont changé sa vie. Ce témoignage est donc important.

La mention des « cinq cents frères » à qui Jésus serait apparu « à la fois » peut toutefois susciter quelques doutes : s'agirait-il d'une sorte d'extase collective ?

Les apparitions aux apôtres peuvent aussi trouver, à l'extrême rigueur, leur explication dans une sorte d'aboutissement des rêves, des espoirs et des désirs : une chose est souhaitée avec tant de force que l'on finit par se la représenter, être persuadé de l'avoir vue. Mais ce n'est pas le cas de Paul qui, lorsqu'il partit pour Damas, ne respirait toujours « que menaces et carnage à l'égard des disciples du Seigneur[44] ».

Les historiens ne peuvent pourtant asseoir une certitude sur un tel témoignage, si important soit-il ; seulement une présomption : une explication psychologique est en effet toujours possible.

Le débat sur la résurrection a été également ouvert d'autres manières.

On a suggéré par exemple que Jésus n'était pas mort

sur la croix, que la hâte de Joseph d'Arimathie et de Nicodème à le mettre dans ce tombeau – non hermétique – n'avait pour but que de préserver ce qui lui restait de vie, qu'ils ont procédé en somme à un simulacre d'enterrement. Au XVIIIe siècle, un théologien du nom de Karl Friedrich Bahrdt a même suggéré que ce Joseph et Nicodème étaient liés aux esséniens, lesquels seraient à l'origine de cette mise en scène : ce qui expliquerait l'apparition au tombeau de deux personnages vêtus de blanc, l'habit traditionnel des membres de cette secte[45]. Mais à supposer que Jésus soit encore vivant alors, ils n'ont pas pu lui porter secours pendant tout le sabbat. L'hypothèse, qui ne s'appuie sur aucun indice précis, est difficilement recevable.

Une rumeur plus étrange, qui a circulé dans les milieux juifs, met la disparition du corps de Jésus au compte de Judas, « homme pieux et sage », qui « l'avait livré à ses ennemis à la fête de Pâque. Jésus fut lapidé et pendu au gibet ; mais ce même Judas, ayant enlevé du tombeau le corps du maître, l'ensevelit dans un jardin, sous un ruisseau dont il avait auparavant détourné les eaux, il rendit ensuite au ruisseau son cours naturel de sorte qu'on ne put retrouver le corps de Jésus le magicien[46] ».

L'interprétation juive la plus courante, dans les premiers temps, a été, bien sûr, l'enlèvement du corps par les disciples. Mais ni les grands prêtres ni les Romains ne semblent avoir pris l'initiative de le faire rechercher. Et si les disciples l'avaient caché, auraient-ils tous accepté le martyre, la torture, en gardant le silence ?

Renan, qui pense aussi que le corps avait été enlevé, mais se demande par qui, conclut que « nous ignorerons à jamais » d'où est née la foi en la résurrection. Il ajoute, faisant allusion aux « sept démons » qui avaient harcelé Marie-Madeleine avant qu'elle rencontre Jésus : « Disons cependant que la forte imagination de Marie de Magdala joua dans cette circonstance un rôle capital. Pouvoir divin de l'amour ! moments sacrés où la passion d'une hallucinée donne au monde un Dieu ressuscité ! » [47].

En suggérant ainsi la thèse de l'hallucination – qui aurait été ensuite partagée par d'autres –, Renan met en lumière un fait important : le rôle des femmes dans cet épisode décisif. Ce sont des femmes à qui Jésus apparaît d'abord : Marie de Magdala, et aussi, selon Luc, une autre Marie, la mère de Jacques, et Jeanne, plus quelques autres qu'il ne nomme pas. Tout ce monde alla annoncer la bonne nouvelle aux apôtres, « mais ces propos leur parurent du radotage et ils ne croyaient pas en elles [48] ». Bien entendu : à leurs yeux, ce sont des histoires de bonnes femmes. Peu d'époques et de sociétés ont accordé un grand crédit aux femmes. Celles-là ne faisaient pas exception : bien au contraire. Et il est remarquable que Jésus, à la différence des *rabbi* qui circulaient alors en Palestine, ait toujours été entouré de femmes, qu'elles l'aient accompagné, seules, jusqu'à la mort et qu'elles aient été les premiers témoins de la disparition de son cadavre.

Ce dernier point est d'une grande importance. Car il met à mal l'hypothèse, mille fois répétée au cours des siècles, d'une opération montée par les compagnons de Jésus, qui auraient fait disparaître le corps avant d'annoncer la résurrection. S'ils avaient voulu monter une telle opération d'intoxication, une telle manipulation, comme on dit aujourd'hui, ils auraient choisi d'autres messagers que des femmes. Faire annoncer la résurrection de Jésus par des femmes, quelles qu'elles soient, était le plus sûr moyen de ne pas être cru. Saint Paul d'ailleurs, misogyne bien de son temps, mais surtout prudent et soucieux de convaincre, se garde bien de parler de ces apparitions aux femmes quand il annonce que Jésus est vivant. Le moins futé des compagnons de Jésus aurait compris qu'il était préférable, pour mettre sur pied une telle supercherie, d'utiliser comme messager un notable comme Nicodème, ou Joseph d'Arimathie, ou un autre membre plus ou moins clandestin du réseau de Jésus à Jérusalem, ou même le premier homme venu, qui eût été entendu plus aisément qu'une femme, fût-elle l'épouse de l'intendant Chouza.

Bien entendu, ce fait ne constitue qu'un motif de crédibilité, une présomption, et non une preuve de la résurrection. Des preuves, il n'en existe pas, aux yeux des historiens.

Alors ?

Alors, en ces jours-là, deux hommes marchaient vers Emmaüs, à quelques kilomètres de Jérusalem, on ne sait trop où. Vers Emmaüs, c'est-à-dire vers le néant, le lieu des espoirs perdus. Ils n'en pouvaient plus, ils étaient à bout de rêves et d'enthousiasmes. Ils s'étaient donnés au mouvement de Jésus, donnés tout entiers, certains qu'ils délivreraient le monde du mal, Israël de l'aristocratie du Temple et des Romains. Dans le mouvement de Jésus ils n'occupaient pas les premières places, ils faisaient partie de ces anonymes qui appelaient les bonnes gens à venir écouter le Maître, qui organisaient ses déplacements, qui contenaient parfois ses auditeurs, réconfortaient ceux qui n'avaient pu l'approcher de près, lui parler ou toucher son manteau. Ils n'en demandaient pas plus. Ils étaient prêts à tout sacrifier pour l'aider. Et voilà. Tout était terminé. Il était mort sans avoir tenté de se défendre, et tous ces gens qu'ils avaient vus se presser autour de lui, qu'ils devaient repousser avec vigueur parfois, l'avaient abandonné. Les chefs du mouvement de Jésus eux-mêmes, ses compagnons les plus proches, ceux qu'il avait choisis comme un état-major, ses confidents, s'étaient cachés, effrayés, désespérés. On racontait même que Pierre, toujours prêt à se mettre en avant pourtant, toujours prêt à parler pour les autres, avait juré, certifié qu'il ne connaissait pas Jésus.

Voilà, c'était fini. Ils avaient cru participer à une aventure unique, qui donnerait à leur vie un sens lumineux, qui leur ouvrirait, et ouvrirait à tous, un avenir de joie et de bonheur. Et il ne leur restait qu'à remâcher leurs regrets, leurs rancunes, leurs remords.

Un autre homme les rejoignit, leur fit raconter leurs peines et leur malheur. Un homme qui savait, chose rare, écouter. Puis qui leur expliqua l'histoire du monde en commençant par Moïse et les prophètes. Leurs cœurs, réchauffés, s'ouvraient. Leurs esprits, plus lents, ne le reconnurent qu'au moment où, ayant partagé avec eux le pain, il disparut.

Alors ils rebroussèrent chemin, sortirent des ténèbres et du néant pour regagner Jérusalem.

Ceux qu'ils retrouvèrent là étaient aussi désespérés. Quelques pauvres bougres qui s'étaient montrés lâches et renégats. Une poignée de paysans, de pêcheurs, qui avaient bien quelques relations parmi les notables, mais beaucoup de ceux sur lesquels ils auraient cru pouvoir compter s'étaient faits tout petits, avaient disparu. Ils ne pourraient demeurer plus longtemps dans cette ville hostile. Il leur faudrait s'échapper, de nuit, le dos courbé, la rage et la mort au cœur.

Or, ces hommes couchés se sont relevés, et ils ont tout affronté pour proclamer que Jésus était vivant, et la meilleure preuve, c'était qu'ils l'avaient vu et qu'ils avaient même mangé avec lui.

Ce qu'ils disaient n'était pourtant pas une preuve. La meilleure preuve, ce sont ces hommes eux-mêmes, ces moins que rien, ces poltrons à demi illettrés qui allaient affronter tous les périls, ressusciter le mouvement de Jésus, répéter partout des paroles d'amour et de libération, qui ne seraient pas beaucoup entendus, mais qui transformeraient quand même l'histoire du monde.

Il s'est donc passé quelque chose, en ces jours-là, comme une explosion, un surgissement de foi, qui a changé ces hommes. Ils ont dit que ce « quelque chose », c'était leur rencontre avec Jésus vivant, ressuscité, et ils l'ont redit jusqu'à en mourir. Personne ne peut le jurer preuves à l'appui. Chacun a le droit d'en douter. Le Dieu qu'a annoncé Jésus respecte la liberté des hommes jusqu'à leur permettre de douter de Lui ou de Le rejeter.

L'histoire ne peut dire si Jésus est vivant ou si, au contraire, il est mort à jamais le 7 avril 30. Ce qu'elle peut dire, pourtant, c'est qu'il s'est passé quelque chose en ces jours-là, un événement qui, bouleversant ces hommes et ces femmes, a bouleversé le monde.

APPENDICE

Les sources

« Nous ne pouvons rien savoir de la vie et de la personnalité de Jésus parce que les sources chrétiennes en notre possession, très fragmentaires et envahies par la légende, n'ont manifestement aucun intérêt sur ce point et parce qu'il n'existe aucune autre source sur Jésus[1]. »

Cette affirmation du luthérien allemand Rudolf Bultmann, qui date de 1926, fit alors grand bruit.

Bultmann et d'autres auteurs allemands considéraient que les quatre Evangiles, relativement tardifs, éloignés dans le temps des faits qu'ils racontaient et des paroles qu'ils rapportaient, étaient comme des compilations de récits et de traditions postérieurs à ces faits, où se mêlaient histoires édifiantes, anecdotes, propos réels ou maximes prêtées à Jésus, et qui avaient été peu à peu déformés par les premières communautés chrétiennes, dans une intention certes fort louable : témoigner de leur foi. Celles-ci auraient donc troublé, transformé l'image de leur Seigneur.

Etait-il donc impossible d'écrire l'histoire de Jésus ? Certains le déduisirent un peu rapidement des thèses de Bultmann, lequel aimait les formules abruptes, si bien que la pensée de ce croyant fut simplifiée. Car il pensait aussi que l'on pouvait se faire une image cohérente de ce que Jésus avait prêché, et il ne mettait pas en doute un certain nombre de faits rapportés par les Evangiles. Mais ce qu'il avait dit résonna comme un défi. Les spécialistes en tinrent compte dans leurs travaux, dans leurs recherches, s'efforcèrent – et nous l'avons montré souvent dans ce livre – de distinguer ce qui était « de Jésus » et ce qui ne l'était pas, de déceler les déformations éventuelles des faits dues au style de chaque évangéliste, aux objectifs qu'il visait en écrivant, aux influences qu'il subissait du fait de son entourage culturel, aux sources qu'il avait utilisées et qui pouvaient être, comme le disent les mêmes spécialistes, des « productions de la communauté » chrétienne, laquelle, dans sa ferveur toute neuve, se serait raconté à elle-même des histoires sur Jésus assez éloignées de l'histoire de Jésus[2].

Aujourd'hui, personne parmi les spécialistes n'oserait reprendre telle quelle l'affirmation brutale de Bultmann. Paradoxe : c'est en partie grâce à lui, grâce au défi qu'il a lancé et aux méthodes de recherche qu'il a initiées. Comme le note Eugen Drewermann, qu'il serait difficile de présenter comme un conformiste : « L'exégèse des deux dernières décennies, postérieure à Bultmann, ne fait plus preuve du même scepticisme radical (...). Ici ou là on tient pour plausibles et permises certaines hypothèses sur le Jésus historique et (...) l'on n'estime plus l'influence de l'Eglise primitive pour aussi omniprésente et aussi pesante qu'on le pensait jadis concernant la tradition transmise à propos de Jésus[3]. » Et un disciple de Bultmann, Günther Bornkamm, qui est souvent cité dans les chapitres précédents, a écrit : « Ce que les Evangiles rapportent du message, des actes et de l'histoire de Jésus est caractérisé par une authenticité, une fraîcheur, une originalité que même la foi pascale de la communauté n'a pu réduire ; tout cela renvoie à la personne de Jésus (...). Si les Evangiles ne présentent pas l'histoire de Jésus dans toutes ses étapes ni dans son évolution intérieure et extérieure, ils n'en parlent pas moins d'histoire comme fait et événement. Ils en fournissent même d'abondantes données ; cela peut être affirmé hardiment malgré la vulnérabilité historique de tant de paroles et de récits pris isolément[4]. »

Grâce à tous ces travaux, grâce aux découvertes des archéologues, grâce aux recherches sur le judaïsme de l'époque, nous en savons chaque jour un peu plus sur Jésus et surtout sur ce qu'il a dit (les divergences entre spécialistes, parfois très importantes sur les événements de sa vie, le sont beaucoup moins sur ses paroles). Ce sont ces connaissances que ce livre a voulu rassembler. Reste à apporter de nécessaires précisions sur les sources.

On commencera par les sources non chrétiennes. Elles sont assez rares en ce qui concerne Jésus lui-même, mais elles existent.

En premier lieu, l'historien juif Flavius Josèphe, né en 37 dans une famille sacerdotale de Jérusalem, qui combattit les Romains, fut fait prisonnier, vécut ensuite à Rome, où il écrivit l'histoire de son peuple. Il y parle de Jésus. Or, dans les siècles qui suivirent, des copistes chrétiens ajoutèrent frauduleusement à son texte des expressions très favorables à celui-ci mais complètement invraisemblables sous la plume d'un juif, du genre : « Il était le Christ », ou : « Il leur apparut le troisième jour, vivant à nouveau. » Si bien que, la supercherie découverte, on a tenté de rejeter, en bloc, tout ce qu'avait écrit Flavius Josèphe sur ce sujet. Or, un chercheur israélien, le Pr Shlomo Pines, a découvert un texte de Josèphe, rapporté dans des documents syriens, qui semble authentique. Il est bref :

« A cette époque-là, il y eut un homme sage, nommé Jésus, dont la conduite était bonne ; ses vertus furent reconnues. Et beaucoup de juifs et des autres nations se firent ses disciples. Et Pilate le condamnait à être crucifié et à mourir. Mais ceux qui s'étaient faits ses disciples prêchèrent sa doctrine. Ils racontèrent qu'il leur apparut trois jours après sa résurrection et qu'il était vivant. Peut-être était-il le messie (une autre traduction dit : il était considéré comme le messie) au sujet duquel les prophètes avaient dit des merveilles [5]. »

Ce témoignage, sympathique et un peu sceptique, semble rapporter, en fait, ce que les premières communautés chrétiennes disaient alors de Jésus. Un peu plus loin, le même auteur évoque la lapidation à l'instigation d'un grand prêtre, de « Jacques, frère de Jésus que l'on appelle Christ[6] ».

D'autres mentions de Jésus figurent dans des textes juifs anciens. Elles sont assez polémiques en général et ne semblent pas avoir été fixées par écrit avant le Ve ou le VIe siècle.

Chez les Latins, il faut signaler ce qu'écrivit Tacite, dans ses *Annales*, à la suite de l'incendie de Rome, en 64, dont la responsabilité fut imputée aux chrétiens. Il explique que Néron infligea « les tortures les plus raffinées à ceux que leurs crimes abominables faisaient détester et que le bas peuple appelait chrétiens. Ce nom leur vient de Christus qui, sous le règne de Tibère, avait été livré au supplice par le procurateur Ponce Pilate. Réprimée sur le moment, cette exécrable superstition débordait de nouveau non seulement à travers la Judée, où le mal avait pris naissance, mais encore dans Rome[7] ». Ce texte fut publié, semble-t-il, vers 115-116.

Enfin, l'existence d'une secte qui fait abandonner les temples et les sacrifices d'animaux et rend un culte à un certain Chrestus, considéré comme un dieu, est signalée dans une lettre de Pline le Jeune, gouverneur en Asie Mineure, adressée à l'empereur Trajan[8]. Suétone, d'autre part, écrit dans ses *Vies des douze Césars*, publiées vers 120, que Claude chassa de Rome en 49 des juifs qui, « à l'instigation de Chrestus, fomentaient des troubles[9] ».

Comme l'écrivit Günther Bornkamm, « ces sources païennes et juives ne sont intéressantes que dans la mesure où elles confirment que, dans l'Antiquité, aucun adversaire du christianisme, si acharné qu'il fût, n'eut l'idée de mettre en doute l'historicité de Jésus. Cela devait être réservé à une critique effrénée et tendancieuse des temps modernes[10] ».

Aujourd'hui, aucun historien sérieux ne met en doute l'existence de Jésus. Mais, les sources non chrétiennes étant ce qui vient d'être dit, on ne dispose, pour en savoir plus sur lui, que des sources chrétiennes. Nous nous poserons sur elles deux questions :

Quelle est leur fiabilité ? Comment ont-elles été composées ?

Un premier constat s'impose. Nous ne disposons jamais des originaux des ouvrages de l'Antiquité, seulement des copies de copies. Il en va de même des Evangiles. Mais les copies des Evangiles sont plus anciennes que la plupart des autres. Pour ceux-ci, à l'exception de Platon, les manuscrits les plus anciens sont au plus tôt du VIIIᵉ siècle après J.-C. Pour les Evangiles, en revanche, ils sont du IVᵉ siècle. L'écriture des Evangiles et les copies entières dont nous disposons ne sont donc séparées que de trois bons siècles. Autrement dit, ces textes nous sont parvenus dans un bien meilleur état que nombre d'œuvres littéraires, religieuses ou philosophiques de l'Antiquité[11]. Quatre siècles séparent Virgile des plus anciens manuscrits de son œuvre, treize siècles dans le cas de Platon et seize dans celui d'Euripide.

Plus un texte est copié et recopié, plus il risque de subir altérations et déformations. Les Evangiles sont donc privilégiés sur ce point, plus proches de l'original. Les spécialistes estiment avoir pu reconstituer les textes en l'état où ils se trouvaient aux alentours de 250. Et la découverte en Egypte de papyrus comprenant des extraits des Evangiles, comme le papyrus Bodmer, qui date du tout début du IIIᵉ siècle, ou, mieux encore, le Ryland, ainsi appelé parce qu'il est conservé dans la bibliothèque John Ryland, à Manchester, qui date d'avant 150 et contient quelques versets de Jean, confirme la validité des textes dont nous disposons. Tout comme les citations des Evangiles trouvées dans divers documents écrits entre la fin du Iᵉʳ siècle, celui de Jésus, et la fin du IIᵉ.

L'histoire des Evangiles mériterait, à elle seule, un très gros livre. Il en existe d'ailleurs beaucoup, tant furent nombreuses les recherches et multiples les débats sur ce sujet.

L'un de ces débats oppose les tenants de la « tradition orale » à ceux de la « tradition écrite ». On peut, grossièrement, le résumer ainsi : les premières communautés chrétiennes, disent les tenants de la tradition orale, ont envoyé des missionnaires porter de vive voix leur message à travers le monde méditerranéen. En un temps où peu de gens savaient écrire et lire, c'était à peu près la seule façon d'être entendu du plus grand nombre. Les peuples de cette époque possédaient d'ailleurs des techniques leur permettant de se souvenir plus aisément des textes qu'ils se transmettaient ainsi de bouche à oreille. Chez les juifs notamment, les disciples des rabbins, qui avaient pour mission de répéter correctement l'enseignement du maître, le faisaient scrupuleusement. Cela dit, « la mémoire peut vous jouer des tours, entre ce qu'on entend et ce qu'on répète à quelqu'un d'autre, il y a place pour maintes erreurs [12] ».

Objection ! répondent d'autres spécialistes. La Palestine n'était pas un pays de tradition orale. Pour la simple raison qu'elle est située en plein cœur du Proche-Orient, où est sans doute née l'écriture. A l'époque de Jésus, il y a déjà plus de mille ans qu'a été inventée l'écriture alphabétique. C'est un pays de scribes, souvent mentionnés dans l'Evangile et qui n'étaient pas tous des adversaires de Jésus. Il y avait sans doute des illettrés parmi les apôtres : Pierre, dans sa première Epître, dit : « Je vous écris ces quelques mots par Silvain [13]. » Mais, pour ne prendre qu'un exemple, Matthieu, le percepteur, le publicain, était forcément capable de tenir des comptes avec les noms des imposables. Il est probable enfin que parmi les fidèles moins connus de Jésus figuraient des lettrés. Ces gens-là ont dû prendre des notes, tant ils accordaient d'importance à ce que disait le Maître.

De toute manière, partisans de l'écrit et de l'oral sont d'accord sur un point : il a existé assez vite des recueils de paroles de Jésus, qu'ils appellent des *logia*, destinés à venir en aide aux missionnaires, et ces *logia* auraient servi à la rédaction des Evangiles.

Reste à savoir en quelle langue : l'araméen, la langue du peuple ? L'hébreu, la langue des rabbins et des savants ? Voire le grec, fort usité dans certaines villes ?

Claude Tresmontant, professeur de philosophie des sciences à la Sorbonne et traducteur des Evangiles, a défendu avec brio une thèse suivant laquelle les *logia* auraient été écrits d'abord en hébreu. « Lorsqu'on lit attentivement l'Evangile de Matthieu, dans son état actuel, c'est-à-dire en son texte grec, puis l'Evangile de Marc et l'Evangile de Luc, on est frappé en constatant que l'on retrouve à chaque pas des expressions typiquement hébraïques simplement décalquées en grec[14]. » Tresmontant ajoute que ces traductions ont été faites au plus près. Les traducteurs ne se souciaient pas de littérature, ils ont essayé de suivre le plus fidèlement possible les textes hébreux qu'ils avaient sous les yeux.

Ce débat n'est pas sans intérêt. « *Traduttore, traditore* » (« traducteur, traître »), disent les Italiens. La langue, expression et support de la pensée, influence forcément celle-ci. Tresmontant et quelques autres, en tentant de remonter aux sources hébraïques des Evangiles, dont nous ne possédons que les textes grecs, ont pu apporter quelques éclairages intéressants. Mais leur thèse est fortement contestée par la très grande majorité des spécialistes, qui retrouvent, sous-jacentes aux textes grecs, des façons de parler ou d'écrire non plus hébraïques mais strictement araméennes. Quelques-uns pensent même qu'il a existé des *logia* en araméen du vivant de Jésus.

Un tel débat montre quels problèmes ardus doivent affronter les spécialistes de l'étude des Evangiles[15].

Ces spécialistes, en comparant les textes, se sont vite aperçus que bien des passages étaient les mêmes (l'Evangile de Jean, tout à fait original, excepté).

Les Evangiles, comme la plupart des textes sacrés, sont divisés en petits paragraphes appelés « versets ». Or, sur les mille soixante-huit versets de l'Evangile de Matthieu, six cents environ sont les mêmes que chez Marc ; sur les mille cent quarante-neuf versets de l'Evangile de Luc, trois cent cinquante sont semblables à ceux de Marc. Matthieu et Luc ont en commun, en outre, deux cent trente-cinq versets. D'où la question : ces trois-là se sont-ils copiés ? Ou plutôt : Marc a-t-il été copié par les deux autres ? Ou bien se sont-ils référés à des sources communes, les fameux *logia*, ce qui expliquerait les similitudes ?

Les débats sur ce sujet rempliraient aisément une bibliothèque. La plupart des spécialistes croient en l'existence de deux sources principales, Marc et « Q » (de l'allemand *Quelle*, qui signifie « source »). Mais il n'y a pas unanimité. D'autres pensent que les documents dont disposaient les rédacteurs étaient plus nombreux. On trouvera un bon résumé des diverses positions (très complexes) chez Philippe Rolland, qui entend démontrer, lui (dans un livre très récent et très compliqué), que Marc, Matthieu et Luc ont été inspirés en partie par le texte d'un Matthieu écrit en hébreu [16].

• L'Evangile de Marc semble avoir été écrit le premier, du moins parmi les textes en grec que l'on connaît. Selon Irénée, l'évêque de Lyon, qui joua un grand rôle dans l'histoire des Evangiles, « Marc, disciple et interprète de Pierre, nous transmit lui aussi par écrit ce que prêchait Pierre [17] ». Celui-ci, d'ailleurs, l'appelle « mon fils [18] » de manière amicale. La plupart des spécialistes situent le texte de Marc entre l'incendie de Rome, en l'an 64, et la destruction du Temple, en 70. Il serait donc très proche des faits.

Marc, qui se fonde donc sur le témoignage de Pierre, a ajouté divers matériaux, des traditions ou des croyances des premières communautés chrétiennes [19]. On découvre même dans son texte des influences de Paul. Il écrit d'une manière vivante et simple, apparemment pour des non-juifs : il explique les coutumes juives, donne des précisions géographiques, se préoccupe rarement de préciser que tout s'est accompli selon les Ecritures et insiste sur la portée universelle du message de Jésus.

Son Evangile est le plus court. Il s'oriente tout entier autour du procès, de la Passion, de la mort et de la résurrection.

• L'Evangile de Matthieu aurait été écrit le deuxième, du moins dans sa version grecque : pour certains spécialistes, en effet, il existe un Matthieu en hébreu ou en araméen antérieur à Marc, et dans lequel celui-ci aurait même puisé une partie de ses matériaux. La quasi-unanimité d'entre eux situent le texte de Matthieu en 80. Quelques-uns pensent qu'il est contemporain de Marc, voire antérieur à celui-ci (c'était d'ailleurs l'avis des auteurs religieux des premiers siècles, ceux qu'on appelle les « Pères de l'Eglise »).

Matthieu n'entendait pas conter une histoire froidement objective mais convaincre (et aussi, parfois, moraliser). Il écrivait pour des juifs d'origine, se référait constamment à l'Ancien Testament [20] afin de montrer que Jésus en accomplissait les promesses, et il était tout imprégné de culture hébraïque – ce qui se manifeste, entre autres, par l'emploi fréquent des chiffres symboliques trois et sept.

• L'Evangile de Luc aurait été écrit, selon plusieurs auteurs du IIe siècle, par un Syrien, originaire d'Antioche, médecin et compagnon de Paul dans ses voyages. Mais ce dernier point est contesté par nombre d'exégètes. Comme nous l'avons déjà indiqué, la quasi-unanimité des spécialistes attribuent les Actes des apôtres et l'Evangile de Luc à la même personne, en raison de la similitude du style et du plan ; les deux textes sont d'ailleurs dédiés à un certain Théophile. Luc aurait pu, aussi, avoir rencontré Pierre à Rome entre 61 et 63.

La date de l'écriture de son Evangile a donné lieu à une bataille d'experts qui n'est pas près, semble-t-il, de prendre fin : entre 60 et 80, les versions diffèrent. Luc déclare, dans son préambule, s'être « soigneusement informé de tout depuis les origines [21] ». Certains en ont conclu que Luc avait connu Marie personnellement, ce qui paraît impossible, celle-ci étant née probablement vers 25 avant J.-C., et ne repose en tout cas sur aucun indice. Luc est plus prudent sur les dates et les chiffres que Marc et Matthieu (il utilise souvent le mot « environ ») mais certains passages font penser qu'il ne connaissait pas la Palestine personnellement [22]. Luc, qui écrit bien, qui est très littéraire, veut démontrer que, depuis l'origine d'Israël jusqu'à l'Eglise, en passant par Jésus – l'événement central –, c'est le même plan de Dieu qui a été mis à exécution et qui se poursuit avec l'Eglise sous l'inspiration de l'Esprit Saint. Puisqu'il entend ainsi démontrer, s'adressant surtout à des païens, influencés par les Grecs, son texte ne peut être considéré comme une biographie scientifique. Mais il a rencontré bien des témoins, et probablement connu d'autres auteurs de textes aujourd'hui disparus. Il écrit en effet dans sa préface : « Beaucoup ont entrepris de composer le récit des événements tels qu'ils nous ont été transmis par ceux qui, depuis le début, les ont vus de leurs propres yeux[23]. »

• L'Evangile de Jean est très différent des trois autres. D'abord, il est plus tardif. Il y a pratiquement unanimité pour le situer aux alentours de l'an 100, peut-être un peu plus tôt. Il semble avoir été précédé d'une autre « édition », sinon deux ou trois, dont la première aurait eu pour auteur l'apôtre Jean[24]. Ce que soulignent plusieurs Pères de l'Eglise mais qui ne peut être vraiment assuré.

Jean, comme on l'a vu par exemple à propos de Cana, est un amoureux du symbole. Mais son apport historique, indépendant des trois autres, est considérable, notamment sur les séjours de Jésus à Jérusalem. Les propos que Jean prête à Jésus, en revanche, sont souvent « composés » par un auteur surtout soucieux de démontrer la filiation divine de celui-ci.

Un constat s'impose : à l'exception du texte de Jean et contrairement à ce que l'on dit souvent, les Evangiles ont été écrits peu de temps après les faits, alors que des témoins étaient encore vivants.

• D'autres sources chrétiennes existent ; les Epîtres et les Actes des apôtres d'abord. Mais elles n'apportent que des informations limitées sur le Jésus historique. Les lettres de Paul, par exemple, parlent beaucoup de Jésus et de son enseignement, mais si les Evangiles n'existaient pas, nous saurions seulement par elles que Jésus, juif descendant de la famille de David, a institué l'eucharistie au cours d'un repas avec ses disciples, avant de mourir sous Ponce Pilate – après une scène d'outrages – et de ressusciter. Ce qui est essentiel mais limité. Un discours attribué à Paul, enfin, cite une parole de Jésus inconnue des Evangiles : « Il y a plus de bonheur à donner qu'à recevoir [25]. »

Restent les Evangiles dits « apocryphes » (ce qui ne signifiait originellement pas « faux », mais « cachés »). Assez rapidement, semble-t-il, au Ier et au IIe siècle, sont apparus de nombreux textes contant tel ou tel épisode de la vie de Jésus ou rapportant tel de ses propos. Beaucoup ont disparu, et leur existence n'est connue que par les références qu'y font – le plus souvent pour leur dénier quelque valeur – des Pères de l'Eglise comme Origène, Irénée, Jérôme, Eusèbe de Césarée ou Epiphane. Quelques-uns de ces apocryphes ont été considérés par le peuple comme « inspirés ». Certains ont donné naissance à des traditions, à des fêtes, comme la Présentation de Marie au Temple, ou la Sainte-Anne, supposée être la mère de Marie. Ils ont beaucoup contribué aussi à l'art médiéval. Renan les considérait comme « de plates et puériles amplifications, ayant le plus souvent les canoniques (les quatre Evangiles reconnus par l'Eglise) pour base et n'y ajoutant jamais rien qui ait du prix [26] ». Beaucoup sont consacrés à l'enfance de Jésus, qu'ils ornent de récits merveilleux : ainsi dans le Pseudo-Evangile de Matthieu voit-on les lions et les léopards adorer le bébé Jésus lors de la fuite en Egypte et celui-ci faire se courber les palmiers pour en donner les fruits à sa mère [27]. Un grand nombre de ces textes, tous postérieurs à la disparition des témoins de la vie du Christ, paraissent avoir été influencés par d'autres religions orientales.

Entre le IIe et le IVe siècle, l'Eglise a peu à peu distingué entre Evangiles « canoniques » et apocryphes. Un homme semble avoir joué un rôle décisif en la matière : Irénée, originaire de Smyrne, qui y avait entendu Polycarpe, un disciple de Jean, et qui devint évêque de Lyon après 177.

Si ces Evangiles apocryphes ne sont guère utiles à l'historien, il faut faire une place particulière à un texte appelé Evangile de Thomas, qui est en fait un recueil de paroles attribuées à Jésus – exactement cent quatorze *logia* – et qui fut découvert à la fin de la Seconde Guerre mondiale en Haute-Egypte, près de la localité de Nag Hamadi : dans une galerie rocheuse, une jarre contenait douze manuscrits écrits en copte sur un papyrus du IIIe ou IVe siècle. Ils sont très postérieurs à la vie de Jésus[28] mais le texte original, lui, est certainement antérieur.

Cette trouvaille a provoqué chez les chercheurs l'excitation que l'on devine. Ils ont découvert qu'une bonne moitié de ces *logia* figuraient déjà dans les quatre Evangiles. D'autres semblent influencés par les religions orientales très en vogue aux IIIe et IVe siècles. Une dizaine pourraient être authentiques. Par exemple, celui-ci, déjà cité par d'autres auteurs chrétiens : « Celui qui est près de moi est près du feu. Celui qui est loin de moi est loin du Royaume. »

Quoi qu'il en soit, ce texte n'apporte guère de lumières sur la vie de Jésus. Ce sont donc les quatre Evangiles dits « canoniques », enrichis de tout ce que l'on sait aujourd'hui de leur contexte, qui demeurent la source principale.

Ils se contredisent sur nombre de détails et parfois sur des faits plus importants (comme le nombre de séjours à Jérusalem), nous l'avons vu tout au long de ce livre. Tout ce qu'ils affirment ne peut être considéré comme historique, nous l'avons également signalé. A cette époque, il est vrai, tout juif imprégné des Ecritures attribuait plus d'importance et de vérité à la signification d'un fait qu'à sa réalité. Ce trait ne lui était pas propre. Dans tout le bassin méditerranéen, ceux qui faisaient figure d'historiens se souciaient assez peu de reproduire avec une exactitude absolue, littérale, les discours dont ils faisaient mention.

Les Evangiles ont été passés au crible, soupçonnés plus qu'aucun texte de leur temps, dont certains paraissent *a priori* plus discutables[29]. Les récits de Matthieu, de Marc, de Luc et de Jean et leurs traductions sont pourtant suspects aujourd'hui encore, et c'est une bonne chose puisque les spécialistes sont ainsi incités à poursuivre recherches et débats. Ils ont mis au point des critères d'authenticité permettant de vérifier l'historicité de tel propos ou de tel fait[30].

Or, les plus récentes découvertes semblent confirmer un certain nombre de récits évangéliques. On peut ainsi évoquer la célèbre parabole du pharisien et du publicain[31], où Jésus fait dire au pharisien qui s'est mis en avant : « Je te rends grâces, Seigneur, car je ne suis pas comme le reste des hommes. » La formule « Je te rends grâces, Seigneur, car... » ne se trouve qu'une fois dans tout l'Ancien Testament, au début d'un poème d'Isaïe[32]. On ne la trouve pas, non plus, dans les textes juifs des premiers siècles de notre ère. On s'est donc demandé d'où Jésus tenait une telle formule. Jusqu'à la découverte des manuscrits de Qumrān : elle est employée quatorze fois (sur dix-huit) au début des hymnes esséniens. Ce qui confirme le texte de Luc mais montre aussi un Jésus assez railleur puisque pharisiens et esséniens ne s'entendaient guère et qu'il fait parler le pharisien avec le langage de ces derniers.

De la même manière, on s'est interrogé sur le repas pris chez le publicain Lévi, que raconte l'Évangile de Marc[33]. Marc dit que Jésus avait trouvé Lévi « assis au bureau de la douane ». Ce qui supposait l'existence d'une frontière en ce lieu, entre Capharnaüm et Bethsaïde. On supposa un moment que cette histoire était une sorte de fable inventée par les premières communautés chrétiennes pour justifier les repas en commun entre chrétiens juifs et chrétiens d'origine païenne : si Jésus mangeait avec des publicains et des pécheurs, elles pouvaient en faire autant. On sait aujourd'hui que cette frontière exista bien mais fut supprimée entre 39 et 46, sous le règne d'Agrippa Ier où furent rassemblées la partie orientale et la partie occidentale du Jourdain.

Un autre exemple peut être cité à propos de Pilate, dont on a parfois mis en doute le rôle, voire l'existence. Gerd Theissen, professeur d'exégèse du Nouveau Testament à l'université de Heidelberg, souligne avec ironie que s'il avait existé en Palestine au Ier siècle un « comité pour induire en erreur les historiens futurs[34] », décidé à transmettre une image fausse des événements de l'époque, il aurait eu bien du travail : il eût fallu donner des informations imaginaires sur ce Pilate à Flavius Josèphe, à Tacite, à Philon d'Alexandrie, puis sillonner la Palestine pour enfouir ici ou là des monnaies de cuivre de Pilate, et enfin faire inscrire sur une marche du théâtre de Césarée que Pilate avait fait hommage à son empereur. « Le caractère accidentel des restes et des sources sur Pilate, écrit Theissen, nous en donne la certitude : il a réellement existé. Ce que les Evangiles écrivent à son sujet ne contredit pas les autres sources, mais en est indépendant. Pilate procure sans aucun doute un "arrière-plan historique" aux Evangiles. On pourrait faire le même raisonnement à propos d'Hérode Antipas. »

Les évangélistes, en outre, rapportent des propos qui vont à l'encontre des objectifs de l'Eglise primitive. Ainsi, alors qu'elle veut convertir les païens, le texte de Matthieu cite ce propos de Jésus : « Ne vous en allez pas dans le chemin des païens et n'entrez pas dans une ville des Samaritains ; partez plutôt vers les brebis perdues de la maison d'Israël[35]. » Les évangélistes qui ont reproduit ces propos – quelque peu mystérieux d'ailleurs et contraires à bien d'autres – ont dû montrer beaucoup de vertu. De la même manière, l'Eglise primitive a hésité à admettre dans le texte évangélique le célèbre épisode de la femme adultère[36], de crainte, à en croire saint Augustin, qu'on l'interprétât comme une complaisance à l'égard de son comportement.

Plus grave pour l'Eglise elle-même : les Evangiles ne parlent pas d'elle. La fameuse phrase prêtée à Jésus : « Tu es Pierre, et sur cette pierre je bâtirai mon Eglise[37] » est incertaine. Il est vrai que Jésus, au soir de la Cène, a donné des règles de vie à ses compagnons, mais l'absence d'allusions plus solides et plus nombreuses dans les Evangiles est telle que certains débattent toujours pour savoir s'il a vraiment souhaité fonder une Eglise.

Enfin, comme l'écrit Xavier Léon-Dufour, « si les Evangiles étaient des apologies de Jésus-Christ, ils auraient dû éliminer certaines affirmations (...) qui pourtant figurent dans sa bouche ou décrivent son comportement : ainsi, Jésus est inférieur au Père ; c'est dans l'attitude de la prière qu'il s'adresse à Lui ; c'est à Lui qu'il attribue ses miracles ; à Gethsémani, il Lui obéit douloureusement ; à la croix il se trouve apparemment abandonné de Lui, au point que certains copieurs ultérieurs du texte se sont efforcés de modifier la substance du cri de Jésus : "Mon Dieu, mon Dieu, pourquoi m'as-Tu abandonné ?", en : "Ma force, ma force, tu m'abandonnes" ; Jésus ignore le jour et l'heure du jugement ; il considère le péché contre l'Esprit plus grave que le blasphème contre lui-même [38] ».

Cette liste pourrait être allongée encore. Mais à tout ce qui vient d'être écrit la conclusion s'impose : les Evangiles, notre meilleure et presque unique source pour connaître Jésus, sont des livres à la fois complexes et simples, à la fois obscurs et lumineux, marqués par leur époque et rapportant des paroles pour tous les temps. On ne peut raisonnablement nier qu'ils constituent des témoignages honnêtes. Il reste à souhaiter que les travaux des spécialistes permettent de les éclairer encore, de faire progresser, là aussi, la lumière.

NOTES

CHAPITRE PREMIER

1. L'accès au statut d'adulte responsable du point de vue religieux était de règle à l'âge de treize ans, mais souffrait quelques exceptions en faveur de garçons précoces. Ce qui put être le cas de Jésus. Quelques auteurs écrivent que l'épisode de l'Evangile de Luc relatant son séjour parmi les docteurs, au Temple, correspond à sa *Bar-Mitsvah*. Mais cette cérémonie, dont l'usage est maintenant généralisé pour les garçons juifs à travers le monde, ne paraît pas avoir existé à l'époque de Jésus. Selon le *Dictionnaire encyclopédique du judaïsme* (Cerf, 1993), p. 31, on ne trouve aucune trace de cérémonie de *Bar-Mitsvah* avant 1400.

2. Psaumes CXXII, 1-2.

3. Flavius Josèphe, *La Guerre des juifs*, Belles Lettres, 1975-1980, III, 1-3.

4. Psaumes CXXXVII, 5.

5. Hérode en a fait commencer la construction en 20 ou 21 avant J.-C.

6. Erigé sur des soubassements dont les pierres forment aujourd'hui le mur des Lamentations.

7. La sagesse est attestée par les Evangiles de Matthieu et de Luc, les seuls à évoquer l'enfance de Jésus, mais non son indépendance d'esprit. Pourtant, puisqu'il en manifesta beaucoup par la suite, on peut légitimement supposer qu'elle existait déjà.

8. Un sujet qui provoquait alors de sérieuses discussions.

9. Le mot grec de l'Evangile, *teknon*, signifie « mon tout-petit », littéralement « mon enfanté », note France Quéré (*Jésus enfant*, Desclée, 1992), p. 234, ce qui mêle l'émotion au reproche.

CHAPITRE II

1. Pierre Teilhard de Chardin, *Le Phénomène humain*, Le Seuil, 1955, p. 129.

2. 1 Corinthiens, XV, 2-6.

3. Luc III, 23.

4. Jean VIII, 57.

5. Dans son livre fondamental *Contre les hérésies*, éd. Adelin Rousseau et Louis Doutreleau, Cerf, 1982, II, 22, 6.

6. Charles Perrot, *Jésus et l'Histoire*, Desclée, 1979, p. 86. Voir aussi Oscar Cullmann, *La Nativité et l'arbre de Noël*, Cerf, 1993.

7. Le moine Denys se basait sur les indications de Luc suivant lesquelles Jésus avait commencé sa « vie publique » à trente ans, en « l'an quinze du principat de Tibère César, Ponce Pilate étant gouverneur de Judée, Hérode tétrarque de Galilée », etc. Or, le règne de Tibère en était à sa quinzième année en 782 selon le calendrier romain. 782 − 30 = 752. C'est simple. Seulement voilà : Hérode, lui, est mort en 750 ; or Matthieu et Luc affirment que Jésus est né au temps d'Hérode.

Des historiens font remarquer que Tibère avait partagé le pouvoir avec son prédécesseur Auguste, trois ans avant de régner seul : « L'an quinze du principat de Tibère César » indiqué par Luc serait donc 779 selon le calendrier romain et Jésus serait né en 749, donc en − 3.

Reste la mention suivant laquelle Quirinius était gouverneur de Syrie à l'époque du recensement : une hypothèse a été émise suivant laquelle il ne l'aurait été qu'à la fin d'un recensement commencé bien plus tôt ; on cite à l'appui de cette thèse un recensement de ce genre, effectué en Gaule, et qui s'était heurté à une telle résistance des habitants qu'il avait fallu quarante ans pour l'achever. Un recensement entamé du vivant d'Hérode pourrait, dans ce cas, ne s'être achevé qu'à l'époque de Quirinius, dix ans plus tard, les juifs n'étant pas moins opposés au pouvoir romain que les Gaulois.

Quelques-uns ont tiré argument de la conjonction de Saturne et de Jupiter aux environs de l'an − 6 ou − 7, qui aurait donné l'illusion d'une étoile très brillante, la fameuse étoile qui selon Matthieu aurait guidé les Mages. Mais, bien entendu, une telle référence ne peut être retenue par des historiens sérieux.

8. A en croire France Quéré, « les erreurs de datation traduisent la négligence délibérée des évangélistes qui n'ont pas pris la peine d'ajuster et de vérifier leurs données ». Cette époque, à leurs yeux, n'aurait pas importé, ne méritait pas mieux que d'être vaguement signalée : « Le temps des empereurs n'est pas aimé de Dieu » (France Quéré, *Jésus enfant, op. cit.*, pp. 55 et 161).

9. Gabriel était dans la Bible un spécialiste des révélations capitales, touchant notamment à « la fin des temps » (cf. Charles Perrot, « Les Récits de l'enfance de Jésus », in *Cahiers Evangile*, n° 18, p. 43), et un « assistant au trône de Dieu », un très proche collaborateur de Celui-ci (cf. F. Neyrinck, « L'Evangile de Noël », in *Etudes religieuses*, n° 749, p. 25).

10. Si Zacharie est puni, c'est que, prêtre, il connaissait le cas d'Isaac né d'un homme de cent ans, Abraham, et d'une femme de quatre-vingt-dix, Sara : il n'aurait donc pas dû poser de question. Marie, elle, « est en face d'une situation radicalement nouvelle dans la Bible qui ne rapporte pas de conception sans union sexuelle » (Hugues Cousin, *Evangile de Luc*, Centurion, 1993, p. 29).

11. 1 Samuel II, 4.

12. Luc I, 52.

13. Luc I, 53.

14. Justin, *Dialogue avec Tryphon*, LXXXVIII, 8.

15. Cf. Christian-Bernard Amphoux, *La Parole qui devint Evangile* (Le Seuil, 1993, p. 15), Hermann Strack et Paul Billerbeck, *Das Leben Jesu nach jüdischen Quellen* (Munich) et, surtout, Celse, païen lettré qui vivait à Rome et écrivit en 178 un *Discours vrai contre les chrétiens* (voir aussi *Contre Celse* I, 28).

16. Matthieu I, 24.

17. Luc III, 23.

18. Matthieu I, 16. Il faut noter que Matthieu fait descendre Joseph de Jéchonias, dont le prophète Jérémie disait : « Nul de sa descendance ne grandira de manière

à s'asseoir sur le trône de David » (Jérémie XXII, 28-30). L'évêque Irénée, déjà cité, s'appuyant sur ce texte, y voit « un complément de preuve en faveur de la naissance virginale du Fils de Dieu » (Irénée, *Contre les hérésies*, III, 21, 9). Ce qui confirme l'évidence : la contradiction entre la naissance virginale et la descendance davidique... Tout le débat, très complexe, sur la descendance davidique est bien résumé dans Raymond E. Brown, *The Birth of the Messiah*, Doubleday, pp. 505 et suiv.

19. Romains I, 3.

20. Galates IV, 4.

21. Luc II, 49.

22. Charles de Guignes, *Histoire des Huns*, Paris, 1756.

23. XIX, 8. Cf. M. Philonenko, *Les Interpolations chrétiennes des testaments des douze patriarches et les manuscrits de Qumrān*, Paris, 1960. Il faut cependant ajouter que « l'essénisme » de ces testaments fut discuté.

24. Josy Eisenberg, *La Femme au temps de la Bible*, Stock, 1993, p. 369.

25. Justin, *Dialogues avec Tryphon*, écrits en 155.

26. Matthieu I, 22-23.

27. Jean I, 45.

28. Charles-Harold Dodd, *L'Interprétation du quatrième Evangile*, Cerf, 1975, p. 335, note 10. Ignace de La Potterie donne une interprétation différente, mais pas entièrement convaincante, dans « La Conception virginale de Jésus selon saint Jean », in *Marie, dans le mystère de l'Alliance*, Desclée, 1988, pp. 99-172.

29. En ce sens, Eugen Drewerman écrit (*La Parole qui guérit*, Cerf, 1991) : « Celui qui dirait que la virginité de Marie n'est qu'un symbole susciterait chez la majorité de ses auditeurs l'idée qu'il ne s'agit là que de quelque chose d'imaginaire, de subjectif, donc d'irréel. *Nous devons réapprendre que les symboles transmettent une réalité qu'on ne saurait traduire dans un autre langage que le leur, qu'il y a des vérités inexprimables sinon sous forme de mythes, de sagas, de contes* » (c'est moi qui souligne).

CHAPITRE III

1. 2 Samuel 24, 2-24.
2. Il n'y avait pas de place pour eux à l'hôtellerie, dit Luc. Mais il ne viendrait à personne l'idée d'amener une jeune femme sur le point d'accoucher à l'hôtellerie de ce temps-là, c'est-à-dire un caravansérail, où l'on mangeait et dormait côte à côte. D'autant que les hommes n'assistaient jamais aux accouchements, ils n'intervenaient qu'ensuite, pour la circoncision. La Bible cite beaucoup de sages-femmes, aucun accoucheur. Ce que raconte Luc est donc surprenant. A moins qu'il n'ait jamais parlé d'hôtellerie. Car le texte grec utilise le mot *katalyma*. Or *katalyma* n'a jamais le sens d'« hôtellerie », ni dans les Evangiles, ni dans la littérature habituelle. France Quéré écrit *(op. cit.)* : « *Katalyma* est une salle dont l'étymologie nous aiguille sur un lieu où l'on dépose ses bagages : une sorte de vestiaire. » Et elle suggère que Joseph, cherchant un endroit désert et abrité pour préserver son épouse des regards indiscrets, a pensé le trouver dans un vestiaire, une remise, mais que ce lieu était encombré « par tout l'attirail que nécessite ce tourisme forcé » et que l'on y était peut-être dérangé par les allées et venues des voyageurs déposant ou reprenant des ballots. En désespoir de cause, il se serait rabattu sur une étable proche.
3. Joachim Jérémias, *Jérusalem au temps de Jésus*, Cerf.
4. Marc III, 13-19.
5. Ruth IV, 17. Cf., à ce sujet, Josy Eisenberg, *La Femme au temps de la Bible, op. cit.*, p. 38.
6. Luc I, 60.
7. Luc II, 22.
8. Luc II, 23.
9. Luc II, 34-35.
10. Michée V, 2. Selon André Paul (« L'Evangile de l'enfance selon Matthieu », *Lectures bibliques*, 1984, pp. 133-37), le texte de Michée a été « revu, transformé, amplifié » par l'évangéliste afin de souligner que Jésus, né à Bethléem, fils de David, accomplissait les promesses

divines exprimées par les prophètes, était bien le Messie. Bien des spécialistes soulignent en outre les traits communs au récit de la naissance de Jésus et aux *Midrash* de Moïse (les *Midrash* consistaient à reprendre dans la synagogue un récit des Ecritures pour l'actualiser ; un peu comme si l'on racontait aujourd'hui la vie de Jésus en faisant de Joseph un « métallo »). Il semble que les premiers chrétiens aient ainsi « coulé » certains récits de la naissance de Jésus dans les récits d'enfance de la Bible (cf. Charles Perrot, « Les Récits de l'enfance de Jésus », art. cit., pp. 11-16).

11. 1 Samuel XVI, 1.

12. Jean VII, 42-43.

13. Matthieu, II, 11.

14. *La Bible du peuple de Dieu*, Ecole biblique de Jérusalem, tome 4, Cerf-Centurion, 1973.

15. Une tradition l'affirmera ensuite et au VIᵉ siècle on leur donnera même des noms : Melchior, Gaspard et Balthazar, ajoutant que l'un d'eux est noir.

16. « Qu'ils se lèvent donc pour te sauver, ceux qui détaillent les cieux, qui observent les étoiles et font savoir selon leurs livres ce qui doit advenir ! Ils seront comme fétus de paille que le feu brûlera ! Ils ne sauveront pas leur vie de l'étreinte des flammes », lit-on dans Isaïe (47, 13). Et dans le Lévitique, livre de la Bible essentiellement fait de lois et de règlements : « Ne vous tournez pas vers les spectres et ne recherchez pas les mages, ils vous souilleront. Je suis votre Dieu » (19, 31).

17. Matthieu II, 13.

18. Matthieu II, 15. L'« oracle » cité est d'Osée (XI, 1).

19. Exode XI, 4-5.

20. Exode XII, 11-23.

21. Charles Perrot, *Jésus et l'Histoire, op. cit.*, p. 76. Voir aussi, du même auteur, déjà cités, « Les Récits de l'enfance de Jésus », numéro spécial ouvert par cette présentation d'Etienne Charpentier : « On a trop lu, dans le passé, ces récits de l'enfance comme des récits folkloriques, alors qu'ils sont, avant tout, de la théologie. » Pas de l'histoire.

22. Cf. *Jésus aujourd'hui. Historiens et exégètes à*

Radio-Canada, tome 2 : *Vie, message et personnalité*, Bellarmin-Fleurus, 1980.

23. Charles-Harold Dodd, *Le Fondateur du christianisme*, Le Seuil, 1972, p. 37.

24. Utilisée à propos de Samuel (1 Samuel II, 26).

CHAPITRE IV

1. Deutéronome XXII, 8.

2. Genèse IX, 4-5.

3. Actes X, 11-14. A l'inverse, il faut citer des propos prêtés à Jésus par Marc (VII, 18-19) : « Ne comprenez-vous pas que rien de ce qui pénètre du dehors dans l'homme ne peut le souiller, parce que cela ne pénètre pas dans le cœur, mais dans le ventre, puis s'en va aux lieux d'aisances ? (Ainsi il déclarait purs tous les aliments.) » Certains pensent toutefois que ces paroles et surtout la parenthèse finale viendraient en réalité de Paul.

4. Deutéronome XI, 8-9.

5. Ernest Renan, *Vie de Jésus*, rééd. Arléa, 1992, p. 82.

6. *Ibid.*, p. 71.

7. La découverte en 1961, à Césarée, d'une inscription où Pilate est qualifié de « préfet » suggère que ce titre fut également employé pour le responsable de la province de Judée.

8. Flavius Josèphe, *Antiquités juives* XVIII, 11-25.

9. Cf. Jean Giblet, « Un mouvement de résistance armée au temps de Jésus », in *Revue théologique de Louvain*, n° 5, 1974, pp. 410-426, qui, sans méconnaître l'importance de l'opposition aux Romains, conclut : « A l'époque de Jésus, on n'aperçoit guère les signes d'une entreprise révolutionnaire ni surtout les indices d'opérations menées par des groupements révolutionnaires armés. »

10. Selon Joachim Jérémias, *Jérusalem au temps de Jésus, op. cit.*, pp. 410-411.

11. Matthieu XX, 1-16.

12. Cf. *Dictionnaire encyclopédique du judaïsme, op. cit.*, p. 55.

13. Jean VII, 49.

14. Daniel-Rops, *Jésus en son temps*, La Meilleure Bibliothèque, p. 132.

15. *Op. cit.*, p. 21.

16. Luc IV, 16-20.

17. Jean VIII, 3-5.

18. Nombres XV, 37-39.

19. Au réveil, il rend hommage à « Celui qui étend la terre sur les eaux, car sa grâce est éternelle ». En nouant les lacets de ses sandales, il remercie le Seigneur d'avoir « paré à tous ses besoins ». En nouant sa ceinture, il invoque l'Eternel « qui ceint Israël de sa puissance ». Et quand il se rend au coin qui sert de toilettes, il bénit Dieu d'avoir « modelé l'homme avec sagesse et créé en lui des issues et des canaux ».

20. Marc VI, 3.

21. Matthieu XIII, 55-56.

22. Marc III, 32.

23. Jean VII, 5.

24. Actes I, 14.

25. Galates I, 18-19.

26. 1 Corinthiens IX, 5.

27. *Antiquités juives* XX, 200.

28. Jean XIX, 25.

29. Le P. Xavier Léon-Dufour, dans le tome 2 de sa *Lecture de l'Evangile selon Jean*, publiée en 1990, avec l'*imprimatur*, au Seuil, écrit dans une note discrète (p. 212) : « Quels sont ces "frères de Jésus" ? La critique tend à y voir, selon le sens du terme grec *adelphos*, les frères de Jésus selon la chair. *Pour des raisons d'ordre théologique*, les catholiques recourent habituellement au terme hébraïque sous-jacent, *ah*, qui peut avoir un sens fort large : les gens de la même parenté. » C'est moi qui souligne « pour des raisons d'ordre théologique »...

Claude Tresmontant, un laïc qui a longtemps enseigné la philosophie à la Sorbonne et qui défend la thèse suivant laquelle les Evangiles furent d'abord écrits, pour l'essentiel, au cœur même des événements qu'ils décrivent et en hébreu – une thèse récusée par la plupart des spécialistes –, écrit, lui (*Le Christ hébreu : la langue et l'âge des Evangiles*, Œil, 1984, p. 91) : « Cette expression (le frère du Seigneur) *ne doit inquiéter personne.* Il suffit d'ouvrir la vieille bibliothèque hébraïque pour constater de quelle manière et en quel sens les Hébreux anciens utilisaient le terme hébreu *ah* qui a été traduit en grec par *adelphos.* »

Tresmontant évoque, à l'appui de ses dires, plusieurs passages de la Genèse, par exemple celui où l'oncle de Jacob, Laban, l'appelle son « frère » (Genèse 29, 15). Il ajoute, citant cette fois le Deutéronome : « Pour désigner ce que nous, dans notre langue française du XX\ siècle, nous appelons des frères, l'hébreu a une expression : le frère, le fils de ton père (...), la sœur, la fille de son père (...), mes frères, fils de ma mère. »

Tous ces exemples, on le voit, sont pris dans l'Ancien Testament. Et si je souligne le membre de phrase « ne doit inquiéter personne », c'est, bien sûr, que cette volonté de rassurer me paraît significative...

30. Colossiens IV, 10.
31. Luc II, 7.
32. Matthieu I, 25.
33. *Op. cit.,* p. 113, n. 25.
34. Il rappelle « aux lecteurs de confession catholique que le "Magistère" à l'égard duquel ils sont obligés et le rôle qu'ils sont invités à reconnaître à la Tradition ont *aussi* à intervenir dans leur lecture et leur réception de l'Ecriture. Laquelle, ainsi, n'est pas pour eux la *seule* norme de foi. La chose se vérifie précisément d'une manière toute particulière en matière de doctrine mariale » (*op. cit.,* p. 6).

On appelle « Magistère » « l'ensemble de ceux qui, détenant l'autorité au nom du Christ, ont la charge d'interpréter la doctrine révélée (pape, conciles œcuméniques, évêques) » (Larousse). On appelle « Tradition », « l'ensemble des vérités de foi qui ne sont pas contenues directement dans la Révélation écrite mais sont fondées sur l'enseignement constant et les institutions d'une religion » (Larousse).

Autrement dit, il s'agit dans les deux cas d'interprétations certes autorisées et respectables, mais non d'histoire.

35. André Chouraqui, *La Vie quotidienne des hommes de la Bible*, Hachette, 1978, p. 156.

36. Genèse, XXX, 2.

37. Psaumes LXXVIII, 3.

38. 1 Corinthiens VII, 25-28.

39. 1 Corinthiens VII, 5.

40. Il s'agit en l'espèce d'un Evangile attribué à Jacques et d'un autre attribué à Pierre. Selon le texte de Jacques, les parents de Marie avaient décidé de la consacrer au Seigneur quand elle avait eu douze ans. Le grand prêtre de Jérusalem fit tirer au sort un veuf âgé, chargé de veiller sur la vierge. Ce fut Joseph, mais il dut s'absenter quatre ans et constata avec stupeur à son retour qu'elle était enceinte et incapable de préciser d'où lui était venue sa grossesse : elle n'avait pas connu d'homme. Arrêtés tous les deux sur l'ordre du grand prêtre, leur bonne foi fut finalement reconnue. Joseph aurait reçu la garde de Marie à... quatre-vingt-dix ans ; il avait déjà six enfants, quatre garçons et deux filles.

41. Auquel cas vivraient peut-être encore parmi nous de lointains descendants de Joseph et de Marie.

CHAPITRE V

1. Luc I, 15-16.

2. Matthieu III, 4.

3. 2 Rois I, 8.

4. Cf. Jean-Paul Roux, *Jésus*, Fayard, 1989, p. 68.

5. Dans ses *Odes*, Horace qualifie Auguste de *presens divus*, « divinité présente ».

6. Isaïe LIX, 4 et 9-11.

7. Matthieu III, 7 et Luc III, 7.

8. Matthieu III, 9 et Luc III, 8.

9. Matthieu III, 10 et Luc III, 9.

10. Marc II, 19.

11. *Antiquités juives* XVIII, 116-119.

12. Toute cette scène, très vivante, dans Luc III, 10-14.

13. Jean I, 19-23.

14. Quant aux eaux croupies ou stagnantes, « mortes », elles étaient réputées totalement impures. Les

besoins du Temple en eau courante étaient tels qu'on avait dû le doter d'un système de ruissellement canalisé sur les terrasses et d'un abondant réseau souterrain. Lors des fouilles du quartier hérodien de Jérusalem où habitaient des familles de prêtres, les archéologues ont découvert ainsi de nombreux bassins de purification (cf. Jacqueline Genot-Bismuth, *Jérusalem ressuscitée*, Œil-Albin Michel, 1993).

15. Cf. sur ce point Charles Perrot, *Jésus et l'Histoire*, *op. cit.*, pp. 98-99. Mais d'autres pensent que la quasi-totalité des groupes juifs pratiquant des rites d'eau sont apparus dans les dernières décennies du siècle (cf. Simon Légasse, *Naissance du baptême*, Cerf, 1993, pp. 51-54).

16. *La Guerre des juifs* II, 8.

17. Luc I, 80.

18. *La Guerre des juifs* II, 2.

19. John Drane, *Jésus et les quatre Evangiles*, Centurion, 1984, p. 46.

20. Matthieu III, 12 et Luc III, 17.

21. Jean I, 29.

22. « Jésus n'est pas ici la nouvelle victime cultuelle, il est celui par qui Dieu intervient en offrant aux hommes la réconciliation parfaite avec lui-même » (*Lecture de l'Evangile selon Jean, op. cit.*, tome 1, p. 174).

23. Matthieu III, 13-14.

24. Cité par saint Jérôme, Père de l'Eglise, qui vécut au IVe siècle et multiplia les commentaires exégétiques.

25. Luc 3, 21.

26. *Op. cit.*, p. 178.

27. Jacques Guillet, *Jésus-Christ hier et aujourd'hui*, Desclée de Brouwer, 1964, p. 58.

28. David Flusser, *Jésus*, Le Seuil, 1970, p. 36.

29. Isaïe XLII, 1.

30. Psaumes II, 7.

31. Matthieu XV, 24.

32. Oscar Cullmann, *La Nativité et l'arbre de Noël*, *op. cit.*, pp. 31 et suiv.

33. Ce qui est confirmé par les propos tenus à Jésus par les Judéens (Jean II, 20) : « Il a fallu quarante-six ans pour construire ce Temple. » Les travaux, selon Flavius

Josèphe, ayant débuté en 19 avant J.-C., ces quarante-six ans amènent à l'an 27 de notre ère.

CHAPITRE VI

1. Exode XVI, 13.
2. Joël I, 10.
3. Nombres XX, 5.
4. Deutéronome VIII, 3.
5. Psaumes XV, 11.
6. Deutéronome VI, 16.
7. Deutéronome VI, 13.
8. Dans Matthieu XII, 22-24, Jésus guérit un possédé du démon, aveugle et muet. Les foules, du coup, sont prêtes à le considérer comme « le fils de David », mais les pharisiens murmurent : « Celui-là n'expulse les démons que par Beelzeboul », « le prince des démons ». A quoi Jésus répond, avec une imparable logique, que c'est absurde, que Satan ne va pas expulser Satan.
9. 1 Corinthiens I, 22.
10. Il précise très souvent : « le lendemain », ou « le dernier jour de la fête », ou encore : « Il y eut alors la fête de la Dédicace à Jérusalem. C'était l'hiver. »
11. Par exemple, lors de la multiplication des pains.
12. Selon certaines interprétations du texte, ce serait Jésus lui-même qui aurait recruté Philippe.
13. Cf. Xavier Léon-Dufour, *Lecture de l'Evangile selon Jean, op. cit.*, tome 1, pp. 195-196.
14. Tout cet épisode est conté dans Jean I, 35-51.
15. Matthieu VIII, 23-27.
16. *Histoire naturelle* V, 15.
17. Luc XVI, 3.
18. Marc VIII, 27.
19. Marc VII, 24.
20. Cf. Gerd Theissen, *Le Christianisme de Jésus*, Desclée de Brouwer, 1979, pp. 95 et 121-122.
21. Matthieu VI, 25.
22. Par exemple, Matthieu X, 9-14, Marc VI, 8-11, Luc X, 5-12.
23. Matthieu VIII, 14.

24. Luc X, 38.
25. Luc VII, 37.
26. Luc VIII, 2.
27. Marc I, 17.
28. Matthieu X, 24.
29. Matthieu XXIII, 8.
30. Jean VIII, 31-32.
31. Marc IX, 40.
32. Matthieu VIII, 22.
33. Luc IX, 59-62.
34. Luc XIV, 26.
35. Luc XII, 52.
36. Matthieu X, 22.
37. Marc III, 21.
38. Luc X, 1.
39. Nombres XI, 24-30.
40. Genèse X, 1-32.
41. Marc III, 14-15.
42. Cf. la contribution de Jean Delorme, professeur à la faculté catholique de Lyon, in *Jésus aujourd'hui. Historiens et exégètes à Radio-Canada, op. cit.*, tome 3 : *Héritage, image et rayonnement*, pp. 22 et suiv.
43. Marc VI, 30.

CHAPITRE VII

1. Jean, le seul évangéliste à conter les noces de Cana et le miracle qu'y accomplit Jésus, précise (II, 1) : « Le troisième jour, il y eut des noces à Cana de Galilée. » Ce qui a beaucoup intrigué les traducteurs et les exégètes : le troisième jour après quoi ? Faute de trouver une réponse solide, certains ont même suggéré qu'il s'agissait d'une allusion à la résurrection, survenue le troisième jour après la crucifixion. Beaucoup admettent maintenant que Jean a simplement voulu évoquer un mardi, la semaine juive commençant le dimanche et se terminant le septième jour, le sabbat, le seul à porter un nom, les autres étant simplement numérotés. Le mercredi était le jour traditionnel du mariage des vierges chez les juifs,

mais les paysans galiléens dérogeaient volontiers à cette règle.

2. Cf. Léon Marcel, *Regard sur Jésus à la lumière de saint Jean*, Saint-Paul, 1993, pp. 34-35.

3. Jean II, 11.

4. Jean XX, 30.

5. Georges Chantraine, « Les Signes de l'amour », in *Les Miracles,* numéro spécial de la revue *Communio*, septembre 1989.

6. Jean VI, 11.

7. Xavier Léon-Dufour, *Lecture de l'Evangile selon Jean, op. cit.*, tome 1, p. 215.

8. Matthieu XI, 18-19 et Luc VII, 33-34.

9. Pour toute cette scène Matthieu XI, 1-15 et Luc VII, 18-30.

10. Toute cette scène dans Jean III, 22-30.

11. Matthieu XIV, 4.

12. Matthieu XIV, 9-12.

13. Jean I, 8.

14. Deutéronome XXI, 20.

15. Jean-Paul Roux, *Jésus, op. cit.*, p. 166.

16. Ecclésiaste X, 19.

17. Psaumes LIV, 15.

18. Siracide, XXXI, 28.

19. Amos IX, 13.

20. Isaïe XXV, 6.

21. Saint Thomas, *Super Evangelium*, 5, « Joannis lectura », II, 7, 358. Cité par Xavier Léon-Dufour, *Lecture de l'Evangile selon Jean, op. cit.*, tome 2, p. 237.

22. Jean I, 17-18.

23. Ernest Renan, *Vie de Jésus, op. cit.*, p. 133.

CHAPITRE VIII

1. Jean XX, 30.

2. Actes II, 22.

3. Cité par John Drane, *Jésus et les quatre Evangiles, op. cit.*, p. 126.

4. « Alors les yeux des aveugles se dessilleront et les oreilles des sourds s'ouvriront ; le boiteux bondira

comme un cerf et la langue des muets prononcera des chants de joie » (Isaïe XXIX, 18-19) ; et : « Tes morts revivront, leurs cadavres ressusciteront » (Isaïe, XXVI, 19).

5. Marc VII, 32-36.

6. Marc VIII, 26.

7. Marc I, 44.

8. Marc VIII, 12.

9. Matthieu XVI, 2-4.

10. René Girard, *Quand ces choses commenceront...*, Arléa, 1994, p. 177.

11. Paul Valéry, *Suite*, Gallimard (cf. *Le Dournon des citations françaises*, Belfond, 1992).

12. Victor Hugo, *Les Travailleurs de la mer*, I, 17.

13. Ernest Renan, préface de la treizième édition de la *Vie de Jésus, op. cit.*, p. 10.

14. Jean Rostand, *Ce que je crois*, rééd. Grasset, 1965, p. 75.

15. « On ne peut utiliser la lumière électrique et les appareils de radio, réclamer en cas de maladie des moyens médicaux et cliniques modernes et en même temps croire au monde des esprits et des miracles du Nouveau Testament, a ainsi écrit l'Allemand Rudolf Bultmann. Qui croit pouvoir le faire pour son compte doit voir clairement qu'en donnant cela pour une attitude de foi chrétienne, il rend le message chrétien incompréhensible et impossible pour notre temps. » Bultmann, dont l'influence fut très profonde, expliquait que la connaissance de la puissance et des lois de la nature avait fait disparaître « la croyance aux esprits et aux démons (...) les maladies et leurs guérisons ont des causes naturelles et ne proviennent pas de l'action ou plutôt de l'ensorcellement des démons. C'est pourquoi les miracles du Nouveau Testament sont finis comme miracles » (Rudolf Bultmann, *L'Interprétation du Nouveau Testament*, trad. par O. Laffoucrière, Aubier, 1955, pp. 142 et 143).

16. Günther Bornkamm, *Qui est Jésus de Nazareth*, Le Seuil, 1973, p. 151.

17. Cette piscine avait fait douter de la véracité du récit de Jean : qui aurait pu, à l'époque, imaginer une piscine à cinq côtés ? Or, en 1960, des fouilles ont fait découvrir à cet endroit les restes de deux bassins rec-

tangulaires entourés de colonnades entre lesquels se dessine une étroite allée qui formait le cinquième portique.

18. Jean V, 3-9.

19. Cf. John Romer, *La Bible et l'Histoire*, Vernal-Philippe Lebaud, 1990, p. 196.

20. Actes II, 22.

21. Marc XIII, 22.

22. Matthieu VIII, 1-35.

23. Etienne Trocmé, « Le Christianisme jusqu'à 325 », *Histoire des religions*, Gallimard, coll. « Encyclopédie de la Pléiade », tome 2, p. 194.

24. Marc V, 41.

25. Charles Perrot, *Jésus et l'Histoire, op. cit*, pp. 177-199.

26. Marc IV, 38.

27. Jean IX, 1-7.

28. Marc VIII, 22-26.

29. Marc VI, 5.

30. Matthieu XVII, 27.

31. Jean IV, 46-54, Matthieu VIII, 5-13, Luc VII, 1-10.

32. *Talmud B. Berakhot*, cité par Xavier Léon-Dufour, *Les Miracles de Jésus*, p. 137.

33. Marc XI, 12-21.

34. Centurion-Cerf, p. 187.

35. Marc V, 1-13.

36. Georges Chantraine, « Les Signes de l'Amour », in *Communio*, septembre-octobre 1989.

37. *Ibid.*

38. Psaumes LXV, 8.

39. Job IX, 8.

40. 1 Rois XVII, 17-24 et 2 Rois IV, 8-37.

41. 2 Rois IV, 1-6 et IV, 42-44.

42. Marc VI, 4. On retrouve dans ce célèbre épisode ceux que l'évangéliste appelle les « frères de Jésus » : Jacques, José, Jude et Simon. Mais le membre de phrase qui évoque le prophète « méprisé dans sa maison », rarement évoqué par les commentateurs de l'Evangile, invite à s'interroger. « Sa maison » veut bien dire « ses très proches », puisqu'il y a dans la phrase un mouvement décroissant, comme celui d'une caméra qui « zoome » du plus large vers le plus étroit : son pays, sa parenté, sa

maison. Dans sa maison devait se trouver Marie. Elle n'apparaît guère ici. Comprend-elle ce « prophète » qui est son fils ? Que fait-elle ? Que dit-elle ?

43. Marc VI, 5.

44. Marc III, 7-12, Marc IV, 1, Matthieu XIII, 34, VIII, 1 et Luc VI, 19.

45. Marc II, 13-19.

46. Marc VI, 7-13.

47. Luc IX, 6, Marc VI, 13.

48. Dès le début de son Evangile (III, 6), Marc signale que « les pharisiens tenaient conseil avec les hérodiens, en vue de le perdre ». Mais la plupart des spécialistes considèrent que ce membre de phrase est une « anticipation », qu'il a été placé là par un ou des auteurs qui composaient leurs textes sans grand souci de la chronologie. Peu après la multiplication des pains, le même Marc (VIII, 15) fait dire par Jésus à ses compagnons : « Gardez-vous du levain des pharisiens et du levain d'Hérode ! », ce qui signifie, au moins, qu'il mettait les uns et l'autre dans le même sac. Plus tard encore, Luc signale que des pharisiens viennent avertir Jésus : « Pars et va-t'en d'ici, car Hérode veut te tuer » (Luc XIII, 31).

49. Marc VI, 31.

50. Matthieu XIV, 13.

51. Luc IX, 10.

52. Jean VI, 1. Voir à ce sujet Xavier Léon-Dufour, *Lecture de l'Evangile selon Jean, op. cit.*, tome 2, p. 101.

53. Selon certains auteurs, la mention de la Pâque, chez Jean, n'aurait pas de valeur chronologique mais devrait être reliée à la Cène, l'institution de l'eucharistie. Il s'agirait de suggérer que la Pâque des juifs serait bientôt relayée par la Pâque chrétienne. Voir sur ce sujet la contribution du jésuite Ignace de La Potterie au numéro déjà cité de la revue catholique internationale *Communio*, consacré aux miracles.

54. Matthieu XIV, 21.

55. Jean VI, 10.

56. Marc VI, 35-36. Il est vrai que Marc a parfois tendance à donner le mauvais rôle aux disciples.

57. Jean VI, 7.

58. Marc VI, 37.

59. Jean VI, 11. Chez les autres évangélistes, Jésus « lève les yeux au ciel » comme pour demander à son Père d'accomplir le miracle. De même, chez Jean, Jésus distribue seul le pain – ce qui est peu vraisemblable. Dans les autres textes, cette tâche est confiée aux disciples, auxquels Jésus apprendrait ainsi à partager le pain de l'eucharistie, si l'on peut voir dans ce récit une préfiguration de l'eucharistie.

60. Jean VI, 14.

61. Ruth II, 14.

62. Psaumes XXIII, 1-2.

63. Marc VI, 34.

64. P. Léon Marcel, *Regard sur Jésus à la lumière de saint Jean, op. cit.*, p. 102.

65. Marc VI, 41-42.

66. Marc XIV, 22.

67. Dans *L'Homme qui devint Dieu* (Robert Laffont et Le Livre de Poche) et surtout dans le deuxième volume, *Les Sources* (Le Livre de Poche, 1993, p. 292), Gérald Messadié reprend cette thèse déjà ancienne des exégètes de l'école dite « libérale » en s'appuyant sur un indice qu'il dit « probant » : la mention de « douze grands paniers des restes ». D'où venaient donc ces paniers, demande-t-il, « s'ils ne les avaient emportés avec eux » ? Il n'a pas pris garde que ce chiffre douze est symbolique et qu'il s'agissait, en évoquant les restes, de manifester surtout la générosité de Dieu. En outre, l'existence de paniers ou de couffins en ce lieu ne prouve rien : ils pouvaient tout aussi bien être vides qu'emplis de provisions au préalable.

68. Luc VIII, 3.

69. Gerd Theissen, *L'Ombre du Galiléen*, Cerf, pp. 168 et 169.

70. A.-G. Herbert, « The historicity in the feeding of five thousands », in *Studia Evangelica*, 2, p. 68.

71. H. Clavier, « La multiplication des pains dans le ministère de Jésus », *Studia Evangelica*, 1, p. 447.

72. Cf. sur ce point Xavier Léon-Dufour, *Lecture de l'Evangile selon Jean, op. cit.*, tome 2, pp. 117 et suiv.

73. Jean VI, 26-27.

74. Jean VI, 34.

75. Jean VI, 35-40.
76. *Op. cit.*, p. 138.
77. Jean VI, 51.
78. Jean VI, 55.
79. Jean VI, 66.
80. Jean VI, 68-69.
81. Matthieu XIV, 22 et Marc VI, 45.
82. Marc VI, 52.
83. Marc VIII, 1-10.
84. Marc VIII, 17-18.
85. Jérémie V, 21 et Ezéchiel XII, 2.
86. Jean IV, 14.
87. Jean IV, 15.
88. Albert Camus, *La Peste*, Le Livre de Poche, p. 108.
89. Anne Reboux-Caubel, *Peut-on ressusciter ?*, Centurion, p. 189, p. 34.
90. Jean X, 33.
91. Jean X, 38.
92. Jean XI, 1-44.
93. Psaumes XLII, 6-12.
94. Marc XI, 11.
95. Luc X, 38-42.
96. *Op. cit.*, pp. 280 et 281 : « Décrite d'abord par Ambroise Paré, écrit Gérald Messadié, la catalepsie a été décrite beaucoup plus scientifiquement au XXᵉ siècle par le Français Henri Baruk. Le corps y devient mou et plastique, "comme une pâte à modeler" (Norbert Sillamy, *Dictionnaire de psychologie*). Le sommeil cataleptique peut durer des jours, des mois et même des années. » Un lecteur de la première édition de mon livre m'a suggéré aussi l'hypothèse d'une hypothermie accidentelle comateuse, qui provoque un état de mort apparente.
97. Ernest Renan, *Vie de Jésus*, *op. cit.*, p. 203.
98. *Ibid.*, p. 202.
99. Xavier Léon-Dufour, *Lecture de L'Evangile selon Jean*, *op. cit.*, tome 2, p. 408.
100. Luc XVI, 19-31.
101. Cf. J. Kremer, in *Mélanges J. Dupont*, Cerf, pp. 571-584. Le P. Xavier Léon-Dufour (*Lecture de*

l'Evangile selon Jean, op. cit., tome 2, p. 409) juge cette seconde hypothèse « plus vraisemblable ».

102. *Ibid.*

103. Irénée, *Adversus Haereses*, V, 13.

CHAPITRE IX

1. Matthieu VI, 2.
2. Jean III, 13.
3. Jean IV, 17-18.
4. Marc I, 22.
5. Certaines sont si brèves – une ou deux phrases – que l'on ne sait s'il faut les compter comme telles, ce qui interdit de donner un chiffre précis.
6. Ainsi la parabole du figuier qui ne donne pas de fruits (Luc XIII, 6-9) et que son propriétaire veut couper ; son serviteur lui demande un sursis : « Laisse-le cette année encore, le temps que je creuse tout autour et que je mette du fumier. Peut-être donnera-t-il des fruits à l'avenir... » Cette histoire en rappelle une autre que l'on trouve, selon Gerd Theissen (*L'Ombre du Galiléen, op. cit.,* p. 188), dans le *Roman d'Achikar*, un texte « répandu sous plusieurs versions dès avant l'ère chrétienne », où c'est l'arbre qui, sur le point d'être coupé, demande : « Transplante-moi et si je ne porte pas encore de fruit, coupe-moi. » Cela dit, dans les paraboles de Jésus, jamais les plantes ou les animaux ne parlent. Nous ne sommes pas chez La Fontaine ou Esope.

D'autres exemples peuvent être trouvés dans D. La Maisonneuve, « Paraboles rabbiniques », in *Cahiers Evangiles*, 50.

7. Luc XVI, 1-9.
8. Luc XVI, 13.
9. Marc IV, 3-9.
10. Marc IV, 13-20.
11. Marc IV, 10-13.
12. Marc IV, 33.
13. Isaïe VI, 9-10 : le prophète s'adresse à des auditeurs corrompus, avides de gains, qui joignent « maison à maison, champ à champ » et ne veulent rien entendre.

Le Seigneur lui dit alors : « Va, tu diras à ce peuple : "Ecoutez bien, mais sans comprendre, regardez bien, mais sans reconnaître." Engourdis le cœur de ce peuple, appesantis ses oreilles, colle-lui les yeux ! Que de ses yeux il ne voie pas ni n'entende de ses oreilles ! Que son cœur ne comprenne pas ! Qu'il ne puisse se convertir et être guéri ! » Cf. à ce sujet « Les Paroles scandaleuses de Jésus » in *Fêtes et saisons*, n° 465, mai 1992, pp. 23-24.

14. Zacharie IX, 9-10. Selon les spécialistes, les textes attribués à Zacharie seraient d'origines diverses. Celui-ci daterait peut-être du IVᵉ siècle.

15. Psaumes LXXII, 11-14.

16. Marc I, 15.

17. Cf. Charles-Harold Dodd, *Le Fondateur du christianisme, op. cit.*, p. 64, et D. Marguerat, *L'Homme qui vient de Dieu*, Ed. du Moulin, pp. 20 et suiv.

18. Luc XVII, 20-21.

19. Marc X, 15.

20. Matthieu XI, 12. Matthieu utilise l'expression « Royaume des cieux » non pour évoquer un territoire supra-terrestre mais parce qu'il écrivait, à la différence de Marc et de Luc, pour les juifs. Ceux-ci n'aimaient pas utiliser le nom de Dieu, de peur d'enfreindre par mégarde le commandement : « Tu ne prononceras pas à tort le nom du Seigneur ton Dieu » (Exode XX, 7).

21. Matthieu XIII, 33.

22. Luc XIII, 18-19.

23. Matthieu VI, 7-14 et Luc XI, 1-4. La version de Luc est plus brève. Elle omet notamment la troisième demande : « Que ta volonté soit faite sur la terre comme au ciel. »

24. Luc XVII, 10.

25. Sigmund Freud, *Malaise dans la civilisation*, Denoël, p. 493.

26. Luc VI, 27-28.

27. Deutéronome VI, 5.

28. Lévitique XIX, 18.

29. David Flusser, *Jésus, op. cit.*, p. 76.

30. *Ibid.*, p. 81. Le rabbin Hillel, auquel se réfère Flusser, a vécu entre 70 avant J.-C. et 10 après J.-C. Devenu président du Sanhédrin, il était donc la plus

haute autorité juive en matière de religion et de législation. Il avait édicté une règle d'or : « Ce qui t'est odieux, ne l'inflige pas aux autres hommes. Voici toute la *Tora*, le reste n'est qu'une illustration de ce principe. » Au culte du pouvoir et de l'Etat il opposait l'idéal d'une communauté de juifs aimant Dieu et leurs semblables.

31. Matthieu XXIII, 23-24.

32. Marc II, 27.

33. Marc X, 17-27.

34. Ernest Renan, *Vie de Jésus, op. cit.*, p. 129.

35. Psaumes LXIX, 9.

36. Marc, X, 35-45. Pour apprécier l'incongruité de la démarche des fils de Zébédée, il faut rappeler que Marc ne perd jamais une occasion de souligner la sottise moyenne des disciples.

37. Luc XXII, 25-27.

38. Jean XIII, 4-17.

39. Marc XII, 13-17.

40. Luc XV, 11-32.

41. Matthieu XXI, 2.

42. Luc XXII, 30.

43. Luc XV, 9.

44. Matthieu XIII, 44.

45. Matthieu XVI, 21-24.

46. Matthieu XI, 30.

47. Jean-Paul Roux, *Jésus, op. cit.*, p. 283.

48. Luc XXII, 19.

49. Cf. sur ce point, Jean Vassal, *Les Eglises, diaspora d'Israël ?*, Albin Michel, 1993, p. 101.

50. Cf., sur la question du péché originel, Pierre Gibert, *Bible, mythes et récits de commencements*, Le Seuil, 1986. Il montre que le dogme du péché originel n'a pas son origine dans l'histoire d'Adam et Eve, mais dans saint Paul (Romains V). Pour celui-ci le salut apporté par le Christ concerne, en permanence, le mal qui est en l'homme. Mais il n'a pas plus que le Christ développé l'idée que, la Création ayant été gâchée par le péché originel, une réparation était nécessaire, que Jésus apporta. C'est à partir de saint Augustin que fut établie une telle explication chronologique, bientôt érigée en vérité absolue.

CHAPITRE X

1. Luc XI, 37-54.
2. Luc XIII, 31.
3. Matthieu V, 17.
4. Matthieu V, 21-48.
5. Luc VII, 36-50.
6. Jean VII, 16.
7. Jean V, 18.
8. Gérard Israël, « Y a-t-il une pensée juive du christianisme ? » in *Les Nouveaux Cahiers*, revue publiée sous les auspices de l'Alliance israélite universelle, n° 113.
9. Eduard Schweizer, *La Foi en Jésus-Christ*, trad. française, Le Seuil, 1975, p. 51.
10. Cf. sur ce point Pierre Grelot, « L'Arrière-plan araméen du Pater », in *Revue biblique*, t. 91, 1984, p. 531.
11. Comme le fait remarquer François Refoulé (« Le Notre Père, point de vue exégétique », in *Unité des chrétiens*, n° 39, juillet 1980), « il convient de relever que le Notre Père ne comporte aucun trait christologique : il n'est fait mention ni de Jésus, ni de son rôle dans l'avènement du Royaume, ni de son pouvoir de remettre les péchés ». Un juif peut sans problème réciter le Notre Père et il arrive d'ailleurs – rarement – que juifs et chrétiens le disent ensemble.
12. Art. cit.
13. Marc XIV, 36.
14. Joachim Jeremias, *Abba. Jésus et son père*, Le Seuil, 1972, p. 89. Voir sur cette thèse l'étude de Jacques Schlosser, in *Le Dieu de Jésus*, Cerf, pp. 179-209. Par ailleurs, le Pr J. M. Van Cangh estime qu'en appelant Dieu *Abba* (« Papa ») « Jésus est unique », sans précédent ; aucun autre prophète ou fondateur de religion n'a été aussi loin (« Bible et vérité », in *Le Supplément*, n° 188, janvier 1994).
15. Pour une étude plus complète du « Notre Père », et notamment de sa traduction : voir, outre les textes cités ci-dessus, Max-Alain Chevallier, « Relire le Notre Père », hors-série, *Réforme, s.d.*
16. Marc X, 13-16.

17. Proverbes X, 1.

18. Proverbes XXIX, 15.

19. « Qui n'honore pas le Fils n'honore pas le Père qui l'a envoyé », Jean V, 23.

20. Rudolf Augstein, *Jésus, Fils de l'homme*, trad. française, Gallimard, 1975, p. 46.

21. « L'individu a été si bien pris au sérieux, si bien posé comme un absolu par le christianisme, écrivait Nietzsche vers la fin de sa vie, qu'on ne pouvait plus le sacrifier : mais l'espèce ne survit que grâce aux sacrifices humains... La véritable philanthropie exige le sacrifice pour le bien de l'espèce ; elle est dure, elle oblige à se dominer soi-même parce qu'elle a besoin du sacrifice humain. Et cette pseudo-humanité qui s'intitule christianisme veut précisément imposer que personne ne soit sacrifié... » (*Œuvres philosophiques complètes*, tome 14 : *Fragments posthumes, début 1888-début janvier 1889*, Gallimard, pp. 224-225). Le nazisme en quête de boucs émissaires et de victimes sacrificielles, « pour le bien de l'espèce », s'inspirait de Nietzsche dans un projet fondamentalement antichrétien.

22. C'est un Père de l'Eglise, Epiphane, qui cite cet Evangile. (Havis XXX, 14-16). Sur ce texte, voir le *Dictionnaire des religions* (PUF, 1984), sous la direction de Paul Poupard, article « Apocryphes », p. 79.

23. Osée VI, 6.

24. Jésus cependant, quand on lui demande de verser l'impôt au Temple (c'est l'épisode du statère d'or évoqué ci-dessus p. 123, et dans Matthieu XVII, 24-27), déclare que les juifs « sont libres » de payer ou non, mais se résout à le faire afin de ne pas « scandaliser ». Certains spécialistes pensent que ce texte ne rapporte pas des paroles authentiques mais aurait été inséré pour résoudre un problème posé aux premières communautés chrétiennes : ces judéo-chrétiens s'interrogeaient évidemment sur leur attitude à l'égard de l'impôt dû au Temple.

25. Siracide XII, 1-7.

26. *Antiquités juives* XVIII, 15.

27. Cf. Jackie Feldmann, « Le second Temple, comme institution économique, sociale et politique », in *La Société juive à travers l'histoire*, tome 2 : *Les Liens de*

l'Alliance, sous la direction de Shmuel Trigano, Fayard, 1993, p. 170.

28. Claude Tresmontant, *Le Christ hébreu : la langue et l'âge des Evangiles, op. cit.*, p. 180.

29. Matthieu XXIII, 27-28.

30. *Hymnes de Qumrān*, éd. Mathias Delcor, Letouzey et Ané, IV, 7-8.

31. Luc VII, 36-50.

32. Jean III, 2.

33. Jean IX, 1-34.

34. Jean IX, 40-41.

35. Charles Guignebert, *Modernisme et tradition catholique*, Paris, 1908, p. 78. « Les pierres vengeres- ses », comme dit Guignebert, firent mourir Etienne, un contemporain de Jésus qui, ayant annoncé que celui-ci était « debout à la droite de Dieu », fut traîné hors de Jérusalem et lapidé (Actes des apôtres VII, 8-58).

CHAPITRE XI

1. Cf. Gerd Theissen, *Le Christianisme de Jésus, op. cit.*, p. 69.

2. Luc XIII, 34 et Matthieu XXIII, 37.

3. Jean VII, 1-36.

4. Qui l'a marquée du palmier de ses armes, le pal- mier étant signe de royauté. Cf. Daniel-Rops, *Jésus en son temps, op. cit.*, p. 167.

5. Luc VII, 5.

6. Jean VI, 51.

7. Jean VI, 68-69.

8. L'envoyé de Dieu ne peut pas, aux yeux d'un juif, avoir été un gamin jouant dans les rues d'un village. Son origine doit être merveilleuse, inconnue. En outre, deux traditions, deux croyances existaient encore à propos du Messie. Pour les uns, on l'a vu, il serait de la descen- dance de David (c'est le thème que l'on retrouve dans les Evangiles de l'enfance de Matthieu et de Luc). Pour d'autres, sa présence sur terre serait cachée jusqu'au moment où, soudain, il se présenterait (où serait pré- senté) à son peuple. Le juif Tryphon, dans son dialogue

déjà cité avec le chrétien Justin au IIe siècle, dit : « Le Messie, même s'il est né et existe aujourd'hui quelque part, est un inconnu » (Dialogue VIII, 4). Un épisode des Evangiles a suscité de longs débats sur cette question dite du « Messie caché ». Jésus interroge ses disciples sur ce que l'on dit de lui. Puis : « Mais pour vous, qui suis-je ? » Pierre : « Tu es le Christ. » Marc conclut : « Et il leur enjoignit de ne parler de lui à personne » (Marc VIII, 27-30). Textes très proches dans Matthieu et Luc. Aucune allusion chez Jean. Plusieurs explications ont été données de ces attitudes de Jésus : il voulait couper court aux faux espoirs de ses contemporains qui attendaient un véritable roi terrestre ; il voulait tout renvoyer à Dieu ; il ne voulait pas utiliser sa puissance, son identité réelle, pour imposer aux hommes le règne de Dieu ; il ira jusqu'à s'abaisser devant l'homme, se laisser bafouer et chasser, pour respecter sa liberté.

9. Jean X, 22-42.

10. Psaumes LXXXII.

11. Cf. Jackie Feldmann, « Le second Temple, comme institution économique, sociale et politique », in *La Société juive à travers l'histoire*, *op. cit.*, tome 2, p. 168. Pour le récit de cette réunion : Jean XI, 47-54, qui y fait à nouveau allusion lors des procès de Jésus (XVIII, 14).

12. Jean IV, 21-23. « Le jour où il prononça cette parole, a écrit Renan, Jésus fut vraiment fils de Dieu. Il dit pour la première fois le mot sur lequel reposera l'édifice de la religion éternelle. Il fonda le culte pur, sans date, sans patrie, celui que pratiqueront toutes les âmes élevées jusqu'à la fin des temps » (Ernest Renan, *Vie de Jésus*, *op. cit.*, p. 151). Jean prête pourtant à Jésus, dans ce même dialogue, un propos contradictoire : « Vous adorez, vous, ce que vous ne connaissez pas, nous adorons, nous, ce que nous connaissons, parce que le salut vient des juifs » (verset 22). Renan estime dans une note que cette phrase « paraît une gauche addition de l'évangéliste, effrayé de la hardiesse du mot qu'il rapporte ». D'autres après lui, comme Rudolf Bultmann, ont souligné que lorsque Jean utilise le mot « juif », c'est pour désigner les grands prêtres, les pharisiens, les saddu-

céens, en général des ennemis de Jésus. Quand il veut parler du peuple fidèle à l'Alliance, il utilise plutôt le mot « Israël ». Il n'a donc pu dire que le salut vient de ses adversaires et cette phrase serait bien un ajout. Mais des exégètes comme Xavier Léon-Dufour (*Lecture de l'Evangile selon Jean, op. cit.*, tome 1, p. 370) ne voient pas de contradiction entre le verset 22 et les autres : il s'agit, disent-ils, de mettre en valeur la portée de la rencontre de Jésus avec les Samaritains *et* de rappeler que le Dieu unique a élu le peuple juif pour être son témoin devant les nations, qu'Il a noué avec lui la première Alliance, à laquelle l'humanité entière est conviée. Le juif Jésus, donc, rappellerait l'origine de son message *en même temps* qu'il lui donnerait une portée universelle.

13. Matthieu XVII, 17, Marc XI, 1-10, Luc XIX, 28-40.

14. Cf. Jean-Paul Roux, *Jésus, op. cit.*, pp. 335 et 336.

15. Juges V, 9-10.

16. Matthieu XXI, 5 se réfère à Zacharie IX, 9. Il ne s'agit évidemment pas du mari d'Elisabeth, mais de l'auteur (peut-être multiple) d'un texte écrit entre le VIIᵉ et le VIᵉ siècle avant J.-C. et consacré pour l'essentiel à la venue du Messie.

17. Jean XII, 12-19.

18. Cf. Xavier Léon-Dufour, *Lecture de l'Evangile selon Jean, op. cit.*, tome 2, p. 452, n. 27.

19. 1 Macchabées XII, 41-51. Les Livres des Macchabées ne font pas partie des livres canoniques juifs. Les protestants (et saint Jérôme) les considèrent comme apocryphes. Mais l'historien Flavius Josèphe a accordé assez de crédit au premier d'entre eux pour le paraphraser beaucoup dans son texte *Antiquités juives* (XII-XIII).

20. Psaumes CXVIII, 26.

21. Jean-François Six, *Jésus*, Somogy, 1972 (rééd. Le Seuil, 1974), p. 124.

22. Jean XII, 15.

23. Jean XII, 19.

CHAPITRE XII

1. Jean II, 13-16 et Matthieu XXI, 10-17, Marc XI, 15-19, Luc XIX, 45-48.

2. Cf. Xavier Léon-Dufour, *Lecture de l'Evangile selon Jean, op. cit.*, tome 1, p. 248.

3. Jean II, 21-22.

4. Samuel George Frederick Brandon, *Jésus et les zélotes : recherche sur le facteur politique dans le christianisme primitif*, Flammarion, 1976, p. 372.

5. Marc XV, 7.

6. Luc XXIII, 18-19.

7. Samuel George Frederick Brandon, *Jésus et les zélotes : recherche sur le facteur politique dans le christianisme primitif, op. cit.*, p. 374.

8. *Ibid.*, p. 373.

9. Cf. Francis Schmidt, *La Pensée du Temple. De Jérusalem à Qumrān*, Le Seuil, 1994, pp. 250 et suiv.

10. E.-P. Sanders, *Jesus and Judaism*, SCM Press, pp. 61-71.

11. David Flusser, *Jésus, op. cit.*, p. 122.

12. Marc XIII, 1, mais aussi Jean II, 18-22, Marc XIV, 57-58 et XV, 29.

13. Pour le débat sur ce point, voir Francis Schmidt (*La Pensée du Temple. De Jérusalem à Qumrān, op. cit.*, pp. 250 et suiv.), qui conclut que l'activité de Jésus est « virtuellement porteuse d'une rupture avec le Temple et la pensée du Temple ». De même, mais plus nette, Paula Friedriksen, *De Jésus aux Christs*, Cerf, 1992, pp. 171 et suiv.

14. Marc XIV, 41.

15. Matthieu XXI, 32.

16. Psaumes LXVIII, 22-23.

17. Matthieu XXI, 33-46, Marc XII, 1-2, Luc XX, 9-19.

18. Isaïe V, 1-7.

19. Matthieu XXII, 1-14, Luc XIV, 16-24.

20. Matthieu XXII, 41-46, Marc XII, 35-37, Luc XX, 41-44.

21. Jean XII, 23.

22. Pour le débat sur ce sujet, cf. notamment : Charles

Perrot, *Jésus et l'Histoire, op. cit.*, pp. 207 et suiv. ; Günther Bornkamm, *Qui est Jésus de Nazareth, op. cit.*, pp. 235 et suiv. ; Eugen Drewermann, *L'Evangile de Marc : images de la rédemption*, Cerf, 1993, p. 44, n. 30 ; et enfin, parmi beaucoup d'autres, David Flusser, *Jésus, op. cit.*, pp. 113 et suiv., pour qui Jésus a d'abord parlé du « Fils de l'homme » à la troisième personne parce qu'il attendait quelqu'un d'autre, puis « s'est de plus en plus convaincu qu'il était lui-même le Fils de l'homme à venir ». Mais rien ne confirme cette hypothèse, d'autant que Jésus, dès le début de sa prédication, parle en son nom propre : « Eh bien ! moi je vous dis... »

23. Ezéchiel II, 1 et Daniel VIII, 17.

24. Daniel VII, 13-14.

25. Günther Bornkamm, *Qui est Jésus de Nazareth, op. cit.*, p. 238.

26. Matthieu XXVI, 6-13, Luc VII, 37-38, Marc XIV, 3-9, Jean XII, 1-8.

27. Paul suggérait même aux Corinthiennes qui, au nom du christianisme peut-être, voulaient cesser de porter le voile de se faire tondre ou couper les cheveux (1 Corinthiens XI, 5-6).

28. Jean VI, 70.

29. Jean XIII, 27.

30. Jean XI, 57.

31. Zacharie XI, 4-13.

32. Ces deux hypothèses sont notamment avancées par Jean-Claude Barreau, *Biographie de Jésus*, Plon, 1993, pp. 205 et 206.

33. Jean VI, 71 et XIII, 26.

34. Ernest Renan, *Vie de Jésus, op. cit.*, p. 210.

35. Daniel-Rops, *Jésus en son temps, op. cit.*, p. 336.

36. Xavier Léon-Dufour, *Lecture de l'Evangile selon Jean, op. cit.*, tome 3, p. 64.

37. Matthieu XXVI, 24.

CHAPITRE XIII

1. Cf., sur ce sujet, Gilles Bernheim, « L'Eucharistie, le corps, le sang », in *Les Nouveaux Cahiers*, n° 113, pp. 6 et suiv.

2. Cf. Robert Aron, *Les Années obscures de Jésus*, Desclée de Brouwer, 1979, pp. 99 et suiv.

3. Suivant les traductions, il peut s'agir d'une salle haute à l'intérieur de la maison, d'une terrasse ou d'une chambre de réception assez grande, bien garnie de banquettes. Cf. J. Decroix, « Le Cénacle », in *Bible et Terre sainte*, n° 98, p. 9.

4. Luc XXII, 13, Marc XIV, 12-16, Matthieu XXVI, 17-19.

5. *Op. cit.*, p. 63.

6. Jacqueline Genot-Bismuth, *Jérusalem ressuscitée*, *op. cit.*, p. 117.

7. Jean XIII, 6-17.

8. Le deuxième sens est plus probable. En effet, la même phrase apparaît dans un texte de Matthieu (X, 16-24) où Jésus annonce à ses compagnons, bien avant la Passion, qu'ils seront persécutés, pourchassés « comme des brebis au milieu des loups ». Et après avoir souligné que « le disciple n'est pas au-dessus du maître », il conclut : « Du moment qu'ils ont traité de Beelzéboul (le diable) le maître de maison, que ne diront-ils pas de sa maisonnée ? » La phrase, placée par Jean au moment du lavement des pieds, peut très bien avoir été prononcée plus tôt.

9. Matthieu XXVI, 20-25, Marc XIV, 17-21, Luc XXII, 14-23, Jean XIII, 21-30.

10. Jean XII, 27.

11. Il ne le nommera jamais, comme s'il voulait en faire la figure même du disciple idéal. Mais, à la fin de son texte, il se réfère à lui comme étant son informateur : « C'est ce disciple qui témoigne de ces faits et qui les a écrits, et nous savons que son témoignage est véridique » (Jean XXI, 24). Sur l'origine de l'Evangile de Jean, voir ci-dessus, p. 264.

12. Jean I, 5.

13. Cf. Xavier Léon-Dufour, *Lecture de l'Evangile selon Jean, op. cit.*, tome 3, p. 57. Renan, lui, soulignant que Jean, par ailleurs, a raconté ce repas avec « tant de prolixité », voit dans son silence sur ce point « la preuve que dans la secte dont il représente la tradition (la communauté judéo-chrétienne qui a donné naissance à cet Evangile) on ne regardait pas l'institution de l'eucharistie comme une particularité de la Cène ».

14. Jean VI, 51-57.

15. Matthieu XXVI, 26-29, Luc XXII, 18-20, Marc XIV, 22-25.

16. 1 Corinthiens XI, 23-26.

17. Gilles Bernheim, art. cit., p. 62.

18. Actes II, 42.

19. Cf. Joseph Bonsirven, « *Hoc est corpus meum.* Recherches sur l'original araméen », *Biblica* 29 (Rome, 1948), pp. 205-219.

20. Jérémie XXXI, 31-32. « Des jours viennent – oracle du Seigneur – où je conclurai avec la communauté d'Israël (...) une nouvelle Alliance. Elle sera différente de l'Alliance que j'ai conclue avec leurs pères quand je les ai pris par la main pour les faire sortir du pays d'Egypte. »

21. C'est la thèse d'Annie Jaubert, *La Date de la Cène*, Gabalda J., 1957.

22. *Talmud de Babylone*, traité *Sanhédrin*, V, 2, 43 a : « La veille de la Pâque on a pendu Jésus le Nazaréen (...) il a pratiqué la sorcellerie et séduit et égaré Israël. » Le texte date, semble-t-il, du IIe siècle.

23. Marc XV, 42 et Jean XIX, 31.

24. Jean XIII, 33-38.

25. Jean XIV, 1-31.

CHAPITRE XIV

1. Luc XXII, 35-38.

2. Marie-Emile Boismard, « Synopse des quatre Evangiles en français », tome 2 : *Commentaire*, Cerf, p. 388.

3. *Op. cit.*, p. 382.

4. Luc XXII, 51.

5. Il existe une autre interprétation, tirée du texte le plus ancien (le papyrus « Chester Beatty ») qui donne le nom de *Gessamanei*, ce qui signifierait « Vallée des gras » ou « Vallée très grasse ». Cf. Amédée Brunot, « Gethsemani », in *Bible et Terre sainte*, n° 99, mars 1968.

6. Matthieu XXVI, 36-46, Marc XIV, 32-42, Luc XXII, 40-46, Jean XVIII, 1.

7. Cf. Jean-Paul Roux, *Jésus, op. cit.*, p. 364.

8. Genèse XXXII, 23-33.

9. 1 Rois XIX, 1-21.

10. Psaumes XLII, 10-11.

11. Jean XVIII, 36.

12. Matthieu XXVI, 64.

13. Luc XXII, 70.

14. Jacques Guillet, *Jésus-Christ hier et aujourd'hui, op. cit.*, p. 154.

15. Charles Guignebert, *Jésus*, Albin Michel, 1969, pp. 211-212.

16. Le *Larousse médical* (édition de 1981) écrit à ce sujet : « L'hématidrose est des plus exceptionnelles, se faisant à travers la peau apparemment intacte. Elle pose le problème des manifestations observées chez certains stigmatisés. » C'est sans doute ce phénomène qui a donné naissance à l'expression « suer sang et eau ».

17. Certaines traductions de Marc donnent le sentiment que les autorités juives ont fait appel à un groupe de voyous, « la canaille en armes », mais cela paraît peu vraisemblable, puisqu'elles avaient à leur disposition la police du Temple.

18. Actes XXI, 27-36.

19. Marc XV, 7.

20. Marc XIV, 51-52.

21. Gérald Messadié, *L'Homme qui devint Dieu, op. cit.*, pp. 35-36.

22. Marc XVI, 3.

23. Luc XXIV, 4, Matthieu XXVIII, 3, Jean XX, 12.

24. Cf. sur ce point Menahem Stern, « La Société juive à l'époque du second Temple : prêtrises et autres classes », in *La Société juive à travers l'histoire, op. cit.*, tome 1, pp. 379 et suiv.

25. Jean XVIII, 12-24.

26. Marc XIV, 65, Matthieu XXVI, 67-68, Luc XXII, 63-65.

27. C'est notamment la thèse de Jacqueline Genot-Bismuth, professeur de judaïsme ancien et médiéval à la Sorbonne, *Jérusalem ressuscitée, op. cit.*, p. 218.

28. Flavius Josèphe, *Antiquités juives* XX, 199-203.

29. In *Jésus aujourd'hui. Historiens et exégètes à Radio-Canada, op. cit.*, tome 2, p. 134. Sur cette question, cf. dans ce volume collectif tout le chapitre XII, pp. 129 et suiv., et aussi David Flusser, *Jésus, op. cit.*, pp. 63-64 et 129-130.

30. « Un homme ne sera condamné à mort que sur le témoignage de deux ou trois témoins et jamais sur celui d'un témoin unique » (Deutéronome XVIII, 6).

31. Voir sur tous ces points Simon Légasse, *Le Procès de Jésus*, Cerf, 1994, et aussi la recension de ce livre dans *Esprit et Vie*, juin 1994, p. 364.

32. « Les rabbins ont connu mieux que personne la situation de leur pays et si, diminuant leur propre prestige, ils ont dit qu'ils n'avaient pas le droit de traiter juridiquement des affaires criminelles, cela ne peut qu'être exact », cité par Jean Becq, « Ponce Pilate et la mort de Jésus », in *Bible et Terre sainte*, n° 57, juin 1963.

33. Lettre citée dans la *Legatio ad Gaium* (§ 302) et par David Flusser (*Jésus, op. cit.*, p. 133, n. 223), lequel Flusser ajoute cependant : « Ce n'est sans doute pas par hasard que les défauts énumérés sont au nombre de sept. »

34. Le préfet avait les pouvoirs militaires et policiers ; le procurateur, les responsabilités administratives.

35. Robert Aron, *op. cit.*, p. 203.

36. Tacite, *Histoires*, V, 5.

37. Cf. Joseph Meleze Mordzejwski, « Les Juifs dans le monde gréco-romain », in *Les Nouveaux Cahiers*, n° 113.

38. En fait, l'alimentation en eau faisait partie des obligations du grand prêtre et devait être financée par les fonds du Temple. Ce qui est reproché à Pilate, c'est de s'être substitué au grand prêtre.

39. Luc XXIII, 1.

40. Matthieu XXVII, 11-14, Marc XV, 2-5, Luc XXIII, 2-5, Jean XVIII, 29-38.

41. L'existence de cette coutume a été contestée. Elle est confirmée par des sources rabbiniques, selon David Flusser, *Jésus, op. cit.*, p. 134. Mais Raymond E. Brown, *The Death of the Messiah* (éd. Geoffrey Champman, 1994), se montre, au terme d'une étude détaillée, très sceptique (pp. 814-815). De même Simon Légasse, *Le Procès de Jésus, op. cit.*, p. 108.

42. Marc XV, 6-8.

43. Philon d'Alexandrie, *In Flaccum*, 36-39.

44. Les juifs, eux, ne punissaient que de quarante coups, et leurs fouets étaient faits de cuir ; un tiers des coups étaient portés sur la poitrine, le reste sur les épaules. L'apôtre Paul sera flagellé ainsi cinq fois : une épreuve redoutable mais moins avilissante, douloureuse et éventuellement mortelle que le type de flagellation réservé par les Romains aux étrangers.

45. C'est ce que semblent indiquer par exemple les propos prêtés à Jésus par Matthieu (XXIII, 34-36) : « Voici que j'envoie vers vous des prophètes, des sages et des scribes : vous en tuerez et mettrez en croix, vous en flagellerez dans vos synagogues et pourchasserez de ville en ville, pour que retombe sur vous tout le sang innocent répandu sur la terre, depuis le sang de l'innocent Abel jusqu'au sang de Zacharie, fils de Parachie, que vous avez assassiné entre le sanctuaire et l'autel. »

46. Actes des apôtres III, 17.

47. Xavier Léon-Dufour, *Les Evangiles et l'histoire de Jésus*, Le Seuil, 1963, pp. 337-338. Voir aussi sur ce sujet, *ibid.*, pp. 278 et 279, ainsi que, notamment, Ignace de La Potterie, « Deux livres récents sur le procès de Jésus », in *Biblica* 43, Rome, 1962 ; Weddig Friche, *Chronique du procès Jésus*, éd. Liana Lévi, p. 207, et Eugen Drewermann, *L'Evangile de Marc : images de la rédemption, op. cit.*, pp. 54 et 55.

CHAPITRE XV

1. « Le peuple était là, qui observait » (Luc XXIII, 35).
2. Cf. David Flusser, *Jésus, op. cit.*, p. 138.
3. *Golgotha*, mot araméen, signifie « crâne ». Le latin *calvarius* (d'où le français « calvaire ») signifie « butte nue comme un crâne dégarni ».
4. Cicéron, *Contre Verrès*, II, 5-14.
5. Nicu Haas, « Anthropological Observations on the skeleton from Giv'at ha-Mitvtar », in *Israel Exploration Journal*, Jérusalem, vol XX, n° 12, 1970. Longtemps, des historiens ou des critiques ont contesté que Jésus ait été cloué au bois – ce qui est indiqué seulement dans l'Evangile de Jean (l'apparition à Thomas, Jean XX, 27) – jusqu'à cette découverte de 1968.
6. Marc XV, 22.
7. Selon Marc XV, 23. Matthieu parle (XXVII, 34) de « fiel », mais sans doute par confusion et toujours dans la volonté de démontrer que tout ce qui se produit est conforme aux Ecritures. Le psaume LXIX, 22 dit en effet : « Ils m'ont donné pour nourriture le fiel et, dans ma soif, ils m'ont abreuvé de vinaigre. » Cette version a été répandue et acceptée parce qu'elle semblait montrer la volonté des bourreaux d'accroître encore les souffrances de Jésus. Cf. Jean-Paul Roux, *Jésus, op. cit.*, p. 396.
8. Ernest Renan, *Vie de Jésus, op. cit.*, p. 225.
9. Certains ont mis en doute ce fait, cité par les quatre textes, y voyant seulement une autre tentation (cf. ci-dessus, n. 7) de se rapporter aux Ecritures. Cette fois, il s'agit du psaume XXII, 19 : « Ils partagent entre eux mes habits et tirent au sort mes vêtements. » Mais laisser les vêtements aux soldats, qui se les partageaient d'une manière ou d'une autre, était une pratique courante chez les Romains.
10. Cf. Xavier Léon-Dufour, *Les Evangiles et l'histoire de Jésus, op. cit.*, p. 463.
11. Actes I, 13.
12. Psaumes XXII, 7-9.
13. Psaumes XXII, 22-25.
14. Sur les problèmes d'horaire dans la journée du

vendredi, cf. notamment Eduard Schweizer, *La Foi en Jésus-Christ, op. cit.*, pp. 20 et 21, et Jean Carmignac, « Qumrān et le courant essénien au temps de Jésus » in *Jésus aujourd'hui. Historiens et exégètes à Radio-Canada, op. cit.*, tome 1 : *Sources, méthodes et milieu*, pp. 106 et 107.

15. Jean III, 19.

16. De nombreuses traductions en ont été publiées. Notamment Adalbert Hamman, « La philosophie passe au christianisme », in *Lettres chrétiennes*, 3, Paris, 1954. Les passages cités ici se trouvent en LXVIII, 1 et X, 2.

17. Cf. John Drane, *Jésus et les quatre Evangiles, op. cit.*, p. 55.

18. Par exemple, le livre de Daniel (XII, 2) : « Beaucoup de ceux qui dorment dans le ciel poussiéreux se réveilleront, ceux-ci pour la vie éternelle, ceux-là pour l'opprobre. »

19. Cf. Pierre Grelot, « L'Interprétation des sources de la vie de Jésus », in *Jésus aujourd'hui. Historiens et exégètes à Radio-Canada, op. cit*, tome 1, pp. 60 et suiv.

20. Zacharie XII, 10.

21. Jean-Paul Roux, *Jésus, op. cit.*, p. 401.

22. Jean XIX, 35.

23. C'est une citation du psaume XXXIII, 31.

24. « Disciple », selon Jean (XIX, 38), mais « caché par peur des juifs », ce qui confirme l'existence d'une sorte de réseau clandestin.

25. Il est probable qu'il ne s'agisse pas de l'aloès médicinal, plante à l'odeur désagréable, mais d'un parfum extrait du bois d'aloès, dit encore allogade, bois de senteur originaire de l'Inde. Cf. Daniel-Rops, *Jésus en son temps, op. cit.*, p. 413.

26. Un débat très technique en vérité. Cf. Claude Tresmontant, *Le Christ hébreu : la langue et l'âge des Evangiles, op. cit.*, pp. 298-299.

27. Gilles Becquet, Robert Beauvery, Roger Varro, *Lectures d'Evangiles : Année A*, Le Seuil, 1974, p. 305.

28. Parmi les multiples débats, polémiques et recherches suscités par ce récit, il en est un qui concerne « le troisième jour ». Certaines traductions laissent entendre

que la résurrection eut lieu après trois jours, c'est-à-dire après que se furent écoulées soixante-douze heures. Dans le langage des juifs, il faut comprendre que Jésus est ressuscité effectivement le troisième jour, c'est-à-dire le surlendemain de sa mort et de sa mise au tombeau.

29. Jean XX, 11-18.

30. David Flusser, *Jésus, op. cit.*, p. 131.

31. Marc VI, 4.

32. Cf. à propos de la conception de la résurrection chez les juifs et dans la mentalité grecque, alors dominante dans le bassin méditerranéen et qui nous est familière, Jean-François Six, *Jésus, op. cit.*, pp. 184 et suiv.

33. Eduard Schweizer, *La Foi en Jésus-Christ, op. cit.*, p. 65.

34. Jean XX, 1-2 et Luc XXIV, 12.

35. Cf. Arthur Nisin, *Histoire de Jésus*, Le Seuil, 1961 (rééd. 1968), pp. 33-38.

36. Marc XVI, 1-8 ; les paroles attribuées à l'ange correspondent à l'expression de la foi des communautés chrétiennes.

37. Jean XX, 1-18.

38. Cf., sur ce sujet, Xavier Léon-Dufour, « La Mort et la résurrection de Jésus », in *Jésus aujourd'hui. Historiens et exégètes à Radio-Canada, op. cit.*, tome 2, p. 141.

39. Cf. *id.*, *Les Evangiles et l'histoire de Jésus, op. cit.*, pp. 448 et 449.

40. Actes I, 3.

41. Actes XVIII, 12-17.

42. Cf. Stanislas Lyonnet, « Les Témoignages chrétiens du premier siècle », in *Jésus aujourd'hui. Historiens et exégètes à Radio-Canada, op. cit.*, tome 1, p. 54, mais aussi Jérome Murphy O'Connor, *Corinthe au temps de saint Paul*, Cerf, 1986, p. 229.

43. 1 Corinthiens XV, 3-8.

44. Actes IX, 1.

45. Cf. Johannès Lehmann, *Dossier Jésus*, trad. française, Albin Michel, 1972, p. 49.

46. Extrait des *Toledoth Jeshu*, recueil de textes juifs

anciens cité *in* Fouard, *Vie de Jésus-Christ*, Paris, 1882, tome 2, p. 453.

47. Ernest Renan, *Vie de Jésus, op. cit.*, p. 231.

48. Luc XXIV, 10.

LES SOURCES

1. Rudolf Bultmann, *Jésus, mythologie et démythologisation*, Le Seuil, 1968, p. 35.

2. Cf. sur ce point, entre autres, François Refoulé, « Jésus dans la culture contemporaine », in *Les Quatre Fleuves*, Le Seuil, n° 4, 1975, et *id.*, « Comment connaissons-nous Jésus ? », in *Jésus*, ouvrage collectif, Hachette-Réalités, pp. 75 et suiv. ; Charles Perrot, *Jésus et l'Histoire, op. cit.*, pp. 35 et suiv. ; Mgr de Solages, *Critique des Evangiles et méthode historique*, Privat, 1972, pp. 79 et suiv.

3. Eugen Drewermann, *L'Evangile de Marc : images de la rédemption, op. cit.*, p. 87.

4. Günther Bornkamm, *Qui est Jésus de Nazareth, op. cit.*, p. 32.

5. Cf. sur ce sujet André Pelletier, « L'Originalité du témoignage de Flavius Josèphe sur Jésus », in *Recherches de science religieuse*, n° 52, 1964, pp. 177-203.

6. *Antiquités juives* XX, 1.

7. Tacite, *Annales* XV, 44.

8. Pline le Jeune, *Lettres* X, 96.

9. Suétone, *Vie de Claude* XXV, 4.

10. Günther Bornkamm, *Qui est Jésus de Nazareth, op. cit.*, p. 36.

11. Mgr de Solages, *Critique des Evangiles et méthode historique, op. cit.*, pp. 37 et suiv.

12. Charles-Harold Dodd, *Le Fondateur du christianisme, op. cit.*, p. 26.

13. 1 Pierre V, 12.

14. Claude Tresmontant, *Le Christ hébreu : la langue et l'âge des Evangiles, op. cit.*, p. 24. Sa thèse a été notamment critiquée par Pierre Grelot (*Evangile et tradition apostolique : réflexion sur un certain Christ hébreu*, Cerf, 1984), spécialiste reconnu de l'araméen.

15. Charles Perrot (*Jésus et l'Histoire, op. cit.*, pp. 27 et 28) en donne un rapide résumé.

16. Philippe Rolland, *L'Origine et la date des Evangiles*, éd. Saint-Paul, 1994, pp. 17-19.

17. Irénée, *Contre les hérésies* III, 1.

18. Première Epître V, 1. Marc est cité à huit reprises dans les Actes des apôtres ou les Epîtres, parfois en compagnie de Pierre ou de Paul.

19. Xavier Léon-Dufour, *Les Evangiles et l'histoire de Jésus, op. cit.*, p. 171.

20. Cf. *Matyah : Evangile selon Matthieu*, éd. André Chouraqui, Jean-Claude Lattès, pp. 50-51.

21. Luc I, 3.

22. Xavier Léon-Dufour, *Les Evangiles et l'histoire de Jésus, op. cit.*, p. 199.

23. Luc I, 1-2.

24. Cf. Marie-Emile Boismard et Arnaud Lamouille, *Un Evangile pré-johannique*, Gabalda J., 1993.

25. Actes XX, 35.

26. Ernest Renan, *Vie de Jésus, op. cit.*, p. 45.

27. *Les Evangiles de l'ombre*, Lieu Commun, 1983, pp. 46-47.

28. *L'Evangile selon Thomas*, Metanoïa. Cf. aussi Henri-Charles Puech, *En quête de la gnose*, tome 2 : *Sur l'Evangile selon Thomas*, Gallimard, 1978.

29. Ainsi *La Vie d'Apollonius de Tyane*, un contemporain de Jésus, racontée par Philostrate au IIIe siècle, donc bien après les faits, est considérée par les historiens comme véridique, du moins pour l'essentiel. Cf. *Romans grecs et latins*, Gallimard, coll. « Bibliothèque de la Pléiade », pp. 1027-1259.

30. Les critères sont de plusieurs ordres :

• Linguistique. Jésus parlait araméen. Les phrases des Evangiles contenant des mots araméens sont probablement authentiques. Les passages des Evangiles dont la forme est telle qu'ils peuvent être aisément retraduits en araméen, également.

• L'originalité ou, pour parler comme les spécialistes, la dissimilitude. Ce critère est très utilisé depuis Bultmann. Il est fondé sur une idée simple : ce qui, dans les paroles prêtées à Jésus, se retrouve dans les textes du judaïsme de l'époque, ou ce qui ressemble aux conceptions de l'Eglise primitive, doit être suspecté, car l'une de ces deux sources pourrait l'avoir introduit dans les textes. En revanche, quand un propos de Jésus est unique et original, il est probablement authentique : ainsi quand Jésus appelle Dieu *Abba*, « Père ». Cela dit, ce critère doit être manié avec précaution, car nous ne connaissons parfaitement ni le judaïsme de l'époque de Jésus ni les conceptions de l'Eglise primitive. En outre, Jésus peut avoir prononcé des paroles dont l'équivalent existait dans le judaïsme ou qui, à plus forte raison, ont orienté les conceptions de l'Eglise primitive ; il n'était pas en rupture totale avec celui-là, et il fut à l'origine de celle-ci.

• La convergence : si des textes qui n'ont pas la même source pour origine rapportent le même propos ou le même fait, leur authenticité est probable.

• La cohérence : si une parole est cohérente avec tout l'enseignement de Jésus, elle mérite d'être considérée.

Aucun de ces critères ne fournit à lui seul une garantie. Réunis, ils permettent de parvenir à des probabilités et parfois à des certitudes. L'étude attentive des formes littéraires permet en outre de distinguer les différences de style entre deux épisodes, ou deux versets d'un même épisode, donc les ajouts possibles (cf. sur ce point Charles Perrot, *Jésus et l'Histoire, op. cit.*, p. 41).

Un exemple de l'ampleur des recherches nécessaires peut être donné à partir des trois annonces faites par Jésus de sa mort et de sa résurrection (Marc VIII, 31, IX, 31, X, 33-34, également citées dans Luc et Matthieu). Jésus a-t-il réellement prononcé ces paroles ou ses disciples les lui ont-ils prêtées après que ces événements eurent lieu ? Pour répondre, on procède aux recherches suivantes : structure du texte ; analyse de la forme littéraire et du vocabulaire ; comparaison avec les récits de passion de prophètes existant dans les récits apocalyptiques, dans l'Ancien Testament ou la littérature rabbinique de l'époque ; comparaison avec les récits de la Passion de Jésus et avec la manière dont la résurrection fut annoncée par l'Eglise primitive ; possibilité de traduire le texte grec en araméen ; comparaison du texte ainsi obtenu avec les modes d'expression habituels de Jésus. Dans le cas qui vient d'être cité, et en dépit de la masse des travaux entrepris, les spécialistes ne sont pas arrivés à une position commune. Presque tous pensent cependant que certains détails, au moins, ont été ajoutés après la mort et la résurrection de Jésus.

31. Luc XVIII, 9-14.
32. Isaïe XII, 1.
33. Marc II, 13-17.
34. Gerd Theissen, *L'Ombre du Galiléen, op. cit.*, p. 48.
35. Matthieu X, 5-6. Propos repris sous une autre forme dans Matthieu XV, 24 : « Je n'ai été envoyé qu'aux brebis perdues de la maison d'Israël. »
36. Jean VIII, 1-11.
37. Matthieu XVI, 18.
38. Xavier Léon-Dufour, *Les Evangiles et l'histoire de Jésus, op. cit.*, p. 218.

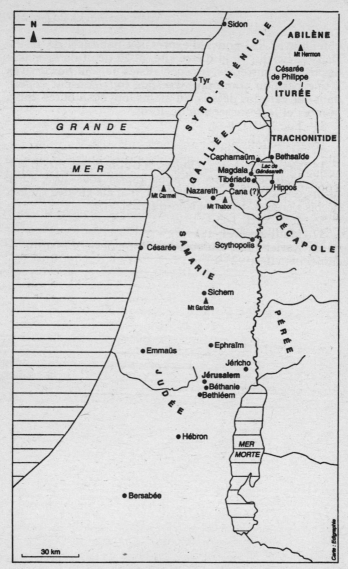

La Palestine au temps de Jésus

REMERCIEMENTS

Bien des amis et des proches doivent être remerciés, qui m'ont aidé, encouragé, supporté aussi durant la rédaction de ce livre (ce fut le cas d'Edith, mon épouse). Mais je dois une reconnaissance toute particulière au P. François Refoulé, dominicain, spécialiste du Nouveau Testament, ancien directeur de l'Ecole biblique de Jérusalem, qui a bien voulu relire le manuscrit, formuler des observations, et des critiques à l'occasion. Cela dit, ce livre n'engage que moi.

J.D.

TABLE

Grands romans

La littérature conjuguée au pluriel,
pour votre plaisir. Des œuvres de grands
romanciers français et étrangers,
des histoires passionnantes, dramatiques,
drôles ou émouvantes, pour tous les goûts...

ADLER PHILIPPE
Bonjour la galère !
1868/1
Les amies de ma femme
2439/3
Mais qu'est-ce qu'elles veulent
ces bonnes femmes ? Quand il
rentre chez lui, Albert aimerait
que Victoire s'occupe de lui mais
rien à faire : les copines d'abord.
Jusqu'au jour où Victoire se fait
la malle et où ce sont ses
copines qui consolent Albert.

ANDREWS™ VIRGINIA C.
Fleurs captives
Dans un immense et ténébreux
grenier, quatre enfants vivent
séquestrés. Pour oublier leur
détresse, ils font de leur prison le
royaume de leurs jeux, le refuge
de leur tendresse, à l'abri du
monde. Mais le temps passe et le
grenier devient un enfer. Et le
seul désir de ces enfants devenus adolescents est désormais de
s'évader... à n'importe quel prix.

- Fleurs captives
1165/4
- Pétales au vent
1237/4
- Bouquet d'épines
1350/4
- Les racines du passé
1818/5
- Le jardin des ombres
2526/4
La saga de Heaven
- Les enfants des collines
2727/5
C'est l'envers de l'Amérique :
la misère à deux pas de l'opu-
lence. Dans la cabane sordide
où elle vit avec ses quatre frères
et sœurs, Heaven se demande

comment ses parents ont eu
l'idée de lui donner ce prénom :
«Paradis». Un jour, elle appren-
dra le secret de sa naissance.

- L'ange de la nuit
2870/5
- Cœurs maudits
2971/5
- Un visage du paradis
3119/5
- Le labyrinthe des songes
3234/6
Ma douce Audrina
1578/4
Etrange existence que celle
d'Audrina ! Sur cette petite fille
de sept ans, pèse l'ombre d'une
autre : sa sœur aînée, morte il y a
bien longtemps dans des circonstances tragiques et qu'elle est
chargée de faire revivre.

Aurore
Un terrible secret pèse sur la
naissance d'Aurore. Brutalement séparée des siens, humi-
liée, trompée, elle devra payer
pour les péchés que d'autres
ont commis. Car sur elle et sur
sa fille Christie, plane la malédiction des Cutler...

- Aurore
3464/5
- Les secrets de l'aube
3580/6
- L'enfant du crépuscule
3723/6
- Les démons de la nuit
3772/6
- Avant l'aurore
3899/5

ARCHER JEFFREY
Le souffle du temps
4058/9

ASHWORTH SHERRY
Calories story
3964/5 Inédit

ATTANÉ CHANTAL
Le propre du bouc
3337/2

AVRIL NICOLE
Monsieur de Lyon
1049/2

La disgrâce
1344/3
Isabelle est heureuse, jusqu'au
jour où elle découvre qu'elle est
laide. A cette disgrâce qui la
frappe, elle survivra, lucide,
dure, hostile, adulte soudain.

Jeanne
1879/2
Don Juan aujourd'hui pourrait-il
être une femme ? La belle
Jeanne a appris, d'homme en
homme, à jouir d'une existence
qu'elle sait toujours menacée.

L'été de la Saint-Valentin
2038/1
La première alliance
2168/3
Sur la peau du Diable
2707/4
Dans les jardins
de mon père
3000/2
Il y a longtemps
que je t'aime
3506/3
L'amour impossible entre
Antoine, 14 ans, et Pauline, sa
belle-mère.

BACH RICHARD
Jonathan Livingston
le goéland
1562/1 Illustré
Illusions/Le Messie
récalcitrant
2111/3
Un pont sur l'infini
2270/4

Grands romans

BELLETTO René
Le revenant
2841/5
Sur la terre comme au ciel
2943/5
La machine
3080/6
L'Enfer
3150/5

BERBEROVA Nina
Le laquais et la putain
2850/1
Astachev à Paris
2941/2
La résurrection de Mozart
3064/1
C'est moi qui souligne
3190/8
L'accompagnatrice
3362/4
De cape et de larmes
3426/1

TERROIR

Romans et histoires vraies
d'une France paysanne
qui nous redonne le goût
de nos racines.

BRIAND Charles
De mère inconnue
3591/5
Le destin d'Olga, placée comme
domestique chez des paysans
angevins et enceinte à 14 ans.

CLANCIER G.-E.
Le pain noir
651/3

GEORGY Guy
La folle avoine
3391/4
Orphelin, Guy-Noël vit chez sa
grand-mère, une vieille dame
qui connaît tout le folklore et
les légendes du pays sarladais.

Roquenval
3679/5
A la mémoire de
Schliemann
3898/1

BERGER Thomas
Little Big Man
3281/8

BEYALA Calixthe
C'est le soleil qui m'a
brûlée
2512/2
Le petit prince de
Belleville
3552/3
Maman a un amant
3981/3
Loukoum, douze ans, est un
Africain de Belleville, gouailleur
et tendre comme tous les
gamins de Paris. Mais voilà que

JEURY Michel
Le vrai goût de la vie
2946/4
Une odeur d'herbe folle
3103/5
Le soir du vent fou
3394/5
Un soir de 1934, alors que souffle
le vent fou, un feu de brous-
sailles se propage rapidement et
détruit la maison du maire...

LAUSSAC Colette
Le sorcier des truffes
3606/1

MASSE Ludovic
Les Grégoire
Histoire nostalgique et tendre
d'une famille, entre Conflent et
Vallespir, en Catalogne françai-
se, au début du siècle.
- Le livret de famille
3653/5
- Fumées de village
3787/5
- La fleur de la jeunesse
3879/5

sa mère décide soudain de
s'émanciper. Non contente de
vouloir apprendre à lire et à
écrire, elle prend un amant, un
Blanc par-dessus le marché !
Décidément, la liberté des
femmes, c'est rien de bon...

BLAKE Michael
Danse avec les loups
2958/4

BORY Jean-Louis
Mon village à l'heure
allemande
81/4

BOUDARD Alphonse
Saint Frédo
3962/3

BRAVO Christine
Avenida B.
3044/3

PONÇON Jean-Claude
Revenir à Malassise
3806/3

SOUMY Jean-Guy
Les moissons délaissées
3720/6
Mars 1860. Un jeune Limousin
quitte son village natal pour
aller travailler à Paris, dans les
immenses chantiers ouverts par
Haussmann. Chaque année, la
pauvreté contraint les gens de
la Creuse à délaisser les moissons... Histoire d'une famille et
d'une région au siècle dernier.

VIGNER Alain
L'arcandier
3625/4

VIOLLIER Yves
Par un si long détour
3739/4

Grands romans

BROUILLET Chrystine
Marie LaFlamme
- Marie LaFlamme
3838/6

En 1662, à Nantes, la mère de Marie est condamnée au bûcher. Pour sauver sa fille, elle lui fait épouser un riche et cruel armateur, Geoffroy de St Arnaud. Mais Marie aime Simon et pour conquérir sa liberté, elle est prête à tout. Même à s'embarquer pour la Nouvelle-France, qui va devenir le Canada...

- Nouvelle-France
3839/6
- La renarde
3840/6

BYRNE Beverly
Gitana
3938/8

CAILHOL Alain
Immaculada
3766/4 Inédit

Histoire d'un écrivain paumé, en proie au mal de vivre. Un humour désespéré teinte ce premier roman d'un auteur bordelais de vingt ans, qui s'inscrit dans la lignée de Djian.

CALFAN Nicole
La femme en clef de sol
3991/2

CAMPBELL Naomi
Swan
3827/6

CATO Nancy
Lady F.
2603/4
Tous nos jours sont des adieux
3154/8
Sucre brun
3749/6
Marigold
3837/2

CHAMSON André
La Superbe
3269/7
La tour de Constance
3342/7

CHEDID Andrée
La maison sans racines
2065/2
Le sixième jour
2529/3

Le choléra frappe Le Caire. Ignorante et superstitieuse, la population préfère cacher les malades car, lorsqu'une ambulance vient les chercher, ils ne reviennent plus. L'instituteur l'a dit : «Le sixième jour, si le choléra ne t'a pas tué, tu es guéri.»

Le sommeil délivré
2636/3
L'autre
2730/3
Les marches de sable
2886/3
L'enfant multiple
2970/3
Le survivant
3171/2
La cité fertile
3319/1
La femme en rouge
3769/1

CLANCIER Georges-Emmanuel
Le pain noir
651/3

Le pain noir, c'est celui des pauvres, si dur, que même les chiens n'en veulent pas. Placée à huit ans comme domestique chez des patrons avares, Cathie n'en connaîtra pas d'autre. Récit d'une enfance en pays Limousin, au siècle dernier.

CLERC Christine
Jacques, Edouard, Charles, Philippe et les autres
3828/5

CLÉMENT Catherine
Pour l'amour de l'Inde
3896/8

Le roman vrai des amours de Nehru et de Lady Edwina Mountbatten, l'une des plus grandes dames de l'aristocratie anglaise, femme du dernier des vice-rois des Indes britanniques.

COCTEAU Jean
Orphée
2172/1

COLETTE
Le blé en herbe
2/1

COLOMBANI Marie-Françoise
Donne-moi la main, on traverse
2881/3
Derniers désirs
3460/2

COLLARD Cyril
Cinéaste, musicien, il a adapté à l'écran et interprété lui-même son second roman Les nuits fauves.
Le film 4 fois primé, a été élu meilleur film de l'année aux Césars 1993. Quelques jours plus tôt Cyril Collard mourait du sida.
Les nuits fauves
2993/3
Condamné amour
3501/4
Cyril Collard : la passion
3590/4 (par J.-P. Guerand & M. Moriconi)
L'ange sauvage (Carnets)
3791/3

CONROY Pat
Le Prince des marées
2641/5 & 2642/5
Le Grand Santini
3155/8

CORMAN Avery
Kramer contre Kramer
1044/3

Grands romans

DeMILLE Nelson
Le voisin
3722/9

DENUZIERE Maurice

A l'aube du XIXᵉ siècle, le pays de Vaud apparaît comme une oasis de paix, au milieu d'une Europe secouée de furieux soubresauts. C'est cette joie de vivre oubliée que découvre Blaise de Fontsalte, soldat de l'Empire, déjà las de l'épopée napoléonienne. Dé ses amours clandestines avec Charlotte, la femme de son hôte, va naître une petite fille... La nouvelle saga de Maurice Denuzière.

Helvétie
3534/9
La Trahison
des apparences
3674/1
Rive-Reine
4033/6 & 4034/6

DHÔTEL André
Le pays où l'on n'arrive jamais
61/2

DICKEY James
Délivrance
531/3

DIWO Jean
Au temps où la Joconde parlait
3443/7

1469. Les Médicis règnent sur Florence et Léonard de Vinci entame sa carrière, aux côtés de Machiavel, de Michel-Ange, de Botticelli, de Raphaël... Une pléiade de génies vont inventer la Renaissance.

DJIAN Philippe

Né en 1949, sa pudeur, son regard à la fois tendre et acerbe, et son style inimitable, ont fait de lui l'écrivain le plus lu de sa génération.

37°2 le matin
1951/4

Se fixer des buts dans la vie, c'est s'entortiller dans des chaînes... Oui, mais il y a Betty et pour elle, il irait décrocher la lune. C'est là qu'ils commencent à souffrir. Car elle court derrière quelque chose qui n'existe pas. Et lui court derrière elle. Derrière un amour fou...

Bleu comme l'enfer
1971/4
Zone érogène
2062/4
Maudit manège
2167/5
50 contre 1
2363/2
Echine
2658/5
Crocodiles
2785/2

Cinq histoires qui racontent les blues des amours déçues ou ignorées. Mais c'est parce que l'amour dont ils rêvent se refuse à eux que les personnages de Djian se cuirassent d'indifférence ou de certitudes. Au fond d'eux-mêmes, ils sont comme les crocodiles : «des animaux sensibles sous leur peau dure.»

DOBYNS Stephen
Les deux morts de la Señora Puccini
3752/5 Inédit

DORIN Françoise

Elle poursuit avec un égal bonheur une double carrière. Ses pièces (La facture, L'intoxe...) dépassent le millier de représentations et ses romans sont autant de best-sellers.

Les lits à une place
1369/4
Les miroirs truqués
1519/4
Les jupes-culottes
1893/4
Les corbeaux et les renardes
2748/5

Baron huppé mais facile à duper, Jean-François de Brissandre trouve astucieux de prendre la place de son chauffeur pour séduire sa dulcinée. Renarde avisée, Nadège lui tient le même langage. Et voilà notre corbeau pris au piège, lui qui croyait abuser une ingénue.

Nini Patte-en-l'air
3105/6
Au nom du père
et de la fille
3551/5

Un beau matin, Georges Vals aperçoit l'affiche d'un film érotique, sur laquelle s'étale le corps superbe et intégralement nu de sa fille. De quoi chambouler un honorable conseiller fiscal de soixante-trois ans ! Mais son entourage est loin de partager son indignation. Que ne ferait-on pas, à notre époque, pour être médiatisé ?

Pique et cœur
3835/1

Photocomposition Assistance 44-Bouguenais
Achevé d'imprimer en Europe (France)
par Brodard et Taupin à La Flèche (Sarthe)
le 19 avril 1996. 6579N
Dépôt légal avril 1996. ISBN 2-277-24160-1

Éditions J'ai lu
84, rue de Grenelle, 75007 Paris
Diffusion France et étranger : Flammarion

4160